Arleta Tylewicz

Szczęście
do poprawki

Prószyński i S-ka

Projekt okładki
Agata Wawryniuk, Robert Sienicki/Firma Belego

Zdjęcie na okładce
© Khmelev/iStockphoto.com

Redaktor prowadzący
Anna Derengowska

Redakcja
Ewelina Kobuz

Korekta
Sylwia Kozak-Śmiech

Łamanie
Ewa Wójcik

ISBN 978-83-8069-055-4

Warszawa 2015

Wydawca
Prószyński Media Sp. z o.o.
02-697 Warszawa, ul. Rzymowskiego 28
www.proszynski.pl

Druk i oprawa
Drukarnia POZKAL Spółka z o.o.
88-100 Inowrocław, ul. Cegielna 10-12

*J*agoda smutno zerkała w lustro, bezwiednie ściskając w dłoni szczotkę do włosów. Milczała, wsłuchana w urywające się co chwila słowa męża, które dolatywały z łazienki. Żałowała, że szum wody nie zagłuszał ich zupełnie. Miała ochotę zniknąć i nie słyszeć nie tylko jego przemowy, ale w ogóle niczego.

Żeby można było zapaść się pod ziemię, myślała, albo nagle teleportować się gdzieś, gdzie nic nie przypominałoby tego, co się stało, gdzie czas stanąłby w miejscu, w momencie, zanim to wszystko się zaczęło. Szlag by to trafił, zaklęła w duchu. Dlaczego akurat mnie musiało to spotkać?

– Rozumiem, że dla ciebie to trudna sytuacja... – znów usłyszała głos Leszka.

Odłożyła szczotkę na toaletkę, oparła łokcie o blat i ukryła twarz w dłoniach. Łzy same cisnęły jej się do oczu, ale z całych sił starała się je powstrzymać.

Palant! – pomyślała. Czy taki egoista może coś rozumieć? Jakby postawił się w mojej sytuacji, toby mi tego nie zrobił. Zachowuje się jak ostatni drań. Nigdy nie podejrzewałam, że z niego jest taki cynik. Jak on mógł?

– Przyznasz przecież, że nie my jedni borykamy się z tym problemem... – Ponownie rozległ się szum wody. – Takie rzeczy dotyczą wielu małżeństw...

Próbowała określić, kiedy właściwie to się zaczęło. Gdzie popełniła błąd? Przecież do tej pory wydawało jej się, że są bardzo zgraną parą. Sądziła nawet, że jest jedną z niewielu kobiet, które mogą powiedzieć o sobie, że są szczęściarami. Uważała swoje małżeństwo za wyjątkowo udane i nigdy nie przyszło jej do głowy, że mogłoby być inaczej. Czyżby tak bardzo zaślepiło ją przekonanie o idylli panującej w ich związku, że nie zauważyła symptomów, które być może pojawiły się już dawno? Oślepła czy co? Swoją drogą, ciekawe, czy inni dostrzegli jakieś sygnały. A może wszyscy wiedzieli już dawno, tylko ona, idiotka, była taka naiwna i od dłuższego czasu żyła w błogiej nieświadomości, podczas gdy on...

Załkała cicho.

– ...przecież to nie tragedia... – usłyszała jego kolejne słowa. Drażnił ją spokojny ton i opanowanie. Mówił o tym wszystkim tak, jakby właśnie rozważali zaciągnięcie kolejnego kredytu na remont domu.

Czy on udaje, czy rzeczywiście jest taki gruboskórny i nic do niego nie dociera? – pytała sama siebie. Miała jednak nieodparte wrażenie, że Leszek celowo bagatelizuje to, co się stało.

Zatkała uszy dłońmi, by już nic nie słyszeć. Teraz chciała się skupić tylko na swoich myślach.

Ciekawe, czy przyjaciółki od dawna plotkowały za moimi plecami i litowały się nade mną, analizowała dalej. Czemu nie? Przecież łatwiej współczuć i gadać po cichu, niż powiedzieć wprost. Na pewno nikt nie chciał ryzykować. W takiej sytuacji zawsze pojawiają się wątpliwości: Co będzie, jeżeli jej powiem, że mąż ją zdradza? Jak ona zareaguje na taką wiadomość? Może przyjmie ją z godnością i podziękuje; uzna, że jestem oddaną i lojalną przyjaciółką. Będzie wdzięczna, że jestem z nią szczera i zrobiłam to dla jej dobra, bo lepiej znać prawdę, niż żyć w urojonym świecie, będąc oszukiwaną i poniżaną przez niewiernego faceta. Z drugiej strony, gdy usłyszy taką dramatyczną informację i poczuje, że całe jej dotychczasowe życie wali się w gruzy, może doznać szoku i zareagować całkiem odwrotnie. Może zarzucić mi kłamstwo, rozsiewanie plotek, zazdrość. Co będzie, jeśli w chwili wzburzenia stwierdzi, że nie jestem jej przyjaciółką? Jeszcze mi naubliża i zerwie ze mną wszelkie kontakty. Nie, lepiej się nie wtrącać i udawać, że nic nie wiedziałam. Rozsądniej poczekać na rozwój wypadków, a jak już się dowie (od kogoś innego) albo sama się zorientuje, to w ostateczności zawsze mogę powiedzieć, że coś tam kiedyś słyszałam, ale sądziłam, że to tylko plotki. Ależ oczywiście! Tak jest bezpieczniej i wygodniej! Nie wtrącać się, westchnęła w duchu, tylko że osoba oszukiwana prędzej czy później i tak przeżyje tragedię. Prawda zawsze wychodzi na jaw.

Z pewnością koleżanki nie chciały się wtrącać i nieważne, z jakich powodów, ale nie pisnęły ani słowem o tym, co się dzieje za jej plecami. Nawet Magda o niczym nie napomknęła.

Jęknęła żałośnie, czując ogromny ciężar na piersi.

Cała ta sprawa, jak większość takich przypadków, zaczęła się dużo wcześniej, niż Jagoda sobie to uświadomiła. Romans jej męża z inną kobietą trwał nieprzerwanie od trzech lat. Skrzętnie przez niego ukrywany, po pewnym czasie i tak stał się tajemnicą poliszynela, która najpóźniej dotarła właśnie do Jagody. Leszek spotykał się z Beatą, swoją koleżanką z pracy, nawiasem mówiąc, jak to się często zdarza, o blisko osiem lat młodszą od żony. Młoda, atrakcyjna piękność bez trudu zawróciła mu w głowie i okręciła go sobie wokół palca. Na początku spotykali się raz, dwa razy w tygodniu, w kawiarni, w czasie lunchu lub popołudniami. Wtedy jeszcze dręczyły go wyrzuty sumienia, czuł się nieswojo i wielokrotnie myślał, że jest wobec Jagody nie w porządku. Oszukiwanie żony męczyło go i powodowało ciągłe zdenerwowanie. Nierzadko zastanawiał się, czy nie zakończyć tej znajomości. W tym czasie bał się, że żona coś zauważy i wszystko wyjdzie na jaw. Obawiał się, że ktoś z ich wspólnych znajomych spotka go w lokalu, na randce z Beatą, i powie o tym Jagodzie, albo chociażby swojej własnej małżonce, co w efekcie końcowym i tak na jedno by wyszło. Jednak do zerwania nie doszło. Beata bardzo go pociągała, więc kiedy jednego wieczoru, kładąc się spać u boku żony, postanawiał więcej się z kochanką nie spotykać, następnego ranka umawiał się na kolejną schadzkę. W całej tej sytuacji podniecała go nie tylko ta kobieta, ale też sam fakt nowego doznania.

Po pewnym czasie zaczęli się spotykać w małym wynajętym mieszkaniu Beaty. Wówczas Leszek przestał się denerwować. Świadomość tego, że teraz nikt nie jest świadkiem jego wiarołomstwa i nie ma już ryzyka, że może ono ujrzeć światło dzienne, spowodowała, że odzyskał spokój i poczuł się bezkarny. Zaczął czerpać z tych spotkań czystą przyjemność, a wyrzuty sumienia znikały, w miarę jak rozwijał się romans. Mniej więcej po roku trwania tego związku prowadzenie podwójnego życia stało się dla Leszka czymś normalnym, a ukrywanie przed Jagodą zdrady było znacznie łatwiejsze. Balansowanie między żoną a kochanką, między jednym a drugim domem, przychodziło mu z coraz większą wprawą. Sam już dobrze wiedział, że w tej kwestii nabiera doświadczenia. Na pytania żony, dlaczego tak późno wraca z pracy, zawsze miał przygotowaną wymówkę: właśnie trzeba było zrobić bilans kwartalny albo przyjęto nowego pracownika i musi go wdrożyć w obowiązki i sprawy firmy, a od czasu do czasu musiał nawet wyjechać służbowo, aby zbadać rynek. Właściwie można powiedzieć, że nie były to nazbyt pomysłowe wymówki, ale Jagoda w swoim bezgranicznym zaufaniu do męża okazała się niespecjalnie czujna.

Leszek nie zdawał sobie sprawy, że ów romans już dawno przestał być tajemnicą dla większości jego kolegów, a potem również koleżanek. Jego czujność została uśpiona tak dalece, że przestał kontrolować każdy swój ruch.

Przez cały czas, gdy wiódł to podwójne życie, czuł się całkowicie szczęśliwy. Miał dwie ukochane kobiety, które pragnęły z nim być. Leszek szczerze kochał Jagodę (a przynajmniej tak mu się zdawało), dającą mu niezbędne poczucie stabilizacji i ładu, ale też kochał jednocześnie Beatę, dzięki której jego życie stawało się pikantniejsze i bardziej urozmaicone. W dodatku obie uzupełniały się na tyle, że nie miał najmniejszego zamiaru rezygnować z żadnej z nich. Dlatego trwał w tej chorej sytuacji bez żadnych planów na przyszłość i nie próbował, a nawet nie chciał nic zmieniać.

Taki stan rzeczy ciągnąłby się nadal, gdyby nie jedno zdarzenie, które odmieniło dotychczasowe życie Leszka i Jagody.

*

W początkach marca na jednym z osiedlowych parkingów we Wrocławiu, na skutek częstych monitów mieszkańców, ekipa pracowników usuwała suche i chore gałęzie drzew, korzystając przy tym z wysięgnika koszowego. Stanowisko było niewygodne, bowiem pokaźnych rozmiarów, ciężkie i rozłożyste konary niebezpiecznie pochylały się ponad stojącymi wokoło samochodami. W niektórych miejscach gałęzie zwisały tak nisko, że kierowcy wjeżdżając, zawadzali o nie dachami aut, rysując je, co powodowało ich nagminną irytację.

Pracownicy, zgodnie z zasadami bezpieczeństwa, próbowali ogrodzić najbliższy teren wokół wybranego drzewa, ale z jednej strony, trochę za blisko, stało osobowe audi. Niestety nikt nie wiedział, kto jest jego właścicielem. Ostatecznie uznali, że nic złego się nie wydarzy, gdyż odległość samochodu od drzewa jest prawie odpowiednia, i nie czekając na właściciela pojazdu, zabrali się do pracy.

Jeden z robotników, stojący w koszu na wysokości kilkunastu metrów nad ziemią, wychylony w niebezpieczny sposób, odcinał wielki konar za pomocą piły spalinowej. Doświadczonemu zespołowi fachowców takie prace nie przysparzają większych problemów, przebiegają zazwyczaj bardzo sprawnie i szybko. Tym razem jednak stało się inaczej.

Odcięty właśnie konar, jakby na przekór wszelkim prawom fizyki, splątał się z innymi gałęziami macierzystego drzewa, po czym zadyndał w powietrzu ciężkim, grubym końcem, z hukiem odbijając się od pnia. Następnie rozkołysany mocno wychylił się w drugą stronę i uwolniwszy się z uwięzi, runął w dół, a następnie wbił się wprost w przednią szybę zaparkowanego w pobliżu audi. W wyniku uderzenia szyba natychmiast pękła, wpuszczając intruza do wnętrza. Reszta gałęzi pozostała na zewnątrz, dostojnie chwiejąc się przez chwilę, po czym zamarła w bezruchu niczym imponująco wielka, rozłożysta miotła. Z daleka wyglądało to tak, jakby z kabiny samochodu wyrastało spore drzewko.

– O kurwa! – wrzasnął jeden z pracowników, a pozostali zamarli w bezruchu, gapiąc się i niedowierzając własnym oczom.

Po chwili wszyscy zgodnie zaczęli rzucać przekleństwami.

– Jak to się stało?! – zawołał ten w koszu.

– Co się głupio pytasz, debilu?! – ryknął majster. – Sam widziałeś!

– Mocno się pokiereszowało?! – znów zawołał ten z kosza, potężnie wystraszony.

To pytanie sprawiło, że struchleli na moment koledzy zareagowali i prawie jednocześnie rzucili się do uszkodzonego wozu. Operator dźwigu, widząc, co się dzieje, nie chciał zostać w tyle, wyskoczył z kabiny i pobiegł za nimi, zapominając o zszokowanym koszowym.

– Hej! Jachu! Opuść mnie, kurwa! – darł się kumpel na górze.

– Już, już! Nie drzyj się! – wrzasnął tamten niezadowolony, wracając do kabiny dźwigu.

Opuścił kosz na dół, aby uwolnić spanikowanego kolegę. Wszyscy pozostali chodzili wokół uszkodzonego samochodu i po kolei zapalając papierosy, rozprawiali, jak to się stało, że tak dziwnie walnęło.

– Majster – powiedział jeden z nich, wypuszczając dym nosem – i co teraz zrobimy?

– Trzeba zgłosić – odparł pytany, drapiąc się po łysej głowie. – Nie da się tego ukryć. – W tym momencie wszyscy jak na rozkaz rozejrzeli się wokół, sprawdzając, czy ktoś ich obserwuje.

12

– Będą kłopoty? – drążył pierwszy.

– Pewnie tak, ale nie ma wyjścia, i tak prędzej czy później to by się wydało. Nie ma co kombinować – odparł majster, czując, że sytuacja nie jest najlepsza. – Może uznają, że to nie nasza wina tylko nieszczęśliwy wypadek. W końcu teren został zabezpieczony. Wszystko odbyło się prawidłowo – stwierdził bez przekonania. – Dzwonię do kierownika.

Wyjął z kieszeni służbowy telefon i wystukał numer, po czym odszedł na bok, aby bez przeszkód zrelacjonować szefowi, co się stało.

Wkrótce po tym pojawił się kierownik, a po mniej więcej czterdziestu minutach także policja.

– Ustaliliśmy, kto jest właścicielem samochodu. Chłopcy z komendy spróbują się z nim skontaktować. To nie będzie trudne, bo mamy jego telefon domowy i do firmy. O tej porze na pewno złapiemy go w pracy – poinformował jeden z policjantów, pewnie ten ważniejszy. – Trzeba spisać protokół – zwrócił się do kolegi w formie polecenia.

– Nie ma co, facet nieźle się wkurwi – podsumował majster.

– Czy ten właściciel to ktoś z tego osiedla? – zainteresował się kierownik.

– Niestety, chyba nie – odparł policjant. – Z adresu wynika, że mieszka na drugim końcu miasta, i w tym cały problem. Gdyby to był ktoś stąd, moglibyśmy iść do jego domu, może zastalibyśmy kogoś, a tak to nawet nie wiemy, do kogo tu przyjechał. Trzeba próbować telefonicznie. Miejmy nadzieję, że w najgorszym wypadku pod numerem domowym czegoś się dowiemy.

*

Zadzwonił telefon. Jagoda, siedząca wygodnie z podwiniętymi nogami na kanapie, oglądała jakiś nudny serial w telewizji i czekała, aż upiecze się biszkopt, który piętnaście minut temu włożyła do piekarnika. Na dźwięk dzwonka podskoczyła jak oparzona. Sięgnęła po słuchawkę.

– Halo!

– Dzień dobry pani! Tu sierżant Kłosiński z komendy rejonowej policji – przedstawił się nieznajomy. – Czy zastałem pana Leszka Topolskiego?

– Męża nie ma w domu, powinien być teraz w pracy – odpowiedziała nienaturalnym głosem, czując nerwowy ucisk w gardle.

Oczami wyobraźni ujrzała obrazy niczym klatki starego filmu przeskakujące w przyspieszonym tempie, na których Leszek był w kajdankach, za kratami więzienia, a na końcu w kominiarce z kałasznikowem w dłoniach. Przeraziła się własnych myśli, ale po chwili górę wziął rozsądek i szybko doszła do wniosku, że to niemożliwe, żeby jej mąż wplątał się w jakąś aferę kryminalną, a już na pewno nie mógłby być żadnym szpiegiem czy terrorystą. Szybko otrząsnęła się i powróciła do przytomności.

– Niestety, nie ma go już w firmie. Czy nie mówił pani, dokąd się wybiera po pracy?

– Przepraszam, a o co chodzi? – zapytała, czując, jak ogarnia ją panika. – Czy coś się stało mojemu mężowi?

– Ależ nie! – żywo zaprzeczył sierżant. – Proszę się uspokoić. Chodzi tylko o samochód. Państwo mają srebrne audi coupe?

Chodzi tylko o samochód, przemknęło jej przez myśl niczym echo i poczuła lekką ulgę.

– Zgadza się. Mąż nim jeździ – odparła odrobinę spokojniejszym głosem, bo klucha w gardle, którą przed chwilą czuła, zaczęła znikać.

– No więc zdarzył się incydent. Na państwa wóz spadł konar drzewa i go uszkodził. Właśnie spisujemy protokół, ale musi przy tym być ktoś z właścicieli. Niestety nie możemy ustalić, gdzie jest pani mąż – wyjaśnił spokojnym tonem policjant. – Czy w takim razie możemy prosić, aby pani przyjechała na miejsce zdarzenia? W przeciwnym razie będziemy musieli odholować samochód na policyjny parking.

– Tak, naturalnie, mogę przyjechać. – Jagoda odetchnęła z ulgą. – Wezmę taksówkę i postaram się być jak najszybciej.

– Ma pani w domu drugie kluczyki do auta?

– Oczywiście. Zabiorę je ze sobą. – Mówiąc to, zerwała się z kanapy i ze słuchawką przy uchu pobiegła na piętro, do sypialni, po kluczyki.

– Przepraszam za kłopot, ale tak będzie najlepiej. Szybciej załatwimy konieczne formalności.

– Rozumiem. Zaraz tam będę, tylko proszę podać adres – odparła.

Zapisała podyktowany przez policjanta adres, po czym w pośpiechu wrzuciła zapasowe kluczyki do torebki i próbując sobie przypomnieć, gdzie jest to cholerne osiedle, wybiegła z domu.

*

Jechała taksówką pod adres podany przez sierżanta. Nie przewidziała jednak, że o tej porze w mieście będą korki. Trwało to o wiele dłużej, niż zakładała, i zaczęła się już niecierpliwić. Była zdenerwowana tą zaskakującą informacją. Zastanawiała się, skąd się wzięło ich auto w tej dzielnicy i gdzie jest teraz Leszek.

Przecież mówił, że do wieczora będzie w pracy, dumała, obserwując jednocześnie drogę. Twierdził, że ma jakieś zaległości. Gdyby był w firmie, samochód stałby na służbowym parkingu. Zakładając, że wyszedł z pracy wcześniej, niż planował, po kiego licha pojechał na drugi koniec miasta? Co mógł robić w tym rejonie? To było dość dziwne i niewątpliwie wymagało wyjaśnienia.

Taksówka zbliżała się do miejsca zdarzenia. Jagoda już z daleka zobaczyła radiowóz, a dalej żywo dyskutującą ze sobą grupkę: dwóch policjantów, czterech robotników oraz całkiem zdrowego na ciele Leszka, a obok niego (o zgrozo!) młodą, atrakcyjną blondynkę, czule uwieszoną na jego ramieniu. Jagoda niemal natychmiast poczuła dreszcz przebiegający jej po plecach, aż odruchowo się wzdrygnęła. Intuicyjnie poprosiła kierowcę, żeby nie podjeżdżał za blisko. Taksówkarz zatrzymał się dwadzieścia metrów od radiowozu. Z tego miejsca mogła obserwować rozmawiających.

Zrobiło jej się jakoś nieswojo. Przez moment jak zahipnotyzowana obserwowała, z jaką zażyłością jej mąż i blondynka odnoszą się do siebie. Czuła wyraźnie, że w tym momencie jej policzki pokrywają się rumieńcem, a na czoło występują kropelki zimnego potu.

– Wysiada pani? – spytał mężczyzna, ze zdziwieniem zerkając w lusterko.

– Tak, ale jeśli pan pozwoli, za chwilę. Chciałabym jeszcze posiedzieć.

– Proszę bardzo. Mnie tam wszystko jedno, licznik i tak bije – powiedział obojętnie taksówkarz, wzruszył ramionami i rozparł się wygodniej na siedzeniu kierowcy.

Przede wszystkim chciała poczekać, aż jej serce przestanie łomotać.

Widziała, jak Leszek rozmawia z policjantem. Był zdenerwowany. Młoda kobieta objęła go w pasie, przytuliła się i zaczęła głaskać po ramieniu, wyraźnie próbując go uspokoić. Chyba niezbyt uważnie słuchała tego, co mówił mundurowy, bo po chwili Leszek odprowadził ją na bok i zaczął coś tłumaczyć. Tym razem słuchała z uwagą. Widać było, że to, co mówił, ją przeraziło, bo nagle uśmiech zniknął z jej twarzy. Prawie natychmiast pocałowali się czule w usta i kobieta szybko odeszła w kierunku najbliższego budynku, a Leszek wrócił do grupy mężczyzn.

Jagoda nie mogła uwierzyć w to, co przed chwilą ujrzała.

Nie do wiary, myślała. Co tu jest grane? Leszek nie mógłby mnie zdradzić. A może mógłby???

Zszokowana poczuła, że jest jej potwornie gorąco. Rozpięła kurtkę i poluzowała szalik, który jakoś dziwnie dusił ją w szyję. Oddychała z trudem, zaschło jej w ustach i nie mogła swobodnie przełknąć śliny.

– Dobrze się pani czuje? – spytał zaniepokojony taksówkarz, znowu patrząc we wsteczne lusterko.

Jagoda spojrzała również i zobaczyła uważnie obserwujące ją oczy kierowcy.

– Tak, tak. Nic mi nie jest – uspokoiła go zmieszana. – Wszystko w porządku.

Wiedziała, że teraz musi się opanować. Odczekała jeszcze kilka chwil, przyglądając się kobiecie do momentu, gdy tamta weszła do klatki schodowej jednego z budynków. Na wszelki wypadek zwróciła uwagę na numer domu. Potem wzięła głęboki wdech i poprosiła taksówkarza, aby podjechał bliżej.

Zajęty rozmową z policjantem Leszek zauważył ją w momencie, gdy wysiadała z samochodu. Podszedł szybkim krokiem, przybierając pozę rozluźnionego i niewinnego.

– Witaj, kochanie! – zawołał z daleka.

– Cześć! – powiedziała chłodno.

– Policja niepotrzebnie cię fatygowała. Mogłaś nie przyjeżdżać.

– Mogłam, ale już jestem.

– No tak – przyznał lekko zmieszany, chcąc jak zawsze pocałować ją na powitanie.

– Co się właściwie stało? – zapytała rzeczowo Jagoda, niby niezamierzenie unikając zręcznie pocałunku.

– Ach, głupi wypadek, ale już wszystko w porządku. Dostaniemy odszkodowanie na pokrycie kosztów naprawy, więc nie ma czym się przejmować.

Zdawało jej się, że wcześniej poirytowany Leszek teraz stara się robić wrażenie bardzo spokojnego, jakby wręcz chciał zbagatelizować sprawę uszkodzenia samochodu, który był dla niego jak najcenniejsza zabawka.

Podeszli do policjanta, z którym przed chwilą rozmawiał.

– Dzień dobry pani – przywitał się mężczyzna, przyglądając jej się z lekkim zdziwieniem.

Zauważyła jego pytające, krótkie spojrzenie, rzucone w kierunku Leszka.

– To moja żona – pospieszył z wyjaśnieniem Leszek, siląc się na naturalny ton.

Zdezorientowany mundurowy zerknął w kierunku domu, gdzie przed chwilą znikła tajemnicza blondynka. Widać jednak uznał, że nie takie rzeczy w życiu się zdarzają, a poza tym to nie jego sprawa, więc zachowując dyskrecję, grzecznie zwrócił się do Jagody:

– Wygląda na to, że wszystko już załatwione, możecie państwo jechać do domu. – Uśmiechnął się do niej ze współczuciem. Jagoda nie wiedziała, czy uśmiechał się tak z powodu uszkodzonego auta, czy też tamtej kobiety. – W razie czego skontaktujemy się z panem – dodał, tym razem do Leszka.

– Rozumiem, ale poczekamy jeszcze na przedstawiciela firmy ubezpieczeniowej, który zrobi zdjęcia i oceni szkody – odparł Leszek. – Dzwoniłem już do nich i powiedzieli, że ktoś podjedzie za pół godziny, więc powinien tu zaraz być – dokończył, jednocześnie zerkając na zegarek.

– To dobrze, ale my nie mamy tu już nic więcej do roboty. W razie czego wie pan, gdzie mnie szukać. Do widzenia – odparł policjant, salutując niedbale.

Wracając do domu taksówką, Jagoda i Leszek nie odzywali się do siebie. Leszek unikał jej wzroku, a ona nie wiedziała, jak zacząć rozmowę. Chwilami miała ochotę zaatakować go lawiną pytań, ale nie umiejąc ocenić, jakich może się spodziewać odpowiedzi, wolała nie ryzykować awantury w obecności taksówkarza. Uznała, że w tej sytuacji lepiej będzie milczeć, utkwiła więc wzrok w szybie i udawała, że z zainteresowaniem przygląda się ulicom. Cały czas zastanawiała się, kim była owa blondynka, która tak czule obejmowała jej męża. Miała nieodparte wrażenie, że już ją gdzieś widziała. Była pewna, że kiedyś musiała spotkać tę kobietę, tylko nie mogła sobie przypomnieć, w jakich okolicznościach.

Czy to możliwe, że Leszek mnie zdradza? Bez przerwy zadawała sobie to pytanie. On, zawsze taki prawy, człowiek z zasadami, okazałby się nieuczciwym draniem? To niemożliwe. Nie mój Leszek. Nigdy nie zauważyłam nic, co by wskazywało, że prowadzi podwójne życie. Nie było żadnych symptomów. No właśnie... Nie było czy tylko ja jestem taka ślepa, że ich nie widziałam? A może to tylko jakiś dziwny zbieg okoliczności, może wyciągnęłam mylne wnioski? Może... Nie, przecież wyraźnie było widać, co się dzieje. Ewidentnie coś ich łączy. Nie jestem idiotką. Wygląda na to, że on ma kochankę i mnie zdradza. Zabawia się z jakąś lalą! Jagoda westchnęła ciężko. Cholera jasna! Pieprzony bydlak! – zaklęła w duchu z wściekłością.

Gdy zbliżali się do domu, zdecydowała, że musi sobie to wszystko jeszcze przemyśleć, dlatego dziś nie będzie z mężem rozmawiała. Uznała, że lepiej będzie, jeśli zrobi to jutro, chociaż obawiała się, że do tego czasu Leszek wymyśli jakieś zręczne kłamstwo.

Trudno, stwierdziła. Tak czy siak, teraz mam mętlik w głowie i muszę się uspokoić. A swoją drogą ciekawe, czy on sam zacznie się tłumaczyć.

Jednak Leszek wcale nie próbował się tłumaczyć. Nie powiedział na ten temat ani słowa. Nie wiedziała tylko, czy nie był świadom sytuacji, w jakiej się znalazł, czy jedynie udawał.

*

Następnego dnia rano siedziała w sypialni przy toaletce, podczas gdy mąż jeszcze spał. Zastanawiała się, jak ma z nim porozmawiać o wczorajszym wydarzeniu. Zdawała sobie sprawę, że prędzej czy później musi to nastąpić. Prawdopodobnie jednak Leszek miał nadzieję, że ona nic nie widziała.

Postanowiła działać niezwłocznie.

– Leszek! – zawołała. – Leszek, wstawaj, już siódma!

– Uhm... – mruknął w poduszkę i otworzył oczy.

Widać było, jak resztki snu znikają odsuwane przez jasne światło dnia. Leszek powoli przekręcił się na plecy i przeciągnął, ziewnął, a potem odrzucił kołdrę i usiadł na łóżku.

– Słuchaj – zaczęła – kim była ta kobieta, która wczoraj stała obok ciebie?

Na moment znieruchomiał, po czym zerknął na nią przelotnie zaspanym jeszcze wzrokiem. Wiedziała, że zaskoczyła go tym pytaniem.

– Jaka kobieta? – Wyraźnie grał na zwłokę, chcąc zyskać trochę czasu, żeby zebrać myśli.

– Nie udawaj, dobrze wiesz, o kim mówię. Kto to był? – atakowała go Jagoda, nie chcąc dać mu czasu na kombinowanie.

Zapadło milczenie. Leszek podrapał się po lekko zarośniętej brodzie, a potem niepewnie przeczesał palcami włosy. W pierwszej chwili chciał dalej udawać, że nie rozumie, o co chodzi, ale doszedł do wniosku, że to nie ma sensu. W końcu zdecydował się odpowiedzieć.

– To była Beata, koleżanka z pracy – wymruczał.

Zawsze, gdy rano wstawał z łóżka, jego głos był lekko zachrypnięty i o dwa tony niższy niż zwykle. Odzyskiwał normalną barwę, dopiero gdy Leszek wyszedł z łazienki i zjadł śniadanie. Kiedyś to uwielbiała, teraz zaczęło ją irytować.

– Czy u was w pracy wszyscy przytulacie się do siebie i całujecie w usta? – zapytała z nieukrywanym sarkazmem.

– Jasne, że nie. Nie bądź złośliwa.

– Czy można nie być złośliwą w takiej sytuacji? Jak długo mnie zdradzałeś? – Czuła, że zaczynają jej puszczać nerwy. – Jak długo jeszcze zamierzałeś mnie oszukiwać?!

– Uspokój się. Nie chciałem cię skrzywdzić.

– Ale zrobiłeś to! Odpowiedz, jak długo to trwa?

– Przecież to nieistotne.

– Dla mnie istotne – syknęła z wściekłością.

– Po co ci to? – próbował uniknąć odpowiedzi. – Co za różnica, jak długo?

– Leszek, jestem twoją żoną i należy mi się szacunek. – Jagoda próbowała się uspokoić, chociaż przychodziło jej to z największą trudnością. Wciągnęła powietrze, żeby nie wybuchnąć, i dodała: – Chyba stać cię na odrobinę szczerości wobec mnie.

Leszek z rezygnacją pokręcił głową. Wiedział, że nie ma wyjścia, musi się przyznać. W końcu Jagoda nie jest aż tak naiwna.

– Leszek, czekam na odpowiedź – ponagliła go zniecierpliwiona.

– Prawie trzy lata – odparł niepewnie.

– Co?! – Wytrzeszczyła oczy zaskoczona, z wielkim trudem powstrzymując chęć rzucenia się mężowi do gardła. – Zdradzałeś mnie przez trzy lata?! – Jej głos był nienaturalnie wysoki; słyszała, że jakoś dziwnie skrzeczy. – Robiłeś ze mnie idiotkę przez trzy lata i gdyby nie ten głupi wypadek z samochodem, robiłbyś to dalej bez żadnych skrupułów?!

– Nie krzycz.

– Ja nie krzyczę! Ja jestem wściekła! – wysapała z trudem, czując, jak jej serce wali niczym młot. – Pytam, jak długo jeszcze zamierzałeś mnie zwodzić?

– Nie wiem, co by było dalej. Nie mam pojęcia. To wszystko wymknęło się spod kontroli. Nie sądziłem, że sprawa zajdzie tak daleko. Nie zamierzałem cię zdradzać ani oszukiwać... po prostu tak wyszło – tłumaczył się zmieszany. W końcu zniecierpliwiony wstał z łóżka i skierował się do łazienki.

– Oszalałeś?! „Tak wyszło” można powiedzieć o jednorazowym skoku w bok, a nie o romansie, który trwa trzy lata!

– Niech ci będzie – zgodził się. Nigdy nie lubił kłótni. – I co z tego? – dodał lekceważącym tonem.

– Jak to co? Tak dalej być nie może – stwierdziła zdezorientowana.

Nie pomyślała o tym, że skoro romans wyszedł już na jaw, to musi podjąć jakąś decyzję co do przyszłości. Teraz ta nagła, oczywista myśl zaskoczyła ją samą.

Leszek zniknął w łazience i po chwili usłyszała, jak odkręca wodę w prysznicu. Najchętniej porozbijałaby wszystko, co tylko miała pod ręką, żeby wyrzucić z siebie wściekłość i choć odrobinę się uspokoić, ale wiedziała, że takim zachowaniem tylko wzbudziłaby w nim niechęć. Poza tym nie chciała się poniżać. Z trudem starała się zapanować nad emocjami.

– Ja z Beaty nie zrezygnuję, zresztą to ciebie nie dotyczy... – usłyszała wyraźnie, zanim szum wody zagłuszył dalsze słowa męża. – ...rozumiem, że dla ciebie to trudna sytuacja... – znów dobiegł ją głos Leszka.

Siedziała tak bardzo zszokowana tą deklaracją, że aż ją na chwilę zatkało. Tego się absolutnie nie spodziewała. Jeśli byłby to nic nieznaczący romans, mogłaby liczyć, że z czasem uda jej się wybaczyć Leszkowi ten wybryk. Może powoli odbudowaliby więź, która ich połączyła kiedyś. Jednak jej mąż oświadczył przed chwilą, że stawia związek z kochanką przynajmniej na równi z ich małżeństwem. W swej naiwności sądziła, że zacznie się przed nią kajać i błagać o wybaczenie, a on nic.

– Przyznasz jednak, że nie my jedni borykamy się z tym problemem... – Ponownie rozległ się szum wody. – Takie sytuacje dotyczą wielu małżeństw... przecież to nie tragedia...

Chwilami słyszała fragmenty przemowy Leszka. Po dwudziestu minutach wyszedł z łazienki odświeżony, ogolony i pachnący, jakby pewniejszy siebie.

– Leszek – powiedziała błagalnym tonem. – Nie niszcz wszystkiego, co przez tyle lat budowaliśmy. Przecież to nie ma sensu.

– Nie przesadzaj. Nic takiego się nie stało – próbował zbagatelizować sprawę.

– Proszę cię... Zastanów się, co ty mówisz...

– Przestań robić mi wyrzuty – uciął, cały czas unikając jej wzroku.

– Chyba nie zamierzasz żyć w trójkącie? – zapytała przerażona własnymi słowami, a Leszek na chwilę znieruchomiał, zapinając guzik nieskazitelnie czystej, wyprasowanej przez nią koszuli. – Może jeszcze wprowadzi się do naszego domu? – rzuciła ze złością.

– Więc co proponujesz?

– A ty? – zrewanżowała się pytaniem na pytanie.

– W tej chwili nic – odparł spokojnie. – Zresztą teraz muszę już jechać do pracy. Myślę, że lepiej będzie, jeśli dokończymy tę rozmowę, jak wrócę.

– Jak wrócisz z pracy czy jak porozmawiasz z kochanką?

– Jagoda, znowu przesadzasz. Ta ironia w niczym nam nie pomoże – odrzekł zniecierpliwiony i zaczął wkładać spodnie. – Dzisiaj będę w domu o osiemnastej, to pogadamy – zamknął rozmowę.

– Ale, Leszek... – chciała go jeszcze zatrzymać.

– Nie ma sensu teraz o tym rozmawiać. Jesteś zdenerwowana, a ja za chwilę będę spóźniony – uciął krótko, wychodząc z pokoju.

Jagoda czuła się tak, jakby ktoś ją spoliczkował. Właściwie zupełnie nie wiedziała, co powinna teraz zrobić. Biec za nim i błagać, żeby zmienił zdanie, czy pozwolić mu odejść? Czy może jeszcze coś wskórać, kiedy widać wyraźnie, że on unika rozmowy? Może raczej powinna ochłonąć i rzeczywiście wrócić do tego później, gdy mąż przyjdzie z pracy?

Na pewno spotka się z tą zdzirą i obgadają całą sytuację, żeby wspólnie podjąć jakąś decyzję, myślała rozgorączkowana. A jeśli Leszek zażąda rozwodu?

Wybierze tę drugą, a ja, żona, po tylu latach małżeństwa zostanę sama, opuszczona, porzucona jak jakiś stary, nikomu niepotrzebny kapeć?

Przerażona siedziała bezradnie w sypialni i słuchała, jak Leszek wychodzi z domu i zatrzaskuje za sobą drzwi. Nawet nie zjadł śniadania. Przyszło jej do głowy, że koniecznie musi o tym z kimś porozmawiać, bo w przeciwnym razie pęknie ze złości jak nadmuchany do granic możliwości balon. Chwyciła za słuchawkę telefonu i automatycznie wystukała numer do przyjaciółki, z którą zawsze mogła szczerze i bez skrępowania pogadać.

Magda była jej serdeczną koleżanką od czasów liceum. Nie chodziły do jednej klasy, chociaż były w zbliżonym wieku. Poznały się kiedyś na letnim obozie, a potem kontynuowały znajomość. Mieszkały w tym samym mieście, więc często spotykały się po szkole i szybko się okazało, że doskonale się dogadują.

Jagoda bardzo sobie ceniła znajomość z Magdą, która była niezwykle obiektywna i bezinteresownie życzliwa.

Jakoś tak się złożyło, że poza Magdą nie utrzymywała bliskich kontaktów z innymi koleżankami. Od chwili, gdy związała się z Leszkiem, zaczęła obracać się głównie w jego środowisku i spotykała się tylko z żonami jego kolegów, zaniedbując własnych znajomych, którzy z czasem założyli rodziny, porozjeżdżali się po kraju i świecie, tracąc ze sobą kontakt. Szczerze mówiąc, Jagoda nawet nie starała się utrzymywać znajomości z nimi, co wówczas wydawało jej się naturalne. Zapomniała o nich, tak jak potem oni zapomnieli o niej. Tylko Magda pielęgnowała ich przyjaźń i dzięki temu teraz Jagoda miała chociaż jedną bliską osobę.

Magda z Radkiem poznali się około sześciu lat temu, jak sami mówili, było to wtedy, gdy oboje dojrzeli już do poważnego związku i założenia rodziny. Bardzo szybko zdecydowali się na ślub i w cztery miesiące później byli już połączeni sakramentem. Ich małżeństwo układało się wzorcowo, gdyż oboje mieli podobne podejście do kwestii stałego związku. W ich przypadku był to układ absolutnie partnerski. Każde z nich miało swoje pasje i ambicje zawodowe, których realizacją zajmowali się oboje przy całkowitej aprobacie i wsparciu drugiej strony. Dzięki temu zawsze i we wszystkim mogli na siebie liczyć. Ich wspólne wolne chwile stawały się wielkim świętem i radością. Umiejętnie celebrowali czas spędzany we dwoje, czy był to dłuższy urlop, czy tylko jedno wolne popołudnie lub wieczór. Można powiedzieć, że potrafili być razem nawet wtedy, gdy byli osobno. Jagoda zawsze podziwiała Magdę za to, że będąc kochającą żoną, nie rezygnowała z własnych marzeń. Ona sama poddała się i podporządkowała mężowi tak bezgranicznie, że pozwoliła, by wszystko kręciło się wokół niego. Mimo że Leszek nigdy jej nie mówił, jak powinna żyć, to jednak zawsze wydawało jej się, że właśnie tego od niej oczekiwał. Między innymi dlatego nie pracowała na etacie, żeby móc się zająć wszystkim, co wiązało się z prowadzeniem domu i obsługiwaniem męża. Nawet się nie odważyła prosić go o zgodę na pracę w pełnym wymiarze, tak jak nie przyszło jej do głowy, żeby zacząć się rozwijać zawodowo czy realizować własne marzenia i pasje.

Czasem zadawała sobie pytanie, jak to się dzieje, że Magda potrafi żyć z mężem w przykładnym związku, będąc jednocześnie w pełni niezależną i samodzielną kobietą. Może przyczyna tkwiła w jej temperamencie, a może po prostu w mądrości? Magda rzeczywiście była bardzo pewną siebie, charyzmatyczną kobietą, co dawało się zauważyć również w jej obrazach. Ich śmiałe kolory i odważne, eksperymentalne łączenie różnych technik malarskich podobały się klientom, którzy chętnie kupowali jej prace.

Wysoka, szczupła, o krótko przystrzyżonych ciemnokasztanowych włosach i wyrazistej urodzie, zawsze elegancka, ale niekonwencjonalna, od razu wzbudzała szacunek, a także sympatię, wynikającą z jej bezpośredniego sposobu bycia. Poczucie humoru i lekka nonszalancja natychmiast przysparzały jej wielu przyjaciół, zwłaszcza że z racji uprawianego zawodu uczestniczyła w licznych wernisażach, galach i przyjęciach charytatywnych, gdzie nie brakowało okazji do poznawania nowych ludzi. Była ogólnie szanowana i lubiana tak za osobowość, jak i za talent. Może więc jej mąż widział w niej, tak samo jak inni, wspaniałą, nieprzeciętną i uroczą kobietę. A może właśnie fakt, że ona sama znała swoją wartość, powodował, że inni również tak ją postrzegali?

Płacząc w słuchawkę, Jagoda poprosiła Magdę, żeby natychmiast przyjechała, bo musi z nią porozmawiać, inaczej nie wytrzyma i chyba wyskoczy przez okno, co zważywszy na jednopiętrowy domek, byłoby jednak mało skuteczne i bezsensowne.

Magda nie miała normowanego czasu pracy, dlatego w ważnych momentach była do dyspozycji o każdej porze dnia, a nawet nocy. Teraz przygotowywała kolejną wystawę swoich prac. Usłyszawszy zapłakany głos Jagody, uznała, że sprawa musi być poważna, i bez zbędnych ceregieli zgodziła się odwiedzić przyjaciółkę.

– Nie rycz – powiedziała, słysząc spazmatyczne szlochy. – Będę u ciebie za godzinę. Przynieść ci rogaliki na śniadanie?

– Przynieś, może po nich zacznę racjonalnie myśleć – załkała w słuchawkę Jagoda.

Słysząc to, Magda poczuła ulgę, gdyż doszła do wniosku, że jednak nie jest to sprawa życia i śmierci, w przeciwnym wypadku rogaliki zostałyby całkowicie zignorowane.

*

Magda przyjechała po niecałej godzinie. Zaparkowała auto na podjeździe i bez pukania weszła do domu.

– Cześć! – zawołała, stając w kuchni, gdzie siedziała przy stole zapłakana Jagoda.

W szlafroku, potargana, bez makijażu, z zaczerwienioną twarzą i zapuchniętymi oczami przedstawiała

30

sobą obraz nędzy i rozpaczy. Zasmarkaną chusteczkę trzymała przy policzku, usta miała wykrzywione w podkówkę niczym małe dziecko. Magdzie zrobiło się jej żal.

– Jeszcze w szlafroku? Wyglądasz jak półtora nieszczęścia – powiedziała łagodnym tonem i ucałowała przyjaciółkę w policzek. – Co się dzieje?

– Nie czepiaj się. Ty też byś tak wyglądała na moim miejscu – odparła Jagoda i chlipnęła, przykładając chusteczkę do nosa. – Całą noc nie spałam.

– Ale chyba nie z powodu bezsennej nocy mnie tu ściągnęłaś?

– Nie. – Znowu chlipnęła.

– Co się stało?

Jagoda zabuczała w chusteczkę, co skutecznie zablokowało jej możliwość wyduszenia z siebie choćby słowa, tym bardziej że w tym momencie miała taki mętlik w głowie, że nie wiedziała już, od czego zacząć.

– Wiesz co, widzę, że jesteś zdrowa na ciele, przynajmniej na pierwszy rzut oka wszystko masz na swoim miejscu, więc marsz na górę umyć się i ubrać, a ja tymczasem zaparzę kawę i posmaruję rogaliki. Porozmawiamy jak cywilizowani ludzie. Chcesz z dżemem czy miodem?

Jagoda głośno wydmuchała nos, potem głęboko wciągnęła powietrze w płuca i powoli je wypuściła ze świstem, co sprawiło, że znowu odzyskała głos.

– Z jednym i drugim – odrzekła, wstając z krzesła.

– Świetnie, nie ma nic lepszego na stres, jak zjeść coś dobrego – skomentowała Magda. – No idź już, bo nie mogę się doczekać, aż mi powiesz, o co chodzi.

Jagoda poszła do sypialni. Umyła twarz, przebrała się i uczesała potargane włosy. Popatrzyła w lustro i z przerażeniem stwierdziła, że rzeczywiście wygląda jak półtora nieszczęścia.

Jakby teraz Leszek mnie zobaczył, to natychmiast by się ze mną rozwiódł, pomyślała z rozpaczą.

Lekko podmalowała rzęsy tuszem i przypudrowała nos. Ją samą to zaskoczyło, ale poczuła się trochę lepiej. Kiedy zeszła na dół, śniadanie było już gotowe, a Magda siedziała przy stole, popijając świeżo zaparzoną kawę. Unoszący się w kuchni aromat podziałał również na zmysły Jagody, więc usiadła i z apetytem zaczęła pochłaniać rogaliki. Magda uśmiechnęła się, ale milczała, spokojnie czekając, aż przyjaciółka sama wyjaśni, co się stało. Przy drugim rogaliku Jagoda nagle zwolniła tempo i spojrzała poważnie na Magdę.

– Wiedziałaś, że Leszek ma kochankę?

Magdę zamurowało; poczuła się, jakby ktoś właśnie w tej chwili stuknął ją młotkiem w głowę. Nie spodziewała się tego pytania.

– Wiedziałam – przyznała po namyśle – ale miałam nadzieję, że to się skończy, zanim się dowiesz.

– Od kiedy?

– Mniej więcej rok temu widziałam go z jakąś lalą w kawiarni. Widać było, że coś ich łączy, ale miałam nadzieję, że to nie romans – odparła zmieszana Magda.

– Ach tak! Wiedziałaś o wszystkim i nic mi nie powiedziałaś?! Jak mogłaś to przede mną ukrywać?! – Jagoda odłożyła rogalik na talerz i sięgnęła do kieszeni spodni po chusteczkę. – Ty, moja najlepsza przyjaciółka! – załkała, patrząc na nią z wyrzutem.

– Jagoda, nie chciałam cię zawieść. Byłam przekonana, że tak będzie lepiej. Wiesz przecież, że dobrze ci życzę. Człowiek nie zawsze postępuje właściwie, widać tym razem się pomyliłam – tłumaczyła się Magda. – Może powinnam ci powiedzieć wcześniej, ale zastanów się, nie miałam pewności, czy oni nadal są ze sobą. Nie chciałam robić rabanu o coś, co mogło być już nieaktualne.

– Cholera jasna! – zaklęła nagle Jagoda, chwytając posmarowany rogalik i z wściekłością ciskając nim o podłogę. Rozpadł się na dwie rozpłaszczone części, a dżem malowniczo rozbryznął się po beżowych płytkach.

Zaskoczona jej gwałtowną reakcją Magda znieruchomiała. Przez chwilę milczała bezradnie. Jak zahipnotyzowana wpatrywała się w maślano-owocowe wzorki na posadzce, po czym wrażliwość artysty wzięła górę nad szokiem. Przeanalizowała kolorystykę i formę obrazu i dostrzegła w nim coś, co przypominało wyłaniające się dwie zaciekle boksujące się postaci. Doszła do wniosku, że ma przed sobą wymowne, ekspresyjne, choć przypadkowe dzieło.

– Patrz, że też nigdy na to nie wpadłam. To całkiem interesująca twórczość – stwierdziła, bo w tej chwili nic sensownego nie przyszło jej do głowy.

Spojrzały na siebie i obie wybuchnęły śmiechem. Magda klepnęła się po udzie, a Jagoda aż zapłakała czarnymi łzami, bo świeży tusz się rozpuścił. Znów spojrzały na siebie i ryknęły jeszcze większym śmiechem.

– No widzisz? – chichotała Jagoda.

– A ja się męczę z tą wystawą! – z trudem wydusiła z siebie Magda, kwicząc.

– Nie dość, że ciekawe, to jeszcze rozładowuje stres – wykrztusiła przez łzy Jagoda, trzymając się za brzuch, bo właśnie chwyciła ją kolka.

– I jakie to proste! – Magda zwijała się ze śmiechu.

– I apetyczne – dodała Jagoda.

– I nowatorskie!

– I e...ko...lo...giczne!

– I świeże, żeby nie powiedzieć dzisiejsze!

Rechotały dłuższy czas, pokładając się na krzesłach. Potem Jagoda, z wysiłkiem łapiąc oddech, oświadczyła:

– Ty sprzątasz, bo ja mam kolkę – i trzymając się za prawy bok, wystękała: – a ła, a ła!

Magda posprzątała i nalała im obu świeżej kawy z ekspresu. Znów usiadła przy stole i badawczo spojrzała na przyjaciółkę.

– Co zamierzasz z tym zrobić? – spytała poważnie.

– Z czym? – zdumiała się Jagoda, która w pierwszej chwili skojarzyła pytanie z rogalikiem, dopiero co sprzątniętym z podłogi.

– No z tym romansem.

– Aaa. Nie wiem. – Jagoda znów posmutniała.

– A co powiedział Leszek?

– W tym problem, że nic. – Bezradnie wzruszyła ramionami. – Oświadczył, że pogadamy, jak wróci z pracy.

– No jasne, musi się skonsultować z flamą. A swoją drogą, co to za cizia?

– Koleżanka z firmy.

– Klasyka. – Magda z westchnieniem pokiwała głową. – A jaka ona jest?

– Młodsza.

– Pomyśl, jak byś się czuła, gdyby cię zdradzał ze starszą... Czekaj, nie to chciałam powiedzieć. Cap jeden! – zdenerwowała się Magda.

– To mój mąż! – upomniała ją Jagoda.

– Przepraszam.

– Powiedział, że ją kocha.

– To przynajmniej z miłości cię zdradza.

– Powiedział, że mnie kocha – mruknęła, patrząc przed siebie w zamyśleniu.

– Ją – uprzejmie poprawiła Magda.

– Mnie!

– Zaraz, zaraz, chyba się pogubiłam. To kogo on w końcu kocha?

– Siebie! Pieprzony egoista! – wypaliła ze złością Jagoda.

– To akurat wiem od dawna – zgodziła się Magda. – Ale którą z was kocha?

– Obie... Powiedział, że obie nas kocha... To chyba znaczy trójkącik.

– I zgodziłaś się?

Jagoda jęknęła i wydmuchała nos w chusteczkę higieniczną.

– To bez znaczenia. – Westchnęła. – Kimkolwiek ona jest, nie zmienia to faktu, że on mnie zdradza od trzech lat.

– Żartujesz? Od trzech lat? – Magda wybałuszyła i tak już wielkie oczy, które w tej chwili miały średnicę pięciozłotówek. – Nieźle się ukrywali, ale to znaczy, że to nie jest przelotny, nic nieznaczący skok w bok.

– Tak, i dlatego jest mi jeszcze trudniej. Jak on mógł mi to zrobić i to po tylu latach małżeństwa?

– Co za różnica, po ilu. Zdrada to zdrada – zauważyła rozsądnie Magda.

– Fakt – zgodziła się Jagoda.

– Słyszałam kiedyś historię, jak to żona dowiedziała się o zdradzie ukochanego męża dopiero po jego śmierci. Okazało się, że ten skądinąd zazdrosny o swoją małżonkę, kochający i szanowany pan ma dwoje kilkunastoletnich dzieci z nieprawego łoża. Pomyśl, co ona wtedy czuła – powiedziała z niesmakiem Magda i skrzywiła się wymownie. – Można sobie wyobrazić, jak ciężko jej było opłakiwać śmierć mężczyzny, którego kochała przez ponad trzydzieści lat, a który okazał się niegodny tej miłości. Jak wielki musiał być żal, gdy uświadomiła sobie, że prawie przez całe życie była oszukiwana? Żyjącemu mogłaby chociaż nawymyślać, powiedzieć, jaki z niego drań, albo na przykład rozbić mu wazon na głowie, żeby wyrzucić z siebie złość. Świetnie! Jakaż to ulga, kiedy można w pierwszej fazie wściekłości wyładować swoje emocje bezpośrednio na winowajcy. A co mogła zrobić ta kobieta, skoro facet kopnął w kalendarz? Zdemolować sobie mieszkania nie warto, a nawrzucać już nie miała komu. Jednak niezależnie od tego, dokąd sprawca tragedii odchodzi, w zaświaty czy do innej kobiety, zdrada pozostaje zdradą, a cały mit o nim pryska – skwitowała, dolewając sobie kawy z dzbanka. – Pozostaje tylko rozczarowanie i żal za utraconym, wyimaginowanym wizerunkiem kogoś, kto tak naprawdę wcale nie istniał. – Westchnęła. – Może to lepiej, że dowiedziałaś się już teraz, a nie dopiero po trzydziestu latach małżeństwa.

– Chyba wolałabym wcale się nie dowiedzieć. Zupełnie nie wiem, co teraz zrobić. Rano powiedział mi, że z niej nie zrezygnuje, a to znaczy, że albo muszę zaakceptować trójkącik, albo odejść. Przecież to nienormalne. – Jagoda znów miała łzy w oczach.

– Niemoralne – sprostowała Magda.

– Niech będzie i jedno, i drugie, nienormalne i niemoralne – uznała Jagoda, idąc na kompromis.

– Słusznie... – zgodziła się Magda, a po chwili dodała z oburzeniem: – To po prostu łajdactwo!

Zamilkły obie, pochłonięte własnymi myślami.

– A swoją drogą, ciekawe, co to za jedna – przerwała ciszę Jagoda, odstawiając kubek z kawą obok talerzyka po rogalikach.

– Mówiłaś, że to jakaś baba z firmy.

– Tak, ale chciałabym wiedzieć o niej coś więcej. Kim ona jest? Z wyglądu jest bardzo młoda i plastikowo atrakcyjna – ciągnęła Jagoda, znów biorąc kubek do ręki. – Włosy ni to rude, ni to blond, jakieś takie złotawe.

– Jesteś pewna, że chcesz wiedzieć? Przecież to niczego nie zmieni.

– Sama nie wiem. – Jagoda przez chwilę zastanawiała się, czy to ma sens. Nie była pewna. Bała się, że jak się dowie wszystkiego, będzie jeszcze bardziej bolało. Przez chwilę wahała się, prowadząc wewnętrzną walkę ze sobą. – Chyba tak, jestem po prostu ciekawa.

– W takim razie zapytam mojego Radka, może coś będzie wiedział, w końcu mamy wspólnych znajomych.

Jagoda westchnęła ciężko, robiąc przy tym żałosną minę.

– Magda, co ty byś zrobiła na moim miejscu?

– Nie wiem. – Magda wzruszyła ramionami, zastanawiając się, jak pomóc przyjaciółce.

– Mam kompletny mętlik w głowie. Nie mogę sobie tego wszystkiego poukładać – biadoliła zrozpaczona Jagoda. – Nawet nie wiem, jak z nim rozmawiać.

– Ja też nie wiem. – Zasępiona Magda spróbowała wczuć się w sytuację przyjaciółki. Zaczęła się zastanawiać, co by zrobiła, gdyby jej ślubny Radek wywinął coś takiego, i po dłuższej chwili rozmyślań nie przyszło jej do głowy nic innego jak tylko to, że by go zabiła.

– Ja chyba oszaleję – jęczała Jagoda, teatralnym gestem chwytając się za głowę.

– Jagódko, chciałabym ci pomóc, ale wierz mi, nie wiem jak.

– Już zaczyna mi się we łbie mącić od tych wszystkich myśli, które do niczego nie prowadzą. – Jagoda westchnęła, nerwowym ruchem pocierając czoło.

W kuchni ponownie zapadła cisza, tylko za oknem słychać było warkot przejeżdżającego w pobliżu samochodu.

– Wiesz co? Mam pomysł. Wyjedź gdzieś na jakiś czas i ochłoń. Moim zdaniem Leszek już zajął stanowisko, a ty, zanim podejmiesz ostateczną decyzję, musisz się dobrze zastanowić, żeby wiedzieć, co dla ciebie najważniejsze. Zimna kalkulacja jest czasem najlepsza, w takim przypadku emocje są nie na miejscu. Odpoczniecie trochę od siebie, a potem wóz albo przewóz. Jeśli wyjedziesz, przynajmniej się przekonasz, co was łączy i czy jemu na tobie zależy. Może Leszek zrozumie, że popełnił błąd. A ty, jak już naberzesz dystansu, sama zdecydujesz, jak powinnaś postąpić. Możesz nawet obmyślić plan, w jaki sposób o niego zawalczyć, oczywiście, jeśli nadal będziesz chciała.

– Ale gdzie ja mam jechać? I to sama? – spytała nienaturalnie wysokim tonem przyjaciółka.

Patrząc na nią, Magda odniosła wrażenie, że Jagoda jest już bliska histerii.

– Hm. Nie znasz żadnego miejsca, gdzie mogłabyś odpocząć i czuć się swobodnie? – zapytała niezwykle łagodnie, chcąc ją w ten sposób uspokoić.

– Każde miejsce, które przychodzi mi do głowy, wiąże się z Leszkiem. Wszyscy moi znajomi są naszymi wspólnymi znajomymi, a wolałabym uniknąć krępujących pytań i ciekawskich spojrzeń – wyjaśniła Jagoda już nieco bardziej wyciszona.

– No tak – stwierdziła w zamyśleniu Magda – to by nic nie dało. Lepiej, żebyś mogła być bardziej anonimowa. Hmm... Poczekaj, już wiem! – wykrzyknęła radośnie. – Słuchaj uważnie. Kilka lat temu byłam na plenerze w bardzo ładnym pensjonacie. Właściwie to nie jest pensjonat tylko prywatny domek, przypominający stary dworek. To coś na kształt agroturystyki, którą prowadzi miłe małżeństwo. On jest rzeźbiarzem, a ona historykiem sztuki. Oboje uwielbiają towarzystwo i często wynajmują pokoje gościom, zazwyczaj artystom. To naprawdę spokojne miejsce, zresztą o tej porze roku mają tam martwy sezon. Ci właściciele są jak rodzina, kochani, bardzo dyskretni i życzliwi, dlatego przyjeżdżają do nich ludzie, którzy potrzebują ciszy do pracy, albo odpoczynku, żeby naładować akumulatory.

Jagoda słuchała w milczeniu.

– I co ty na to? – zapytała Magda wyraźnie ucieszona swoim błyskotliwym pomysłem.

– No nie wiem – mruknęła z powątpiewaniem przyjaciółka.

– Jagoda, to doskonały pomysł! Tam będziesz sama, ale nie samotna. Zobaczysz, jak tam pięknie, a jakie miejsca nietknięte cywilizacją, istna dzicz, można się zatracić w naturze – rozmarzyła się Magda. – Aż człowiek zaczyna rozumieć, co w życiu najbardziej się liczy, zapomina o tym, co boli, i nabiera optymizmu. Jestem pewna, że dobrze ci zrobi taki wyjazd. – Zerwała się z krzesła i rzuciła do torebki, a po chwili wygrzebała z niej telefon. – Natychmiast do nich dzwonię. Teraz to najlepsze wyjście. – Odwróciła się do Jagody i podnosząc komórkę, zapytała: – Dzwonić?

– A co ja tam będę sama robiła?

– Co tylko zechcesz, kochana. To co? Dzwonić? – naciskała Magda, patrząc na nią wyczekująco.

– Dzwoń! – odparła z rezygnacją Jagoda.

Po krótkiej rozmowie przez telefon Magda entuzjastycznie oświadczyła, że są wolne pokoje, więc można przyjechać choćby dzisiaj.

– Słuchaj, musisz zadzwonić do redakcji i powiedzieć, że wyjeżdżasz na kilka dni albo tygodni, a artykuły będziesz przysyłać drogą elektroniczną. To niesamowite, ale oni tam w tej dziczy mają nawet internet, więc nie będziesz miała kłopotów.

– Muszę zabrać ze sobą laptopa.

– Jasne. Pomogę ci się spakować, a jutro rano zawiozę cię na miejsce. Sama chętnie zrobię sobie wycieczkę i z przyjemnością spotkam się z Kozubkami. Naprawdę są wspaniali. Zobaczysz, jeszcze zakochasz się w tym miejscu.

– A Leszek? – szepnęła nagle Jagoda.

– Co Leszek? – zdziwiła się Magda, krzywiąc usta, jakby właśnie spróbowała musztardy bez dodatków. – Chcesz go zabrać ze sobą?

– Coś ty! Nie! Ale...

– Aaaa! Chcesz jeszcze spróbować z nim porozmawiać?

– Tak, myślę, że powinnam dać mu jeszcze szansę.

– Chyba masz rację – zgodziła się po krótkim namyśle Magda. – Okej! W takim razie porozmawiaj z nim wieczorem, a jak nic z tego nie wyjdzie, daj mi znać esemesem, to rano po ciebie przyjadę. W porządku?

– W porządku – zgodziła się Jagoda i energicznie kiwnęła głową.

Późnym popołudniem Leszek wrócił do domu, rozmawiali długo, ale nie doszli do porozumienia. Zachowywał się, jakby nie dostrzegał, w czym tkwi problem. Dla Jagody było to niepojęte. Mimo usilnych starań nie potrafiła go przekonać, że postępuje źle.

– Myślałam, że jesteśmy szczęśliwi – powiedziała ze smutkiem.

– Bo byliśmy – stwierdził.

– To dlaczego to zrobiłeś, przecież cię kochałam i nigdy się nie skarżyłeś? – dociekała.

– Nie miałem powodu, żeby się skarżyć. Jesteś dobrą żoną – odrzekł, uśmiechając się z zażenowaniem.

– To o co chodzi?!

– O nic.

Jagoda uznała, że nie ma już sensu ciągnąć tej rozmowy. Kręcili się w kółko, nie mogąc się dogadać. Wyjaśnienia Leszka były na tyle lakoniczne, że nie rozumiała, o co mu chodzi.

– Leszek, nie możemy żyć we trójkę, musisz coś zdecydować – próbowała spokojnie tłumaczyć, ale sytuacja stawała się coraz bardziej irytująca. – Chcę, żebyś zerwał z tą kobietą.

– Już ci mówiłem, że kocham Beatę – odparł zmieszany.

– A ja? Czy to znaczy, że przestałeś mnie kochać? – zapytała z poczuciem przegranej.

– Ciebie zawsze kochałem i nadal kocham – stwierdził stanowczo.

– Leszek, przecież to jest chore! Jak ty sobie wyobrażasz nasze życie?

Przeczesał włosy palcami i pokręcił głową.

– Nie wiem, naprawdę nie wiem – westchnął, z rezygnacją kryjąc twarz w dłoniach.

Jagoda poczuła się całkowicie bezradna. Bez słowa podniosła się z fotela. Miała wrażenie, że dźwiga na plecach ogromny kilkutonowy ciężar, którego już nigdy się nie pozbędzie.

– W takim razie dam ci czas na zastanowienie. Nie możesz mieć nas obu, musisz wybrać. Jutro wyjeżdżam – oznajmiła, wychodząc z pokoju.

– Dokąd? – zdziwił się Leszek.

Nie odpowiedziała.

Zamknęła się w gościnnym pokoju i padła na łóżko, szlochając w poduszkę. Nie chciała, żeby słyszał jej płacz. Nie mogła zrozumieć, co w niego wstąpiło. Co sprawiło, że tak bardzo się zmienił? Przecież Leszek zawsze był wrażliwy i uczciwy. Sam mówił, że małżeństwo musi się opierać na uczciwości i wzajemnym zaufaniu, więc jak to się stało, że już o tym zapomniał? Takie postępowanie zupełnie do niego nie pasowało. Jagoda miała wrażenie, że stał się zupełnie obcym człowiekiem, który nagle przypadkowo pojawił się w jej życiu, żeby namieszać, przewrócić wszystko do góry nogami, po czym odejść, zostawiając ją na gruzach.

Czy to się dzieje naprawdę, czy to tylko zły sen? – zadawała sobie pytanie, łkając cicho, wstrząsana dreszczami.

Czuła się bezradna jak w pułapce.

Chwilami nasłuchiwała z nadzieją, że Leszek przyjdzie do niej i ją przytuli, mówiąc, że przeprasza, że bardzo ją kocha i już nigdy nie zrobi jej przykrości, ale nic takiego nie nastąpiło.

*

Wyjechały wczesnym rankiem. Do dworku było około dwustu kilometrów, więc po drodze zrobiły sobie postój na kawę. Jagoda, zmęczona po wczorajszym dniu i niespokojnej nocy, przespała większość jazdy, a Magda taktownie nie męczyła jej rozmową, skupiając się na prowadzeniu auta. Jadąc, zerkała w milczeniu na przyjaciółkę, obserwowała ze współczuciem jej zmęczoną twarz i myślała o trudnym położeniu, w jakim znalazła się Jagoda. Z całego serca chciałaby pomóc, ale nie była w stanie. Zdawała sobie sprawę, że Jagoda musi sobie z tym wszystkim poradzić sama i to głównie od niej zależy, jak dalej będzie żyła. Była pewna, że obecna sytuacja to dla Jagody prawdziwy egzamin z dojrzałości.

Gdy zbliżały się do celu, było już po jedenastej.

– Jagódko, czy rozmawiałaś wczoraj z Leszkiem?

– Owszem – odparła przyjaciółka, nagle wyrwana z zadumy. – Pierwszy raz od lat wrócił do domu tak, jak obiecał, o osiemnastej, i wyraźnie był gotów do rozmowy, ale nic z tego nie wyszło. Wszystko za bardzo się pogmatwało. Mam wrażenie, że on chciałby... Jak to się mówi?

– Zjeść ciastko i nadal mieć ciastko – podpowiedziała uprzejmie Magda.

– Coś w tym rodzaju. Więc stwierdziłam, że nie mam zamiaru dalej tego wałkować. Prawdę mówiąc, nie wiedziałam, jak mam się zachować. Co zrobić: wybaczyć czy nie? Oświadczyłam, że wyjeżdżam i daję mu czas na przemyślenie, zresztą ja też muszę sobie to wszystko poukładać. Rano był zaskoczony, widząc, że naprawdę się pakuję. Pytał, dokąd się wybieram i kiedy wrócę...

– I powiedziałaś mu? – Magda weszła jej w słowo.

– Oczywiście, że nie. Poinformowałam go tylko, że jeszcze nie wiem, jak długo mnie nie będzie, ale kiedy już będę gotowa na dalszy ciąg tej tragifarsy, dam mu znać.

– Jagódko, rozpuściłam wici i dowiedziałam się, że ta laska to Beata Ciemnicka. Młoda, prymitywna lalunia, przyjechała z jakiejś małej, zapadłej pipidówy, żeby zrobić karierę w mieście. Niezbyt inteligentna, ale przebiegła i ponętna. Faceci ślinią się na jej widok, chociaż ma pusty łeb. W firmie pracuje na jakimś podrzędnym stanowisku w kadrach, ale jej to nie przeszkadza, bo ma sprecyzowany plan na życie. – Magda zerknęła z ukosa na przyjaciółkę, ale Jagoda milczała, nie okazując żadnego zdenerwowania. – Radek twierdzi, że ona chce złapać faceta z kasą i wydać się za niego, stosując przy tym zasadę „po trupach do celu”. To cwana egoistka, nie liczy się z konsekwencjami.

Jagoda nadal milczała, przetrawiając świeżo usłyszane informacje. W końcu oparła głowę o zagłówek fotela, westchnęła głęboko i zamknęła oczy.

Jak Leszek mógł dać się omotać takiej kobiecie, czy on stracił rozum? – zadała sobie w duchu pytanie. Czy on oszalał? Myślałam, że ma klasę i takie cwaniary go nie pociągają... Jak słabo znam własnego męża.

Samochód trząsł się i podskakiwał na wybojach szerokiej leśnej drogi, w którą wjechały już jakiś czas temu. Jagoda poczuła zmęczenie tym dyskomfortem jazdy i poprawiła się w fotelu, chcąc usiąść wygodniej.

– Spójrz! – Nagle Magda szturchnęła ją łokciem i wskazała palcem przed siebie.

Właśnie wyjechały z niewielkiego zagajnika i oczom Jagody ukazał się malowniczy obrazek, jak ze starej przedwojennej pocztówki. Na niewielkim wzniesieniu stał romantyczny biały dom z czterema kolumnami u wejścia, dachem pokrytym czerwoną dachówką i zielonymi drewnianymi okiennicami. Przed nim rozciągał się ładny, wysypany żwirem podjazd dla samochodów z zakolem tworzącym parking, bliżej był duży klomb, po którym przechadzało się kilka kurek, a także kogut i dorodny paw. W pobliżu domu, nieco na uboczu, niczym wielki prawdziwek, wznosiła się stara studnia z drewnianym daszkiem, a przy niej wisiało przywiązane grubym zardzewiałym łańcuchem drewniane wiadro do czerpania wody. Z boku, po prawej stronie, zauważyła zabudowania, chyba stajnie albo obory, nie znała się na tym, a za nimi jakieś zagrody dla koni lub innych zwierząt. Przy domu znajdował się rozległy sad z drzewami owocowymi i coś, co wyglądało jak ogród warzywny. Wokół było czysto i schludnie. Na pierwszy rzut oka widać było, że właściciele dbają o swoją posesję. Całość otaczały potężne stare drzewa, teraz pozbawione liści. Przyroda była jeszcze w uśpieniu, ale słońce, które w tej chwili świeciło już na czystym, ozdobionym jedynie małymi obłokami niebie, wspaniale rozjaśniało okolicę. Na ten widok Jagodzie zaparło dech w piersiach. Ten idylliczny zakątek otoczony polami, łąkami i lasami przypominał domostwo z innej epoki. Było tu pięknie. Pomyślała, że to miejsce bez żadnej dodatkowej dekoracji mogłoby służyć za scenerię do *Pana Tadeusza*. Patrzyła oczarowana i oszołomiona.

Jechały teraz żwirową drogą, która zataczała duży łuk, by ominąć kępę niewielkich brzóz rosnących na skraju jeżynowej polany, o tej porze roku wyglądającej jak gruby dywan poplątanych kolczastych gałęzi.

– I co o tym sądzisz? – zapytała z satysfakcją Magda, widząc zachwyt na twarzy przyjaciółki.

– Nie przypuszczałam, że można spotkać coś takiego na tym odludziu – odrzekła zdumiona Jagoda. – Ale rozumiem właścicieli. Jest naprawdę uroczo.

– Jak trochę tu pobędziesz, przestaniesz się dziwić i zakochasz się w tym miejscu – zapewniła ją z uśmiechem Magda.

Wjechały na podjazd i prawie natychmiast w drzwiach pojawiła się jakaś postać, a za nią dwa

47

rude setery, które merdając ogonami, w podskokach ruszyły w stronę samochodu. Za nimi szła uśmiechnięta radośnie szczupła czarnowłosa kobieta w średnim wieku, ubrana w flanelową koszulę, wytarte dżinsy i wiązane buty do kostek. Jagoda z Magdą wysiadły z samochodu, a ona natychmiast zaczęła je ściskać, jakby witała własną rodzinę.

– Tak się cieszę, że już jesteście! – zawołała. – Teraz jest tutaj tak cicho, mamy tylko jednego gościa, a ja uwielbiam towarzystwo. Na tym odludziu człowiek głupieje, jak nie ma z kim pogadać, ale proszę się nie martwić – ciągnęła szczerze ucieszona, zwracając się do Jagody – nie będę pani zamęczać. Magdunia powiedziała mi, że chce pani odpocząć. Będzie pani miała tyle spokoju, ile zechce. Pomogę z tą walizką. – Odwróciła się do otwartego bagażnika.

– Nie trzeba – zaśmiała się Magda. – Poradzimy sobie.

– Proszę, wejdźcie do środka. Upiekłam świeży placek drożdżowy i mam konfitury. Napijecie się kawy czy herbaty? A może skosztujecie domowej naleweczki?

– Spokojnie, Amelio. – Magda objęła ją w pasie. – Najpierw zaniesiemy bagaże do pokoju i umyjemy ręce, a potem przyjdziemy na dobrą kawkę i placek.

– Oj! Przepraszam, już was prowadzę do pokoju. Tenor, Sopran! – zawołała, odganiając psy, witające radośnie gości.

– Pozwól, Amelio, to jest moja przyjaciółka Jagoda. – Magda dokonała prezentacji.

– Bardzo się cieszę, że jesteście – powiedziała kobieta, ściskając serdecznie dłoń Jagody.

– Ja też, pani Amelio.

– Ależ proszę mi mówić po imieniu! – zawołała gospodyni. – Jestem Amelia.

– Dobrze, pod warunkiem, że pani też będzie mi mówiła po imieniu.

– Z przyjemnością. Lubimy, gdy goście czują się u nas jak w rodzinie. – Uśmiechnęła się przyjaźnie, a jej oczy miały bystry i ciepły wyraz.

Pokój był śliczny. Przytulny, z pięknymi, stylowymi antykami z mahoniowego drewna. Jagodę zachwycił subtelnej urody damski sekretarzyk z intarsjowanym blatem i szufladkami po bokach. Ściany pomalowane w kolorze jasnego błękitu nadawały wnętrzu spokojny klimat. Na jednej z nich, nad przykrytym kremowo--niebieską kapą łóżkiem, wisiał obraz w delikatnej ramie zdobionej grawerowanym ornamentem, pokrytej lekko przetartym już złotem. Podeszła bliżej, żeby mu się przyjrzeć. Nie znała się za bardzo na sztuce, a na pewno nie tak jak Magda, ale na podstawie wiedzy, którą posiadała, stwierdziła, że jest malowany suchą kredką pastelową. Przedstawiał zjawiskową, wręcz eteryczną dziewczynę o nieprzeciętnej urodzie i długich, bujnych rozwianych włosach, trzymającą wsparty na ramieniu dzban. Ubrana w zwiewną, powłóczystą szatę, otoczona rozsypującymi się kwiatami, jak gdyby unosiła się w powietrzu, płynęła po łące rozświetlonej jasnym słońcem, z wdziękiem roztaczając wokół kobiecy czar i powab.

Jagoda spojrzała na sygnaturę w prawym dolnym rogu i przeczytała: „Alfons Mucha". Zdziwiona zaczęła się zastanawiać, czy to oryginał i czy to na pewno ten Mucha, secesyjny malarz i mistrz sztuki zdobniczej, którego prace widziała kiedyś na wystawie w Muzeum Narodowym.

Czy to możliwe, żeby obraz tego znakomitego artysty gospodarze eksponowali w tak widocznym miejscu? – pomyślała zaskoczona, z niedowierzaniem kiwając głową. Muszą mieć ogromne zaufanie do ludzi.

Przeniosła wzrok w stronę okna przesłoniętego białą tiulową firanką, ujętego po bokach w zasłonki z tego samego materiału, co kapa na łóżku. Na kremowym tle zasłon wirowały luźno rozrzucone bukieciki drobnych niebieskich kwiatków, wyglądających jak niezapominajki. Podeszła i lekko odsunąwszy firankę, spojrzała na zewnątrz. Z okna rozciągał się widok na wielki ogród z tyłu domu, z romantyczną drewnianą altanką w głębi, oplecioną winoroślą. W oddali było niewielkie wzgórze, a za nim pasmo lasu. Ten widok zachwycił ją, pomimo że teraz drzewa w większości stały pozbawione liści. Tylko gdzieniegdzie wisiały ich zbrązowiałe, suche kępy.

Jagoda odświeżyła się trochę po podróży i zeszła do saloniku, gdzie pachniało już cudownie kawą i ciastem. Na niewielkim okrągłym stoliczku ujrzała wyjątkowej urody serwis ze starej porcelany, składający się z czterech nakryć (na aukcji z pewnością osiągnąłby sporą cenę) i ręcznie robione serwetki. Pośrodku stolika apetycznie pachniał placek drożdżowy. Pomieszczenie nie było okazałe, za to bardzo gustownie urządzone. Kilka stylowych mebli pasujących do wnętrza niewielkiego dworku, białe firanki w oknach otoczonych aksamitnymi zasłonami i lambrekinem w kolorze jasnej oliwki oraz kominek, w którym na kilku sosnowych szczapach wesoło tańczył ogień, dzięki czemu w powietrzu unosił się delikatny zapach lasu.

– Już jesteście! – ucieszyła się Amelia, nalewając kawy do filiżanek. – Siadajcie, proszę. Jagódko, może świeżej wiejskiej śmietanki? – zaproponowała.

– Nie, dziękuję, lubię czarną – odparła Jagoda.

– A gdzie Adam? – zapytała Magda, wskazując czwarte nakrycie.

– Jak zwykle chwilowo gdzieś się zawieruszył, ale na pewno zaraz się zjawi. On ma węch jak pies gończy i zapach kawy potrafi wyczuć nawet w stajni. Oho, już idzie – dodała ze śmiechem Amelia.

Rzeczywiście w tej samej chwili usłyszały trzaśnięcie drzwi i kroki w korytarzu, a potem do salonu wszedł wielki brodaty mężczyzna. Przyprószone siwizną włosy na pierwszy rzut oka dodawały mu lat, a ciemna skóra, ogorzała od słońca, zdradzała zamiłowanie do przechadzek po okolicy. Jego pozornie groźny wygląd łagodziły wesołe ogniki w oczach i szczery uśmiech.

– Witam drogie damy. – Adam przywitał się szarmancko z paniami, a żonę czule pocałował w szyję. – Oj, co ja widzę, nikt nie chce mojej nalewki?

– Może Jagoda spróbuje – odrzekła Magda. – Ja nie mogę, bo po południu wyjeżdżam.

– A co cię tak goni, Magdusiu? – zdziwił się Adam.

– Wystawa – odparła, wpychając sobie do ust kawałek placka.

– Własna?

– Własna – pokiwała twierdząco głową – i to już niedługo.

– To cudownie! – ucieszyła się Amelia.

– Gratuluję – dodał Adam, całując dłoń Magdy. – Szkoda, że nie możemy cię zatrzymać na dłużej, ale jak mus, to mus.

Jedli smakowite ciasto, dowcipkując i rozmawiając wesoło na błahe tematy. Jagoda poczuła się spokojniejsza w towarzystwie tych dwojga. Adam okazał się sympatycznym, lekko rubasznym kompanem do rozmowy, a Amelia sprawiała wrażenie osoby o szczerym sercu. Dzięki pysznej naleweczce z dzikiej róży i miłej rozmowie młoda kobieta na chwilę zapomniała, dlaczego się tu znalazła. Magda miała rację, twierdząc, że w tym domu panuje ciepła, gościnna atmosfera.

Po obiedzie Magda wyruszyła w drogę powrotną, Jagoda zaś wycofała się do pokoju i położyła w ubraniu na łóżku. Chciała się zdrzemnąć przed kolacją, bo miała za sobą dwa dni pełne wrażeń i dość długą podróż. Nie mogła jednak zasnąć. Leżała, wsłuchując się w odgłosy z zewnątrz. Nie chciało jej się schodzić do salonu, gdzie był telewizor, nie miała także ochoty na rozmowę z gospodarzami. Po godzinie wstała, usiadła przy stole i otworzyła laptopa, z zamiarem napisania zleconego artykułu o dzieciach, które trafiły do rodzin zastępczych, ale zupełnie nie mogła się skupić. Wpatrywała się w monitor, oparta łokciami o blat stołu, i nic nie mogła wymyślić. Miała pustkę w głowie.

– A co ja mogę wiedzieć o dzieciach w rodzinie – mruknęła zrezygnowana – skoro sama ich nie mam?

Po uzyskaniu dyplomu zaczęła pisać artykuły do kobiecego tygodnika. To była pierwsza w życiu praca, jaką przyjęła, i tak już pozostało. Nigdy nie chciała pracować na etacie, gdyż uważała, że zajmując się domem, nie będzie miała na to czasu. Kariera zawodowa była dopiero na drugim, a może na trzecim miejscu, ale chyba nikt by nie powiedział, że zrobiła jakąś karierę. Pozostała tak zwanym wolnym strzelcem, związanym z jednym czasopismem.

Jagoda lubiła swoją pracę, tak jak lubiła ludzi z redakcji tygodnika, z którymi dość łatwo się dogadywała. Jedyną osobą trudno dostępną była redaktor naczelna, pani Krystyna, ale ona też nie była zła, tylko bardziej zdystansowana. Jagodzie odpowiadało to zajęcie również dlatego, że łatwo dawała sobie radę z przeróżnymi tematami, chociaż starała się w miarę możliwości wybierać te, które jej bardziej odpowiadały. Czasami nawet wydawało jej się, że pani Krystyna ma do niej słabość, bo zazwyczaj, czy to z powodu sympatii, czy też z racji własnego doświadczenia i wyczucia, proponowała jej zajęcie się tym, co Jagodę interesowało. Dlatego też nigdy nie myślała o żadnej zmianie ani nie próbowała sprawdzić się w innej dziedzinie. Od lat niezmiennie wykonywała tę samą pracę, miała ten sam dom i wciąż tego samego męża. Zaczęła się zastanawiać, czy aby właśnie to nie popchnęło Leszka do zdrady, bo ta jednostajność go zmęczyła. Złapała się na tym, że próbuje go tłumaczyć. Otrząsnęła się, jakby w pokoju zrobiło się zimno.

Nie, pomyślała. Nic nie usprawiedliwia takiego postępku. Jeśli był znudzony, mógł mi o tym powiedzieć. Razem potrafilibyśmy ożywić nasze życie.

Na zewnątrz zapadł już zmrok, a ona dalej siedziała zagubiona i zatopiona w poplątanych myślach. Nie zauważyła, kiedy w pokoju zrobiło się zupełnie ciemno, a ona nawet nie włączyła światła. W pewnym momencie usłyszała na korytarzu zbliżające się kroki i delikatne pukanie do drzwi.

– Jagódko, śpisz? – To był cichy głos Amelii. – Kolacja gotowa, zapraszam.

– Nie śpię, Amelio. Zaraz przyjdę.

– W takim razie czekamy na ciebie.

Weszła do jadalni, w której byli już Amelia i Adam. Zjadła w ich towarzystwie kolację, podziękowała i wróciła do pokoju, wytłumaczywszy im, że ma do napisania artykuł. Pożegnali się miło i beż żadnych protestów pozwolili jej odejść.

– Biedna dziewczyna – odezwała się po jej wyjściu Amelia. – Magda mówiła, że właśnie się dowiedziała o zdradzie męża.

– O! To rzeczywiście bidula ma problem – odparł ze smutkiem Adam, po czym pyknął swoją ulubioną fajeczkę i wokoło rozszedł się delikatny waniliowy zapach. – To takie przykre, strasznie mi jej żal.

– Tak, ma o czym myśleć – przyznała Amelia współczującym tonem.

– Chce się z nim rozwieść?

– Magda powiedziała, że się pogubiła i teraz nie wie, co zrobić, dlatego przyjechała tutaj, żeby sobie wszystko poukładać i podjąć jakąś decyzję.

– Jeśli jest jeszcze o co walczyć, to warto spróbować naprawić małżeństwo.

– Owszem, pod warunkiem że w tym związku pozostała jeszcze chociaż odrobina miłości. Inaczej byłoby to przedłużanie agonii.

– A może spróbowałabyś jej pomóc, moja mądralo?

– Daj spokój. – Amelia popatrzyła na męża karcącym wzrokiem. – Nie chcę się wtrącać nieproszona, a poza tym w takich sprawach powinno się kierować sercem i własną intuicją, bo rozum czasami płata figle.

– Ale wiesz, że nie każdy potrafi słuchać swojej podświadomości. Niektórzy gubią się, używając za dużo rozumu, a potem wszystko im się gmatwa i na końcu już nie wiedzą, która droga jest dla nich najlepsza. Wtedy o pomyłkę nietrudno.

– Błądzenie jest rzeczą ludzką – odparła filozoficznie Amelia, uśmiechając się do męża.

– Ale szkoda czasu na pomyłki.

– Dobra, dobra – ucięła jego wywody. – Zobaczę, co da się zrobić, ale nie ponaglaj, bo może się do nas zrazić i zamiast jej pomóc, jeszcze bardziej wszystko popsujemy. W takich sprawach trzeba być ostrożnym.

*

Nazajutrz Jagoda obudziła się o dziewiątej i ze zdziwieniem stwierdziła, że całą noc przespała twardym, spokojnym snem bez koszmarów. Była naprawdę wypoczęta. Pomyślała, że może to być zbawienny wpływ tutejszego powietrza. Cieszyła się, że obyło się bez łykania proszków nasennych, które przed wyjazdem z domu przezornie zapakowała do kosmetyczki. Wstała, wzięła szybki prysznic i zeszła na dół. Amelia krzątała się w obszernej kuchni. Jagoda lubiła takie kuchnie, duże, jasne, z prostymi meblami z litego drewna oraz stołem pośrodku, nakrytym kraciastym obrusem. Warkocze czosnku wisiały na haczykach między rondlami obok kuchenki. Okna przyozdabiały szydełkowe zazdrostki, a na parapecie stały doniczki z pachnącymi, świeżymi ziołami. W ogóle kuchnia była miejscem, gdzie najbardziej lubiła siedzieć i rozmyślając, popijać poranną kawę.

– Dzień dobry! – zawołała na jej widok ucieszona pani domu. – Dobrze spałaś?

– O tak, doskonale się czuję.

– Siadaj, zaraz podam ci śniadanie. Mam pyszne maślane bułeczki i konfiturę własnej roboty. A może wolisz jajecznicę?

– Dziękuję, wystarczą bułeczki z konfiturą.

Amelia szybko nakryła do śniadania i zaparzyła świeżą owocową herbatę. Postawiła przed swoim gościem zgrabny kolorowy kubeczek parującego i nęcącego słodkim zapachem naparu.

Jagoda zjadła z apetytem i poszła na krótki spacer po okolicy. Jakoś nie mogła się zmusić do beztroskiej rozmowy z Amelią. Była piękna pogoda, w powietrzu czuło się już zapach wiosny. Dwa wesołe setery towarzyszyły jej przez całą drogę, jakby pilnowały, żeby gość się nie zgubił. Uświadomiła sobie, że nawet nie pamięta, jak się nazywają. Wiedziała tylko, że ich imiona kojarzyły jej się ze śpiewaniem, ale za nic nie mogła sobie przypomnieć, o co chodziło. Zdecydowała, że w ostateczności będzie na nie wołać „psy".

Okolica była prześliczna, jednak samotny spacer nie sprzyjał zachwytowi, a poza tym Jagoda wkrótce poczuła, że zmarzła, więc zawróciła do domu.

Od razu poszła do swojego pokoju z zamiarem napisania artykułu. Amelia przyniosła jej herbatę z sokiem malinowym i dyskretnie się wycofała, zostawiając ją samą.

Jagoda siedziała przed komputerem i znów nie mogła sklecić ani jednego zdania. Cały czas wracała myślami do Leszka i Beaty. Zastanawiała się, czy powinna jeszcze o niego walczyć. Spojrzała na komórkę. Na wyświetlaczu nie było żadnych wiadomości ani nieodebranych połączeń.

Dlaczego on nie dzwoni?

Czuła, że nadal go kocha i nie może żyć bez niego. Jeśli się zdecyduje na rozwód, załamie się i nigdy nie pozbiera.

Znali się z Leszkiem od czasów liceum i już wtedy byli sobą poważnie zainteresowani. Leszek, starszy od niej o trzy lata, zauroczył ją od pierwszego dnia, gdy się spotkali na szkolnej dyskotece. Poprosił ją do tańca i od razu przypadli sobie do gustu. Po zabawie odprowadził Jagodę do domu, a na drugi dzień zaprosił ją do kina. Większość przerw w szkole spędzali razem, a po lekcjach umawiali się na spotkania. Czasem Leszek pomagał jej w matematyce, która była dla niej koszmarem, gdyż miała umysł wybitnie humanistyczny. Jagoda była dumna z tego, że ma przystojnego chłopaka ze starszej klasy. Wiedziała też, że koleżanki jej zazdroszczą. Chodzili ze sobą, gdy Leszek był już na studiach, a ona jeszcze uczyła się w liceum. To była kwestia czasu, kiedy się pobiorą. Rodzice obojga znali się ze szkolnych spotkań i gdy tylko się dowiedzieli o ich wielkiej miłości, szybko zaakceptowali ten związek. Tak jedni, jak i drudzy życzliwie ich wspierali.

Przy aprobacie obu rodzin młodzi wzięli ślub zaraz po tym, gdy Jagoda zdała maturę. Oczywiście chciała dorównać Leszkowi, który był już studentem trzeciego roku politechniki, i poszła na studia. Wówczas wspólnie zdecydowali, że na dzieci będzie czas później, kiedy Jagoda zrobi dyplom. Jednak po jej magisterium zaczęli budować dom i znów stwierdzili, że jeszcze nie pora na rodzicielstwo. Nawet przy znacznym wsparciu finansowym rodziców budowa trwała ponad pięć lat. Krótko przed ukończeniem ich domu zdarzył się tragiczny wypadek.

Mama Leszka pojechała wraz z koleżanką samochodem na zorganizowane po latach uroczyste spotkanie klasowe. Urządzono je w styczniu, warunki na drodze były bardzo złe. Ich samochód wpadł w poślizg i wbił się czołowo w nadjeżdżającego z przeciwka tira. Obie kobiety zginęły na miejscu. Leszek był zdruzgotany. Jego dużo młodsza siostra Aneta w tym czasie była dopiero na drugim roku studiów, uznał więc, że jako odpowiedzialny brat musi się skupić na opiece nad nią, by pomóc jej przejść przez te trudne chwile. Troszczył się o siostrę, niemalże zastępując jej ojca, który po stracie żony tak dalece pogrążył się w smutku, że przez blisko rok pozostawał w kompletnej apatii. Mało mówił, jadł tylko wtedy, gdy podano mu posiłek pod nos, i nic go nie interesowało. Zaczął mieć problemy w pracy i wszyscy się obawiali, że już w ogóle z tego nie wyjdzie. Na szczęście nie zaczął zaglądać do kieliszka, co prawdopodobnie uchroniło go przed ostatecznym stoczeniem się na dno. Po trwającej prawie rok depresji zaczął wracać do równowagi psychicznej.

Jagoda czuła się dumna, że Leszek jest taki odpowiedzialny i dojrzały. Troska, jaką otoczył swoich bliskich w trudnej dla nich chwili, świadczyła o jego wrażliwości i dobrym sercu. Dla niej był niczym rycerz w lśniącej zbroi, który zawsze staje na wysokości zadania i wspiera swoim ramieniem potrzebujących.

Pół roku po tej tragedii Jagoda z Leszkiem wprowadzili się do nowego domu w osiedlu domków jednorodzinnych na obrzeżach miasta. Szanując ból i żałobę męża, uznała wtedy, że nie jest to jeszcze odpowiednia pora na rozmowy o dziecku, i odłożyła temat na później. W ten sposób, wciąż odwlekając decyzję, nie doczekali się potomstwa. Teraz Jagoda tego żałowała. Pomyślała, że może gdyby mieli dzieci, Leszek nie wplątałby się w ten głupi romans, a nawet gdyby, to łatwiej byłoby mu wybrać między nią a Beatą.

Ale co ona teraz ma zrobić? Znów spojrzała na telefon. Może powinna jednak zadzwonić do Leszka i jeszcze raz z nim porozmawiać, a przynajmniej spróbować wyczuć, co on zamierza zrobić? Dotknęła aparatu, jednak szybko zrezygnowała z tego pomysłu.

To nie byłoby dobre, pomyślała, odkładając komórkę z powrotem na talerzyk. To on zrobił mi świństwo i on powinien odezwać się pierwszy. Poza tym, jak zatęskni i zrozumie, że mu na mnie zależy, to może poczuje skruchę. Ponaglanie nic nie da, a nawet może przynieść odwrotny efekt. Lepiej jeszcze poczekać.

Wszystko, co dotychczas przeżyła w swoim dorosłym życiu, wiązało się z Leszkiem. Miała wrażenie, że jej świat to Leszek i nic więcej. Jakby bez niego nie istniała. Przez prawie czternaście lat była przede wszystkim jego żoną, a dopiero potem sobą. Dlatego zastanawiała się, czy sobie poradzi w pojedynkę, jeśli nawet zdobędzie się na rozstanie. Przecież to, co zarabia w redakcji, w niektórych miesiącach wystarczyłoby zaledwie na opłaty, no, może jeszcze na chleb z masłem i gorzką kawę z cynamonem, albo i bez cynamonu, bo ten jest stosunkowo drogi. Rodzice mogliby jej pomóc finansowo, ale musiałaby wysłuchiwać, że to na pewno jej wina, bo nie urodziła

Leszkowi dziecka. Uznawali klasyczny model rodziny i z pewnością stwierdziliby, że zamiast studiować, powinna mieć już dwójkę dzieci.

Tak jakby dzieci miały go powstrzymać przed robieniem głupot, skrzywiła się. A może to prawda? Nie, na razie nie można im o tym wszystkim powiedzieć, przynajmniej do czasu, gdy sama rozwiąże problem i będzie już wiedziała, co dalej.

Zrozumiała, jak bardzo jest uzależniona od Leszka. W takim razie może jednak powinna zrobić wszystko, co w jej mocy, żeby go odzyskać? Wybaczyć mu ten romans i poczekać, aż czas zagoi rany i wszystko wróci do normy. Przyszło jej na myśl, że wolałaby nie odkryć jego zdrady, wtedy byłoby jak dawniej i teraz nie siedziałaby tutaj sama, zastanawiając się, jaką decyzję podjąć. Ale właściwie niczego by to nie zmieniło, Leszek nadal by ją zdradzał. W rzeczywistości problem by nie zniknął, tyle że ona żyłaby w nieświadomości. A jeśli dowiedziałaby się za pięć albo dziesięć lat? Bolałoby tak samo, a może jej żal byłby jeszcze większy. W końcu zdrada głęboko rani, a poznanie prawdy pozwala zachować chociaż odrobinę godności. I co by było, gdyby w końcu się okazało, że Leszek jednak woli tamtą?

Nie zadzwonił. Może nie tęskni? Może swoim wyjazdem wyświadczyłam mu przysługę? – pomyślała ze smutkiem. Może przestał mnie kochać i już mu na mnie nie zależy. Zechce się ode mnie uwolnić i odejdzie do tamtej kobiety. Pobiorą się, Beata urodzi mu dziecko, będą razem szczęśliwi, a ja będę musiała na to patrzeć samotna jak palec. Spojrzała z żalem na komórkę. Nawet nie przysłał esemesa.

Wróciła pamięcią do ostatnich lat małżeństwa i uświadomiła sobie, że właściwie prawie przez cały ten czas była sama, wciąż czekała w domu, aż Leszek wróci z pracy. Nawet kiedy przychodził wieczorem, najczęściej wydawał się nieobecny. Litowała się nad nim, bo myślała, że się przepracowywał. Tymczasem kiedy ona dbała o dom i szykowała mężowi jego ulubione przysmaki, żeby zrobić mu przyjemność, prała i prasowała jego koszule, on zabawiał się z inną.

Usłyszała pukanie do drzwi.

– Jagódko, zejdziesz na obiad?

– Tak, dziękuję.

Spojrzała na zegarek, a potem na monitor. Siedziała tutaj ponad trzy godziny i przez ten czas zrobiła tylko kilka spacji, ekran nadal był pusty.

– Cholera – mruknęła do siebie. – Jak tak dalej pójdzie, to na dodatek wyleją mnie z roboty i jak nic popadnę w nędzę.

*

Czas u Kozubków płynął spokojnie. Amelia od rana krzątała się po domu, sprzątała, piekła, gotowała i często nuciła przy tym piosenki. Niektóre, jakieś ludowe przyśpiewki, były bardzo zabawne. Widać było, że zajmowanie się domem sprawia jej przyjemność. Gdy już wszystko zrobiła jak należy, a cały dom lśnił czystością, siadała w saloniku z książką i godzinkę lub dwie czytała, czasem szydełkowała, robiła na drutach albo szyła patchworkowe kapy, póki nie przyszedł czas na przygotowanie obiadu. Adam z kolei wychodził wcześnie z domu, żeby zająć się zwierzętami. Oporządzał konie, karmił psy, kury, pawia, a nawet burego bezimiennego kota, który podobno przywędrował nie wiadomo skąd i tak mu się spodobało u Kozubków, że postanowił zostać.

Kocur był wyjątkowo mało towarzyski i nie ufał obcym, więc trzymał się z dala od ludzi. Jedynie gospodarzom pozwalał się dotknąć, ale bez zbędnych poufałości. Koło południa Adam wracał na drugie śniadanie i kawę. Dopiero potem szedł do stajni, gdzie miał wygospodarowane pomieszczenie na pracownię rzeźbiarską, którą nazywał swoim atelier. Tam, szczęśliwy, oddawał się swojej pasji, zapominając o bożym świecie. Szkicował nowe projekty, konstruował modele i rzeźbił. Czasem odczuwał potrzebę malowania i wtedy tworzył ciekawe obrazy, pełne ciepła i melancholii.

Jagoda czuła się tu coraz bardziej zrelaksowana, chociaż często myślała o Leszku. Towarzystwo gospodarzy wyraźnie miało na nią dobry wpływ. Byli bardzo gościnni i sympatyczni. Zawsze cieszyli się, gdy schodziła do saloniku, ale nigdy jej nie zatrzymywali, kiedy mówiła, że chce iść do siebie, żeby popracować lub odpocząć. W końcu ludzie przyjeżdżali tutaj po odrobinę spokoju. Szybko też polubiła wieczorne rozmowy z nimi przed kominkiem, przy lampce wina albo koniaku.

Wkrótce Jagoda uświadomiła sobie, że nadszedł piątkowy wieczór, a ona przyjechała we wtorek rano, to znaczy, że jest tu już prawie cztery dni. Magda miała rację, że tu można się poczuć jak na końcu świata. Jakby nie istniało nic więcej poza tym miejscem. Mała oaza spokoju w tym zwariowanym świecie, pędzącym nie wiadomo gdzie i po co. Gdyby nie kilka telefonów od Magdy, mogłaby pomyśleć, że wszyscy o niej zapomnieli, tym bardziej że Leszek nie zadzwonił ani razu. Martwiła się tylko tym, że przez ten czas nic nie napisała. Nigdy wcześniej jej się to nie zdarzyło. Lubiła pisać i zawsze przychodziło jej to z łatwością, niezależnie od tego, o czym pisała. Teraz nie mogła zrozumieć, co się stało. Pomyślała, że może powinna wybrać się do jakiejś biblioteki, poprzeglądać prasę albo wypożyczyć jakieś ciekawe książki tematyczne do artykułu. Może to pomoże jej ruszyć z miejsca.

Siedziała właśnie w saloniku na kanapie, obok niej przy kominku Adaś pykał swoją ulubioną fajeczkę, roztaczającą przyjemny zapach, a Amelia kończyła sprzątać kuchnię po kolacji.

– Adam, czy w miasteczku jest jakaś czytelnia albo biblioteka? – zapytała nagle, wytrącając gospodarza z głębokiej zadumy.

– W Gorówku? Jest, ale nieduża, w budynku liceum. A co chciałabyś poczytać? Możesz poszukać u nas, tu masz sporo książek. – Wskazał na pokaźną, stylową biblioteczkę stojącą za ich plecami, imponująco napakowaną książkami.

– Ale wy macie prawie same książki o sztuce i ar-
chitekturze, a mi chodzi o jakieś czasopisma, ewentualnie beletrystykę, może reportaże. Sama nie wiem.

– Przykro mi, tego nie kolekcjonujemy – stwierdził
z żalem Adam. – Takie książki zaraz po przeczytaniu
oddajemy do biblioteki. Jeśli chcesz, możesz jutro rano
wziąć nissana Amelii i przejechać się do miasteczka.
Mojego land rovera ci nie dam, bo muszę jechać do
odlewni, ale jak nie chcesz jechać sama, to mogę cię
podrzucić, a kiedy będę wracał, zabiorę cię do domu.

– Nie chcę ci robić kłopotu, pojadę sama. Mam nadzieję, że sobie poradzę, choć mam niewielkie doświadczenie jako kierowca – przyznała się ze wstydem.

– Na pewno sobie poradzisz, przecież to nie tak
daleko, a droga głównie biegnie przez las, miasteczko
też niewielkie, ruch w nim mały – zapewnił ją Adam.
– Prawdę mówiąc, tak będzie lepiej, bo biblioteka nie
jest mi po drodze.

– A będzie czynna w sobotę?

– Jasne, ale tylko do trzynastej.

W tej chwili do pokoju weszła Amelia i usiadłszy
obok męża, przytuliła się do niego.

– O czym rozmawiacie?

– Chciałabym jutro jechać do miasta, jeśli pozwolisz wziąć twój samochód.

– Ależ oczywiście. Jedź sobie, na zdrowie – zaśmiała się filuternie. – A czego potrzebujesz?

– Chciałabym poszperać w bibliotece. Może znajdę coś inspirującego do mojego artykułu – wyjaśniła
Jagoda i upiła łyk pysznego wina z dzikiej róży.

– Amelko, kochanie, a może zabawiłabyś nas kartami, co? – zapytał Adam, pieszczotliwie głaszcząc żonę po ręce.

– Daj spokój, ty znowu swoje – obruszyła się jego żona, zabierając dłoń, jakby chciała zademonstrować, że jest zniesmaczona jego pomysłem, choć uśmiech nie znikał z jej twarzy.

– Jakimi kartami? – zainteresowała się Jagoda.

Adam, niezrażony reakcją Amelii, spojrzał na nią czule i pocałował w policzek.

– Tarotem – odparł wyraźnie dumny z żony.

– Ty umiesz wróżyć, Amelko? I cały czas nic nie mówiłaś?

– Oj tam! – Machnęła ręką. – Trochę umiem. Babcia mnie nauczyła, jak jeszcze byłam młodą dziewczyną na studiach, ale rzadko to robię, bo niektórzy uważają, że to gusła. Nie chcę się narażać na drwinę. Wolę być ostrożna.

– Nie wierz jej, jest w tym świetna i chętnie zagląda do kart – wtrącił Adam. – Chcesz, to ci powróży.

– Jasne, że chcę. Zawsze uważałam, że to jest fascynujące. Jeszcze nigdy nikt mi nie stawiał tarota. Może mi się w głowie rozjaśni! – Ucieszyła się na samą myśl, że otrzyma gotowe odpowiedzi na wszystkie dręczące ją ostatnio pytania.

Niektóre z jej koleżanek często bywały u wróżek, a potem na spotkaniach towarzyskich opowiadały swoje wrażenia, co Jagodę zawsze intrygowało. Uważała, że to musi być ciekawe przeżycie dowiedzieć się, co kogoś czeka w przyszłości, ale sama nigdy nie odważyła się iść do tarocistki. Nie rozumiała, jak to działa, wolała więc nie ryzykować. Słyszała też, że nie wszystkie osoby, które się tym zajmują, są dobre w swoim fachu i uczciwe. Teraz jednak czuła, że bardzo potrzebuje jakiejś podpowiedzi co do swoich dalszych losów.

– No to siadaj przy stoliku, a ja przyniosę karty – poleciła Amelia, wstając z kanapy.

Zdjęła ze stołu serwetkę, zapaliła małą świeczkę i kadzidełko, przetasowała talię kart i położyła ją w stosiku przed Jagodą.

– Przełóż na trzy kupki do siebie – powiedziała spokojnym tonem.

Jagoda posłusznie rozdzieliła karty i ułożyła je w trzy mniej więcej równej wielkości stosiki. Następnie Amelia na powrót złożyła je razem, teraz w odwrotnej kolejności, a potem rozłożyła pojedynczo na stole wszystkie karty licem do góry, w czterech poziomych rzędach. W milczeniu przyglądała się obrazkom, tak jak Jagoda, którą zafascynowała żywa kolorystyka i forma graficzna kart. Jeszcze nigdy nie widziała takiej pięknej talii. Było w niej coś magicznego, co przyciągało wzrok, wywołując jednocześnie zachwyt i dziwny niepokój.

Jagoda zaczęła się niecierpliwić. W pokoju było cicho jak makiem zasiał. W końcu Amelia zgarnęła wszystkie karty ze stołu, złożyła je razem i odłożyła całą talię na bok. Wiedziała, że teraz Jagoda nie zrozumie tego, co niesie los. Była jeszcze zbyt zamknięta i nazbyt mocno pielęgnowała swoje uczucia do męża.

Mówiąc prawdę, zraniłaby bardzo tę młodą kobietę, a i tak nie zmieniłaby sposobu jej myślenia.

– Co się stało, dlaczego milczysz? – zapytała zaskoczona Jagoda. – Wyczytałaś coś złego?

– Nie, kochanie. Dziś nie jest dobry dzień na wróżbę, może innym razem.

– Ależ, Amelio, coś przecież musiałaś zobaczyć – upierała się zawiedziona Jagoda.

– No dobrze, powiem ci tylko tyle, że musisz zwrócić uwagę na trzy wyraźne znaki, które da ci los, i starać się je odczytać, bo to one pokierują twoim życiem. Jeśli będziesz ostrożna, wszystko dobrze się ułoży i będziesz bardzo szczęśliwa. Moja babcia mawiała, że nie wchodzi się dwa razy do tej samej rzeki, a gdy w kółko opowiadałam jej coś, co się wydarzyło i nie dawało mi spokoju, tłumaczyła, że trzeba żyć przyszłością, nie przeszłością.

– Ale ja mam problem z mężem i chciałabym wiedzieć, co powinnam teraz zrobić – protestowała zdenerwowana Jagoda. – Nie bądź taka tajemnicza.

– Wiem, że masz problem z mężem, ale on w tej chwili jest nieistotny. Mogę ci powiedzieć, że jesteś w miejscu, gdzie jeden etap twojego życia się zakończył, a drugi się rozpocznie. To tak, jakbyś zmieniła siebie i zaczęła wszystko od nowa... Jakbyś się narodziła na nowo. Jesteś w punkcie swojej wielkiej przemiany, ale musisz pamiętać, żeby iść do przodu, nie zważając na to, co było wcześniej. Jesteś mądra i sama znajdziesz rozwiązanie tego problemu, musisz tylko dostrzec sygnały przeznaczone osobiście dla ciebie i kierować się nimi. Zobaczysz je szybciej, niż się spodziewasz. – Umilkła na chwilę, po czym dodała: – Dam ci radę: nie spoglądaj za siebie i nie obawiaj się tego, co będzie. Masz wielkie możliwości i powinnaś je wykorzystać.

– O rany! Takie zagadki to nie dla mnie, nic z tego nie rozumiem – jęknęła z rezygnacją Jagoda.

– Spokojnie. Jestem pewna, że wszystko zrozumiesz, jak tylko pojawią się znaki. One będą odpowiedzią na twoje pytania i wątpliwości. Trzy pytania i trzy odpowiedzi – odrzekła Amelia, pokazując trzy palce.

*

Następnego dnia rano Jagoda udała się pożyczonym samochodem do miasteczka. Piaszczysta droga zrobiła się błotnista, bo w nocy mocno padało. Jagoda miała niemały problem, jako że nie była wprawnym kierowcą. W miejscach, gdzie rozjeżdżona ziemia stała się miękka, samochód niebezpiecznie się zapadał. Próbowała jechać poboczem, ale okazało się to jeszcze trudniejsze. Zastanawiała się, czy to dobry pomysł, żeby wyruszać autem w takich warunkach. Może lepiej zawrócić?

Właśnie zbliżyła się do zagłębienia, w którym zauważyła głębokie ślady innych samochodów. Chciała wycelować tak, aby mieć koleinę między kołami, kiedy okazało się, że w tym miejscu podłoże jest bardziej rozjeżdżone. Samochód ześlizgnął się z bruzdy, trafił oponami w wyżłobione rowy i zawiesił się środkiem podwozia na wzniesieniu. Koła zabuksowały, wyrzucając spod siebie kawałki gliny, a nissan pozostał w miejscu, a ściślej mówiąc w zawieszeniu. Utknęła na dobre. Wysiadła z wozu i zapadła się po kostki w miękkiej brei. Miała na nogach półbuty, które prawie natychmiast przemokły, błoto dostało się do środka i nieprzyjemnie okleiło stopy. Rozejrzała się dookoła – ani żywej duszy. Do głównej drogi za daleko, więc nie może liczyć na pomoc, a do domu Kozubków też dobre kilka kilometrów.

– Cholera jasna! – wrzasnęła, kopiąc w oponę. – Jak nie urok to sraczka albo przemarsz wojska! – To skojarzenie z wojskiem było tu jak najbardziej na miejscu, bo teren przypominał poligon.

Brodząc w błotnistej mazi, przeszła na tył auta. Zajrzała do bagażnika, ale nie znalazła saperki ani niczego, co mogłoby jej posłużyć do wybrania gliny spod samochodu.

– A niech to! – zaklęła ze złością. – I co teraz? Poczuła się nieswojo, znowu zagubiona, samotna, bez pomocy na pustej leśnej drodze. Postanowiła przepchnąć samochód kawałek dalej, na bardziej ubitą ziemię, ale mimo ogromnego wysiłku ani drgnął. Nie było szans, żeby sama dała radę go ruszyć. Postanowiła podłożyć coś pod koła, ale dużych gałęzi na ziemi nie znalazła. Chciała je ułamać z drzew, jednak okazało się to ponad jej siły. Zdesperowana zdjęła z tylnego siedzenia koc, owinęła nim rękę i na kolanach próbowała wybierać błoto spod samochodu. Niestety, nie mogła sięgnąć na tyle daleko, żeby wyrównać gliniastą bruzdę, na której osiadł. Nawet nie zauważyła, że cała jest umazana. Uwalane kleistą ziemią aż do kolan spodnie i rękawy swetra prezentowały się żałośnie. Nawet twarz miała brudną. W tej chwili bardziej przypominała partyzanta niż eteryczną subtelną kobietę.

Sięgnęła brudną ręką do torebki i ostrożnie wyjęła komórkę. Wcisnęła klawisz menu i z rozpaczą stwierdziła, że aparat nie działa. Domyśliła się, że brak tutaj zasięgu. Nic dziwnego, jak się jest w lesie, na takim odludziu. Z wściekłością cisnęła telefon na siedzenie.

Zmęczona wsiadła do samochodu i rozpłakała się jak dziecko.

Z głową opartą na kierownicy, zrozpaczona przesiedziała ponad pół godziny, użalając się nad sobą, gdy nagle w oddali usłyszała warkot silnika. W pierwszej chwili nawet nie zareagowała, myśląc, że to złudzenie, ale dźwięk stawał się coraz wyraźniejszy. Podniosła głowę i zobaczyła czarny terenowy samochód jadący w jej kierunku.

Dzięki Bogu, Adam, ucieszyła się.

Samochód zbliżał się powoli, z niebywałą łatwością pokonując błotnisty, nierówny teren. Podjechał blisko i zatrzymał się tuż obok nissana. Przez łzy ujrzała wysiadającego wysokiego, obcego mężczyznę. Poczuła lekki niepokój.

– Coś się stało? – odezwał się, podchodząc do niej.

– Nic szczególnego, tylko samochód zakopał się w tym błocie i już się bałam, że będę musiała tu nocować, a nie mam w kabinie prysznica – odparła z sarkazmem, w pierwszym odruchu zła, że facet głupio pyta, skoro gołym okiem widać, co się stało.

– To mam panią stąd wyciągnąć czy tylko przywieźć balię z gorącą wodą do kąpieli? – zapytał absolutnie niezrażony jej złośliwością i uśmiechnął się filuternie.

– A jak pan myśli? – syknęła.

– W takim razie ma pani szczęście, bo uratuję panią od samotnej nocy z wilkami w ciemnym lesie.

– Tu są wilki?! – przestraszyła się nie na żarty.

– Nie, ale starałem się dostosować do pani poczucia humoru.

Zrobiło jej się głupio i pomyślała, że nie powinna tak się odzywać do obcego człowieka, który bądź co bądź, chce jej pomóc. Uśmiechnęła się półgębkiem zawstydzona swoim zachowaniem.

– Skąd się pani tutaj wzięła?

– Przyjechałam do państwa Kozubków i chciałam wybrać się na wycieczkę do miasta, reszta sama mówi za siebie – wyjaśniła już spokojniej, wskazując ręką na samochód. – Utknęłam w połowie drogi i zupełnie nie wiedziałam, co mam zrobić – dodała i wytarła brudną dłonią łzy, rozmazując przy tym nie tylko błoto, ale i makijaż.

Nieznajomy popatrzył na nią z zainteresowaniem, a jego brwi uniosły się w wyrazie zdziwienia, ale taktownie zaniechał komentarza.

– To się dobrze składa, bo ja też jadę do Kozubków. Spędzam u nich weekendy – pospieszył z wyjaśnieniem. – Zabiorę panią ze sobą, a potem z Adamem wyciągniemy samochód z tej pułapki.

– To bardzo miło z pańskiej strony. Dziękuję za ratunek – powiedziała, zdobywając się na ciepły uśmiech, by zatuszować wcześniejsze wrogie nastawienie.

– Niech pani wsiada do dżipa, nie ma co tu stać, wygląda pani na zmęczoną.

Gdy wsiedli do auta, nieznajomy, nie patrząc na nią, wyjął ze schowka całe opakowanie wilgotnych, pachnących chusteczek.

– Proszę – powiedział, podając jej paczuszkę w folii. – Niech pani zmyje to błoto z twarzy, bo gdy Amelia panią zobaczy w takim stanie, jak nic padnie trupem z przerażenia albo co gorsze, może pomyśleć, że napastowałem panią w lesie.

Cóż to za unikat, który w samochodzie wozi coś takiego? – pomyślała, biorąc od niego chusteczki.

Ruszyli w kierunku dworku, dżip bez trudu pokonywał drogę.

– Nazywam się Wiktor Szymański i mieszkam w Gorówku – przedstawił się nieznajomy.

– Jagoda Topolska – odparła, wyciągając już czwartą chusteczkę z opakowania.

*

Wieczorem, po kolacji, jak zwykle usiedli w saloniku przed kominkiem, tym razem we czwórkę. Wiktor okazał się miłym i pogodnym człowiekiem. Był bardzo oczytany i Jagoda szybko doceniła jego dużą wiedzę prawie na każdy temat, który poruszali. Inteligentny, błyskotliwy i dowcipny, w naturalny, niewymuszony sposób skupiał na sobie uwagę wszystkich. Nie przypominał żurnalowego modela, nawet nie wydawał się przystojny, ale był wysoki i miał zgrabną, wysportowaną sylwetkę, więc mimo swej przeciętnej urody, był bardzo męski.

Śmiali się, wspominając przygodę Jagody, a ona czuła się doskonale, odzyskała nawet dobry humor i sama zaczęła żartować z własnej bezradności.

– Miałaś szczęście, że Wiktor cię znalazł, bo o tej porze roku rzadko kto tu przyjeżdża – odezwał się Adam.

– Chcesz powiedzieć, że los mi sprzyja? – spytała Jagoda.

– Jak najbardziej – wtrąciła Amelia. – Pamiętaj o tym.

– Wątpię. Myślę, że to pojedynczy szczęśliwy traf – odrzekła z powątpiewaniem Jagoda. – Chociaż nie co dzień pojawia się ktoś, kto dosłownie wyciąga człowieka z błota.

– Masz rację, Jagódko, w dzisiejszych czasach trudno o życzliwość, a zważywszy, że żyjemy na takim odludziu, trzeba przyznać, że jednak miałaś fart – dodał Adam. – Na mnie musiałabyś czekać jeszcze kilka godzin w tym lesie, aż będę wracał z odlewni.

– Właśnie stanęła mi przed oczami ponura wizja pieszej wędrówki do domu, gdy nagle pojawił się

Wiktor. Chyba rzeczywiście los mi sprzyjał – przyznała.

Wszyscy na chwilę umilkli, po czym Jagoda i Wiktor jednocześnie zadali sobie wzajemnie to samo pytanie:

– Czym się zajmujesz?

Wszyscy parsknęli śmiechem.

– Ty pierwsza – ustąpił uprzejmie Wiktor.

– Nie, proszę, ty pierwszy.

– No dobrze. Jestem inżynierem i mam własną firmę w Gorówku.

– A co to za firma?

– Budowlana. Jestem budowlańcem. Teraz ty się spowiadaj.

– Nic szczególnego, przede wszystkim jestem żoną... – Po chwili namysłu dodała: – Jeszcze... A w wolnych chwilach piszę do gazety.

– Co to znaczy „jestem żoną jeszcze"? – Wiktor przyglądał się jej uważnie.

W tym momencie gospodarze spojrzeli na siebie porozumiewawczo i wstali z foteli.

– To my już pójdziemy spać – powiedział Adam i z galanterią podając dłoń Amelii, dodał: – Chodź, moja ukochana żono, będziesz mi pledem w chłodną noc.

– A może łabędzim puchem? – zażartowała.

– Jak sobie życzysz, kochanie – odparł, całując jej rękę. – I tak jesteś dla mnie wszystkim.

Dwa setery zerwały się z ulubionego miejsca przy kominku i merdając ogonami, w podskokach podbiegły do swojego pana.

Na ten widok Jagoda poczuła lekkie ukłucie w sercu. W tym momencie zazdrościła Amelii. Kozubkowie byli małżeństwem od ponad dwudziestu lat i nadal łączyło ich wielkie uczucie. Adam wręcz uwielbiał swoją żonę i traktował ją z wyjątkową atencją, a ona odwzajemniała mu się tym samym. Jagoda pomyślała, że Leszek nigdy nie eksponował w taki sposób swoich uczuć w stosunku do niej.

– Tak, tak, idziemy spać – dodała Amelia. – Jestem dzisiaj bardzo zmęczona, ale proszę, nie przeszkadzajcie sobie – zwróciła się do gości. – Dobranoc, kochani!

Pożegnali się i szybko wyszli z pokoju, dyskretnie zamykając za sobą drzwi saloniku.

– Dlaczego tak nagle? – szepnęła Jagoda, spoglądając pytająco na Wiktora.

– Idź, mój drogi aniele, do sypialni, a ja jeszcze wypuszczę psy. Niech sobie chwilę pobiegają przed snem – zabrzmiał w korytarzu tubalny głos Adama. – Tenor, Sopran! – zawołał na setery.

Usłyszeli rumor, gdy psy przepychały się gwałtownie, a potem drzwi zewnętrzne lekko trzasnęły. W saloniku na moment zapadła cisza.

– Znam ich dobrze – przerwał milczenie Wiktor. – To bardzo inteligentni i dyskretni ludzie. Z jakiegoś powodu uznali, że powinniśmy zostać sami, tylko jeszcze nie wiem dlaczego. Ale nie zmieniaj tematu, nie odpowiedziałaś mi na pytanie.

– Ach tak, rzeczywiście. – Jagoda z zakłopotaniem potarła czoło.

Spuściła głowę i jakby w zawstydzeniu zaczęła się bawić jakąś nitką na brzegu swetra. Milczała, wahając się, czy chce mówić obcemu człowiekowi o swoich kłopotach. Po chwili głośno westchnęła i spojrzała Wiktorowi prosto w oczy.

– Jeszcze jestem żoną, bo możliwe, że już niedługo nią nie będę. Zastanawiam się nad ewentualnym rozwodem – powiedziała jednym tchem zdziwiona, że zwierzyła się obcemu człowiekowi, ale z drugiej strony... czasem właśnie przed obcym łatwiej się otworzyć.

– W każdym małżeństwie zdarzają się kryzysy. Bywa, że ludzie zbyt pochopnie podejmują decyzję o rozwodzie.

– Wiem, ale mój mąż ma inną kobietę i to na poważnie. Dowiedziałam się o tym przed kilkoma dniami i przyjechałam tutaj, żeby sobie wszystko przemyśleć. – Zamilkła, nie wiedząc, co jeszcze powiedzieć.

– Może to klasyczny przykład wieku średniego? Jesteś pewna, że to nie przelotny romans, który nie musi się powtórzyć? – odezwał się łagodnym tonem. – Uważam, że powinnaś z nim porozmawiać. Może, jeśli wszystko sobie wyjaśnicie, okaże się, że nie ma tragedii, i z czasem wszystko się ułoży – próbował ją pocieszać.

– Zdaje się, że to coś poważniejszego – odparła, spuszczając wzrok.

– Rozmawiałaś z nim?

– Tak.

– I wyjaśnił ci, co się stało?

77

– Niezupełnie... W każdym razie to nic nie dało.

Wiktor milczał przez chwilę, analizując słowa Jagody. Bardzo chciał jej pomóc, ale nie zamierzał przy tym zranić tej kobiety.

– Czy podjęłaś już decyzję?

– Niestety nie.

– Dlaczego?

– Głównie dlatego, że ta sytuacja dla mnie jest wyjątkowa i chyba mnie przerasta.

– Czemu tak sądzisz? Zdrada to częsty powód problemów wielu małżeństw.

Jagoda milczała chwilę.

– Bo wydaje mi się, że całe moje życie byłam uzależniona od męża i nie mam pojęcia, jak mogłabym dać sobie radę w pojedynkę. Poza tym nie chcę być sama.

– Nikt nie chce być sam, ale moim zdaniem lepsza samotność niż trudny związek z nieodpowiednią osobą – powiedział, spoglądając nieobecnym wzrokiem w stronę kominka.

– To prawda – zgodziła się smutno Jagoda.

– Jak długo cię zdradzał? – zapytał Wiktor poważnym tonem.

– Trzy lata.

– To zmienia postać rzeczy. Przelotne romanse zazwyczaj nie trwają tak długo. Kochasz go jeszcze?

– Do tej pory kochałam, ale teraz już nie jestem pewna. Czuję się skrzywdzona.

– To naturalny odruch w takiej sytuacji. Czy twój mąż próbuje cię odzyskać?

– Wygląda na to, że nie – stwierdziła, wzruszając ramionami, i spojrzała na złocisty płyn w kieliszku. – Odkąd wyjechałam z domu, ani razu nie zadzwonił. Nie wiem, co o tym myśleć. Może to oznacza, że już mu na mnie nie zależy i teraz świetnie się bawi z tą drugą?

– Ostatnie pytanie: czy chcesz być w tym związku tą trzecią?

– Oczywiście, że nie! – Z oburzeniem potrząsnęła energicznie głową.

Wiktor zamyślił się i przez dłuższy czas patrzył w płomienie migoczące w kominku. Po chwili spojrzał na nią i rzekł z powagą:

– Jeśli zdecydujesz się na rozwód, pomogę ci. Mam kilku znajomych prawników. Wiem, jakie to trudne, ale czasami takie wyjście jest lepsze od przewlekłego bólu spowodowanego trwaniem w chorym związku – powiedział.

– To niemożliwe, jestem dla ciebie zupełnie obcą osobą – zaoponowała.

– Dla mnie wystarczy, że tutaj jesteś. Przyjaciele Kozubków są moimi przyjaciółmi. Pomogę ci i już – powiedział tonem nieznoszącym sprzeciwu... O ile będziesz chciała.

– Łatwo ci tak mówić o rozwodzie, ty patrzysz na tę sprawę z dystansu.

– Mylisz się. – Westchnął i spojrzał jej w oczy. Dopiero teraz dostrzegła, że jego tęczówki mają kolor głębokiego brązu. W tym świetle wydawały się prawie czarne. – Ja też się rozwiodłem. Moja żona zakochała się w innym mężczyźnie, a ja nie mogłem znieść życia w trójkącie. Ona nie jest zła, po prostu czasem się tak zdarza. Nikt nie wie, co mu przyniesie przyszłość, a mojej żonie przyniosła nową miłość. Męczyłem się. Byłem wściekły i zdruzgotany. Czasem nienawidziłem jej i tamtego mężczyzny, nienawidziłem też siebie samego. Próbowałem walczyć o naszą miłość i rodzinę, ale czułem się bezsilny, widząc, że nie mogę tego zmienić, aż w końcu zdecydowałem, że nie chcę być przeszkodą na jej drodze do szczęścia. Zrozumiałem, że przyszedł moment, żeby się wycofać. Uwolniłem ją od siebie i pozwoliłem jej odejść. Mamy sześcioletnią córeczkę Elizę, która jest dla mnie wszystkim. Została z matką, ale często się widujemy. Nawet jeśli mnie nie ma przy niej, to w rzeczywistości cały czas uczestniczę w jej życiu. Jesteśmy z moją byłą przyjaciółmi. Kontaktujemy się często i wspólnie podejmujemy decyzje dotyczące naszej córki... – Zamilkł na chwilę. – Nawet teraz na swój sposób nadal ją kocham, bo jest matką mojego dziecka, a poza tym łączy nas wspólna przeszłość. Widzisz więc, że rozumiem twój problem i staram się być obiektywnym... Jednak decyzję o ewentualnym rozstaniu musisz podjąć sama. W tej sprawie nikt ci nie pomoże, bo nikt nie wie, co jest w twoim sercu.

– Przepraszam – szepnęła. – Nie chciałam cię urazić.

– Ależ nic się nie stało. – Uśmiechnął się, kładąc rękę na jej dłoni.

– Jestem zmęczona. Wybacz, pójdę się położyć – powiedziała, szybko cofając dłoń.

– Masz rację, jest bardzo późno.

– Dobranoc!

Wstała z kanapy i poszła do swojego pokoju. Wzięła prysznic, a kiedy wychodziła z łazienki, usłyszała kroki Wiktora na schodach i odgłos cicho zamykanych drzwi po drugiej stronie korytarza.

Czy fakt, że uratował mnie z opresji rozwiedziony mężczyzna, to był pierwszy znak? – zadała sobie pytanie Jagoda, kładąc się do łóżka. – Chociaż... rozwodników jest teraz na pęczki.

Sięgnęła po telefon leżący na nocnym stoliczku. Znowu nie było żadnych prób połączeń od Leszka. Zgasiła światło.

Dlaczego on nie dzwoni? – zastanawiała się, leżąc w pogrążonym w ciemnościach pokoju. Przez niewielkie okno wpadała do środka nikła księżycowa poświata, tworząc jasną plamę na obudowie zamkniętego laptopa na stole. – Czyżby rzeczywiście przestało mu na mnie zależeć?

Ukryła twarz w poduszce i gorzko zapłakała.

*

W niedzielę po śniadaniu Wiktor namówił ją na spacer. Ciepło ubrani w wygodne ciuchy i buty wędrowali, rozmawiając wesoło. Wiktor oprowadzał Jagodę po najpiękniejszych okolicznych zakątkach. Mimo że z początku się bała, weszli na drewnianą

81

wieżę, stojącą na brzegu leśnej polany. Z tej tkwiącej samotnie konstrukcji, zwanej amboną, korzystali zazwyczaj myśliwi oraz leśniczy w trakcie obserwacji zwierzyny. Stamtąd niemal całą okolicę widać było jak na dłoni aż po horyzont, chociaż miejscami wysokie drzewa zasłaniały fragmenty dalszego planu. Nagle Jagoda zobaczyła wszystko w innej perspektywie. To, co na ziemi, stało się przyziemne, niewarte aż tak dużego lęku.

Jednak to prawda, że w zależności, z którego punktu się patrzy, świat wygląda zupełnie inaczej, pomyślała, stojąc w górze i ogarniając wzrokiem ten zapierający dech w piersiach widok.

Potem dotarli do miejsca, gdzie zimą dokarmiano leśne zwierzęta. Duży paśnik, wsparty na dwóch drewnianych krzyżakach, przykryty był dwuspadowym daszkiem ze słomy. W dolnej części przymocowano pojemnik złożony z dwóch poziomych drabinek tworzących literę V. Wiktor wyjaśnił, że to miejsce na paszę objętościową.

– Czyli jaką? – zainteresowała się Jagoda.

– Taką, która zajmuje dużo miejsca, na przykład siano.

Z boku paśnika zauważyła dwa korytka.

– A to? – zapytała, wskazując palcem pojemniki.

– To jest na paszę treściwą, jak owies, pszenica czy kukurydza.

Zdziwiła się na widok wielkiej szarobiałej grudy przyczepionej do żerdzi. Wiktor wyjaśnił, że to bryła soli dla zwierzyny płowej, do której zaliczają

się jeleń, sarna, łoś i daniel. Zwierzęta liżą ją, uzu-
pełniając w ten sposób braki tego minerału w organi-
zmie. Takie lizawki ustawia się w pobliżu paśników
i wzdłuż szlaków wędrówek leśnych zwierząt. Opowiadał jeszcze, że w lesie stoją też wsparte na czterech kołkach daszki, gdzie dokarmia się dziki. Taki
daszek osłania wysypaną paszę przed namoknięciem
w czasie deszczu, a dziki mogą tam wejść i spokojnie
najeść się do syta. Jagoda o tym nie wiedziała. W ogóle mało wiedziała na temat lasu i jego mieszkańców.
Była typowym mieszczuchem.

W towarzystwie Wiktora czuła się uspokojona.
Mężczyzna był życzliwy i cierpliwie tłumaczył jej
wszystko, o co pytała. Chętnie opowiadał i dzielił się
swoją wiedzą. Nie denerwował się i nie patrzył na nią
jak na idiotkę, tylko dlatego, że o czymś nie miała pojęcia. Leszek nigdy z nią w ten sposób nie rozmawiał.
W ogóle mało mieli okazji do wspólnych spacerów.
Odsunęła od siebie tę myśl. W tej chwili nie chciała się nad tym zastanawiać. Miała wrażenie, że jej
problemy to już bardzo odległa przeszłość, o której
przynajmniej teraz nie chciała pamiętać.

– Uwielbiam tu przyjeżdżać, to wspaniałe miejsce – wyznał Wiktor. – Można powiedzieć, że pobyt
tutaj działa na mnie oczyszczająco. Uwalnia mnie od
epidemii zwanej cywilizacją.

– Często tu przyjeżdżasz?

– Tak. Zawsze, gdy tylko czas mi pozwala.

Szli leśną drogą, na której blade promienie wio-
sennego słońca, przeciskające się między gęstymi

konarami drzew, malowały rozedrgane, złociste plamki. Ptaki rozgadały się na całego, zadowolone z pierwszych cieplejszych dni. Tuż obok przemknęła wiewiórka, jeszcze w szarawym zimowym futerku, i cichutko wskoczyła na pień drzewa. Zatrzymała się na chwilę, popatrzyła na nich ciekawie czarnymi, okrągłymi niczym dwa paciorki oczkami, po czym umknęła. Po chwili między konarami mignął jeszcze koniec jej rudej kitki, aż znikła na dobre.

– Wiesz, że wiewiórka może się rozmnażać nawet dwa, trzy razy do roku?

– Nie. To chyba tak, jak króliki, prawda? – odparła niepewnie.

– Pod tym względem chyba jednak królik jest lepszy. – Wiktor uśmiechnął się do niej. – Ale za to królik nie potrafi suszyć grzybków na drzewie, a wiewiórka robi to, przygotowując zapasy na zimę.

Roześmiali się oboje.

– Jeździsz konno? – zapytał znienacka Wiktor.

– Nie. A ty?

– Jeżdżę praktycznie od dziecka. Można powiedzieć, że konie to mój konik – odrzekł. – Zaczynałem jako dziewięcioletni grzdyl. Każde wakacje spędzałem na wsi u dziadków. Mieli spore gospodarstwo. Codziennie pomagałem dziadkowi w polu albo przy inwentarzu, a potem on pozwalał mi za to jeździć na koniu. Dosiadałem konia na oklep i trzymając się jego grzywy, szalałem po łące, a dziadek prawie mdlał ze strachu, że spadnę i się połamię. Potem, gdy wracaliśmy do domu, babcia robiła nam burę, że sobie pozwalamy, i jak coś mi się stanie, to ona dziadkowi wygarbuje skórę – wspominał Wiktor. – Uwielbiałem do nich jeździć. To byli wspaniali ludzie.

– Ja nigdy nie miałam okazji.

– Szkoda, ale nic straconego. Adam ma dwa konie, musisz koniecznie spróbować.

– Wiem, widziałam je z okna pokoju, jak pasły się za domem na łące, ale to chyba nie jest dobry pomysł. Boję się koni.

– Większość ludzi się boi, a jednak jeżdżą, bo lubią. To naprawdę wielka frajda. Spróbuj przełamać barierę strachu. Dostaniesz tego spokojnego wałacha Hołda, jest stary, więc nie w głowie mu już figle i bardzo ładnie daje się prowadzić damskiej ręce. – Uśmiechnął się do niej. – Ja pojadę na Boranie.

Jagoda jeszcze przez jakiś czas się opierała, a Wiktor droczył się z nią i namawiał. W końcu zgodziła się, gdy powiedział, że największą przyjemnością w życiu jest pokonywanie własnych słabości. Często wydaje nam się, że nie możemy czegoś zrobić, że coś jest dla nas nieosiągalne, a tymczasem wystarczy spróbować. Przezwyciężenie własnych lęków wzmacnia i dodaje pewności siebie, a zdobywanie szczytów pozbawia nas demonów, które sami sobie stworzyliśmy. Uświadamiamy sobie wtedy, że możemy osiągnąć dużo więcej, niż myśleliśmy.

– To tak, jak w twoim wypadku – ciągnął dalej swój wywód. – Trudna sytuacja, w jakiej się teraz znalazłaś, sprzyja nowym wyzwaniom, więc potraktuj ją jako okazję do sprawdzenia swoich możliwości, bo dzięki temu możesz się przekonać, na co cię stać. Skoro i tak wszystko, co do tej pory było dla ciebie normalne i stabilne, żeby nie powiedzieć jednostajne, runęło, to podejmij rękawicę i idź jeszcze o krok dalej, zakładając, że nowe doświadczenia to nowe i lepsze możliwości. – Spojrzał na nią z ukosa. – Co lubisz robić najbardziej, to znaczy, co jest twoją życiową pasją?

Zastanawiała się przez chwilę, po czym odpowiedziała:

– Myślę, że pisanie. Bardzo lubię pisać i jak sięgam pamięcią, zawsze to robiłam. Potrafiłam pisać o wszystkim. Kiedy byłam mała, pisałam pamiętniki, historyjki, opowiadania. Opisywałam wszystko, co przyciągnęło moją uwagę. Podobno mam lekkie pióro, ale to, co teraz piszę, to tylko krótkie artykuły. Zresztą od kilku dni nie mogę sklecić ani jednego zdania, coś mi się porobiło. – Westchnęła głęboko. – Nie rozumiem, co się dzieje. Nigdy wcześniej nie miałam takiej blokady.

Wiktor zerwał zeschnięty brunatny listek, który jakimś cudem przezimował na nisko zwisającej gałęzi, pod którą właśnie przechodzili. Przyjrzał mu się z uwagą, po czym odrzucił na bok.

– Czy myślałaś kiedyś, że mogłabyś na przykład zostać pisarką?

– O nie, to niemożliwe.

– Dlaczego? – zapytał, przyglądając się jej wnikliwie.

– Ja piszę małe formy.

– Może już czas zabrać się do czegoś większego?

– Nie odważyłabym się.

– A próbowałaś kiedyś?

– Nie, nigdy. – Pokręciła energicznie głową, aż rozpuszczone włosy zafalowały wokół twarzy i przesłoniły policzki.

– No właśnie – odparł Wiktor. – I znowu wracamy do początku. Zauważyłaś, że cały czas rządzi tobą strach? Nie podejmujesz żadnych wyzwań, bo nie chcesz zaryzykować. Boisz się jeździć konno, więc nie chcesz się nauczyć; boisz się zostać sama, więc nie chcesz się rozwieść i wolisz trzymać się kurczowo męża; boisz się, że nie uda ci się napisać powieści, więc nawet nie próbujesz tego zrobić. Z góry zakładasz, że nie potrafisz, i nawet nie zamierzasz sprawdzić, czy naprawdę tak jest. Jak myślisz, do czego to prowadzi? – Zrobił pauzę i przez chwilę spoglądał w błękitne niebo widoczne między konarami drzew. Jagoda milczała. – Do strachu przed wszystkim, co jest ci nieznane i wymaga samodzielnego działania, ale to sprawia, że nigdy nie czujesz się wolna i niezależna. Co spowodowało, że nie próbujesz tego zmienić?

– Nie mam pojęcia – odrzekła zgodnie z prawdą, zastanawiając się nad jego wywodem.

– Zazwyczaj są dwie odpowiedzi: pierwsza – miałaś spokojne, dostatnie życie, los sprawił, że zawsze ktoś o ciebie dbał i podejmował za ciebie ważne decyzje. Nigdy niczego ci nie brakowało, nie musiałaś o nic walczyć, więc nie rozwinęła się w tobie cecha przebojowości. Druga – niewykluczająca pierwszej – dla własnej wygody, podświadomie lub z premedytacją, układałaś sobie życie tak, aby nie być zmuszoną do zabiegania o cokolwiek. O ile pierwsza sytuacja była darem losu, który po prostu otrzymałaś, przychodząc na świat, o tyle druga świadczyłaby o twoim egoizmie... Jest jeszcze trzecia możliwość, ale ciebie chyba ona nie dotyczy. Chociaż... – tu zamyślił się na moment – kto wie? Mianowicie możliwe, że masz rodziców, którzy preferują tradycyjny model rodziny, dlatego tępili w tobie każdy przejaw samodzielności. Nauczyli cię, że kobieta powinna być podporządkowana mężczyźnie i we wszystkim zgadzać się z jego wolą. Jeśli wcześnie wyszłaś za mąż, zanim zdążyłaś się usamodzielnić, rolę rodziców przejął mąż, który na twoje nieszczęście ma zbliżone do nich poglądy. Dla ludzi tego pokroju emancypacja to coś nienaturalnego.

Jagoda słuchała go z uwagą i niedowierzaniem, ale po chwili stwierdziła, że w pewnym sensie miał rację. Na dobrą sprawę wydawało jej się, że wszystkie trzy tezy pasowały do niej po trosze. Możliwe, że była zarówno zbyt leniwa, jak i zalękniona. Jej rodzice aprobowali tradycyjny wzorzec małżeństwa i byli bardzo konserwatywni. Mama dbała o dom, a ojciec zaharowywał się, żeby żonie i jedynej córce niczego nie brakowało. Kiedy Jagoda chciała zrobić coś niekonwencjonalnego, zawsze natrafiała na ich opór i słyszała „jesteś panienką z dobrego domu" albo „po co ci to?". Nawet gdy postanowiła iść na studia, twierdzili, że to bez sensu, bo przecież ma już maturę i męża, a jej obowiązkiem jest dbanie o niego i dom, a nie włóczenie się nie wiadomo gdzie i z kim. Jakim cudem z powodu studiów miałaby przestać być panienką z dobrego domu – tego Jagoda nie rozumiała. A może chodziło o to, że powinna pilnować męża, żeby się nie zbiesił, i rodzice bali się, że studia jej w tym przeszkodzą. Wiedziała, że wszystko, co dla niej robili, wypływało z ich troski i miłości, ale w ten sposób wychowali ją na życiową kalekę. Zawsze musiała mieć obok siebie kogoś, na kim mogła się oprzeć. Stała się niewolnikiem, nie będąc w niewoli.

Chyba coś w tym jest, pomyślała zaskoczona.

– Po prostu spróbuj, dziewczyno. – Wiktor kontynuował swoją myśl. – W końcu nic nie ryzykujesz. Jak się nie uda, nic nie stracisz, nabierzesz jedynie nowego doświadczenia, a jeśli osiągniesz sukces, ja pierwszy ci pogratuluję. Zobaczysz, jakie to wspaniałe uczucie, kiedy coś się uda. Tego nic nie zastąpi. – Spojrzał na nią. – Znowu spuszczasz głowę. Patrz przed siebie, nie pod nogi. Idź przez życie z odwagą i pokaż niedowiarkom, na co cię stać. Szkoda czasu na trwanie w marazmie. – Nagle roześmiał się głośno, uniósł ręce wysoko, jakby chciał objąć niebo albo i cały świat, i zawołał na całe gardło: – *CARPE DIEM!!!*

A echo odpowiedziało mu kilkakrotnie.

Dopiero teraz zauważyła, że już dawno zawrócili i idą w kierunku domu. Czuła się zmęczona, długi spacer na świeżym powietrzu zrobił swoje. Miała zaróżowione policzki, a włosy potargane od wiatru, ale była zadowolona i w dobrym humorze. Na myśl o gorącej herbacie i placku z wiśniami, który rano piekła Amelia, poczuła, że jest już bardzo głodna.

Jednak cały czas wracały do niej, niczym leśne echo, słowa, które wykrzyczał Wiktor: *Carpe diem! Carpe diem! Carpe diem!*

*

Następnego ranka Wiktor wyjechał. Jagoda po śniadaniu wróciła do swojego pokoju. Laptop nadal leżał na stole, tak jak go dwa dni temu zostawiła. Przez dłuższy czas krążyła wokół niego, ale nie miała odwagi go włączyć. Nagle zadzwonił jej telefon. Rzuciła się, by odebrać, myśląc, że tym razem może to Leszek. Spojrzała na wyświetlacz. Niestety nie.

– Cześć, Magda!

– Cześć! Jak się czujesz? Dobrze ci tam czy chcesz już wracać do domku?

– Dziękuję, w porządku. Jest całkiem przyjemnie i nie chcę jeszcze wracać. Może posiedzę tu do końca tygodnia – odrzekła.

Pomyślała, że Magda jest naprawdę wyjątkową przyjaciółką. Troszczyła się o nią i wciąż o niej pamiętała. Ona jedna dzwoniła do Jagody, pytając, jak się czuje, i zawsze była gotowa nieść pomoc, cokolwiek by to było. Teraz dostrzegła, jak cenna jest taka przyjaźń i jak rzadko się zdarza. Takiej koleżanki to ze świecą szukać... Co tam ze świecą, nawet z jarzeniówką trudno znaleźć. Nie wiedziała, czym sobie zasłużyła na taką łaskę, ale chyba powinna dać na mszę i podziękować Bogu za to, że postawił Magdę na jej drodze. Bez niej byłoby teraz o wiele trudniej.

– To dobrze, nie będę ukrywała, że jest mi to na rękę, bo mam dużo pracy i nie mogłabym cię odebrać. Chciałam wpaść do was w odwiedziny, ale jeśli się nie obrazisz, to wolałabym dopiero po niedzieli. Mam nadzieję, że aż tak bardzo za mną nie tęsknisz? – zapytała.

– Możesz sobie wcale nie przyjeżdżać – zażartowała Jagoda.

– A jak artykuł?

– Do bani. Nie napisałam ani jednego zdania.

– Co się z tobą dzieje? – zaniepokoiła się Magda. – Jesteś chora czy masz ciekawsze zajęcia?

– Nic z tych rzeczy. Po prostu mam pustkę w głowie. Patrzę w monitor i nic. Chyba mózg mi się skurczył do rozmiarów fasolki albo zaraziłam się jakąś tępotą, czy coś takiego – poskarżyła się Jagoda i ciężko przysiadła na brzegu krzesła.

– No coś ty, a od kogo tam miałabyś tę tępotę złapać? Chyba nie od Kozubków?

– No właśnie, też się nad tym zastanawiam. Od Kozubków niemożliwe, bo żadnych objawów tępoty u nich nie widać, psy też całkiem inteligentne, a za dziczyzną po lesie nie ganiałam, więc nie rozumiem, skąd mi się to wzięło.

– Po kontakcie z dziczyzną objawy są bardziej widoczne, na przykład toczenie piany z pyska.

– Pianę z pyska będzie toczyć moja naczelna, kiedy się dowie, że nic nie napisałam.

– Słuchaj, a może naćpałaś się za dużo świeżego powietrza? Wiesz, że nadmiar tlenu źle działa na organizm człowieka. Jak nic doznałaś przetlenienia. Wiesz co? Wypocznij, zrelaksuj się, a wena sama wróci, a jak nie, to przyślę ci trochę mojej, bo ostatnio mam jej tyle, że nawet ciśnienie mi podskoczyło.

– Będzie następna wystawa?

– I to jaka. Krytycy będą się turlać z zachwytu – stwierdziła, śmiejąc się, Magda.

– Pokażesz mi swoje obrazy, jak wrócę? Nie chciałabym turlać się dopiero na wernisażu, bo głupio by to wyglądało.

– Jasne. Oszczędzę ci tego wstydu, ale wrzuć teraz na luz i po prostu odpocznij.

– Chyba masz rację; i tak nie mam wyboru, w takim stanie rzeczywiście nic nie urodzę.

– Muszę kończyć. Niedługo znów do ciebie zadzwonię. W razie czego daj znać. No to pa!

– Cześć!

Odłożyła telefon i zeszła na dół pogadać z Kozubkami.

Po południu wróciła do pokoju, żeby sprawdzić, czy dzwonił Leszek. Znowu nic. Odłożyła aparat i usiadła przy stole. Utkwiła wzrok w oknie i zaczęła myśleć o Wiktorze. O ich wspólnych rozmowach, o tym, co mówił jej o życiu, marzeniach, odwadze i niezależności. Zastanawiała się, czy powinna skorzystać z jego pomocy, decydując się na rozwód.

Może to był pierwszy znak? Może tego feralnego dnia w lesie, gdy bezradna, zagubiona i samotna siedziała w aucie, to los postawił go na jej drodze? Nagle uśmiechnęła się, przypominając sobie, jak wyglądał, gdy z wyciągniętymi w górę ramionami krzyczał w lesie na całe gardło *CARPE DIEM!*

– Czy to drugi znak? – wyszeptała do siebie. – Powinnam podjąć wyzwanie losu? Co właściwie jest moim marzeniem? Czy ja mam jakieś marzenia? Kiedyś miałam, a teraz?

Włączyła laptopa i powoli przesunęła ręką po klawiaturze. Otworzyła Worda i zapisała swoje pytanie. Przez jakiś czas wpatrywała się w pustą stronę, zastanawiając się, czego tak naprawdę pragnie i co w swoim życiu chciałaby zmienić, a potem bezwiednie zaczęła stukać w klawisze, wprowadzając do pamięci komputera swoje myśli.

Pisała bez przerwy, gdy nagle wieczorem usłyszała nieśmiałe pukanie do drzwi. Na moment oderwała wzrok od ekranu, po czym wróciła do pisania.

– Proszę! – zawołała odruchowo.

Drzwi otworzyły się cichutko i do pokoju zajrzała Amelia.

– Piszesz – stwierdziła, zatrzymując się w progu na widok Jagody całkowicie pochłoniętej pracą. – Nie chciałam ci przeszkadzać. Przygotowałam kolację. Zejdziesz?

– Amelko, proszę cię, przynieś mi kanapkę i dużo mocnej kawy. – Jagoda nieprzerwanie uderzała w klawiaturę.

– Z przyjemnością, moja droga, pracuj sobie spokojnie.

A ona pisała jak maszyna. Myśli same zaczęły układać się w całość. Właściwie nie zastanawiała się nad tym, co pisze, po prostu przelewała na ekran swoje uczucia i przemyślenia. Jakoś wszystko samo zaczęło mieć sens.

Była wypoczęta, więc pracowała bez przerwy całą noc. Potwornie zmęczona położyła się spać dopiero przed świtem. Wstała o dziewiątej i znów zasiadła do pracy. Amelia, domyślając się, że jej gość nareszcie złapał wiatr w żagle, przynosiła do pokoju posiłki i nie zadając zbędnych pytań, wycofywała się prawie bezszelestnie.

Jagodzie pisanie szło z łatwością i plik szybko stawał się coraz większy. Czuła, że mimo wszystko jest teraz naprawdę szczęśliwa.

Pewnego wieczoru Amelia bez ceregieli wmaszerowała do pokoju.

– Jagódko – zaczęła od progu – widzę, że jesteś zapracowana, ale koniecznie musisz zrobić sobie przerwę.

– Nie teraz – rzuciła szybko. – Dobrze mi idzie.

– Właśnie że teraz. Masz już czerwone oczy od patrzenia w monitor.

– Jak zrobię przerwę, to stracę wątek. – Machnęła ręką zniecierpliwiona.

– Jak ktoś raz złapie nitkę, to już po niej trafi do kłębka – stwierdziła filozoficznie Amelia. – Zrób sobie przerwę, bo się na ciebie obrażę – zagroziła.

– Ojej! Coś ty się tak uparła? – jęknęła Jagoda.

– Przyjechał Wiktor i bardzo chce się z tobą zobaczyć, czeka w salonie.

– Wiktor? – Jagoda spojrzała na nią pytająco. – Przecież miał przyjechać dopiero w piątek – zdziwiła się.

– No i przyjechał. Dzisiaj jest piątek. – Amelia uśmiechnęła się ciepło. – Siedziałaś w tej pustelni prawie pięć dni. Kto jak kto, ale ty na pewno zasłużyłaś na odpoczynek.

– Doprawdy? Zupełnie straciłam rachubę czasu. – Wyprostowała się, wyciągnęła w górę ramiona i ziewnęła. – To dlatego bolą mnie plecy.

– I właśnie dlatego weźmiesz teraz prysznic, zrobisz się na bóstwo i zejdziesz na dół – zakomenderowała Amelia tonem nieznoszącym sprzeciwu. – Czekamy na ciebie.

– Dobrze, ale daj mi jeszcze piętnaście minut, to zamknę ten rozdział.

*

Wiktor przywiózł piękną czerwoną różę dla Jagody, a dla Amelii bukiecik margerytek.

– Margerytki w marcu? Jakie ładne. A dla kogo ta śliczna róża? – zapytała rozbawiona pani domu, śmiesznie marszcząc swój mały zadarty nos, gdy Wiktor wręczał jej kwiatki.

– No chyba nie sądzisz, że dla mnie – wtrącił się Adam.

– Dobrze wiesz, Amelko kochana – odparł Wiktor, całując ją w policzek. – Jesteś kobietą o mądrej głowie i czystym sercu, więc życie nie ma przed tobą żadnych tajemnic.

– Tak, tak, każdy kwiat ma swoją wymowę i adresata. – Uśmiechnęła się do niego szeroko i puściła oczko. – Jagoda zaraz zejdzie. Złapała wenę i teraz pisze dniem i nocą.

– To dobrze, bo ostatnio narzekała, że ma jakąś blokadę, czy coś takiego – ucieszył się Wiktor.

– Narzekała, narzekała, aż jej całkiem przeszło.

Gdy Jagoda, odświeżona i w dobrym humorze, wkroczyła do salonu, Wiktor wręczył jej różę, a Amelia natychmiast zawołała:

– Spójrz, Jagódko, jaka wyjątkowa róża, jest prześliczna, prawda?

– Tak – przyznała Jagoda, rumieniąc się aż po uszy. – Rzeczywiście jest piękna.

– Wiesz, że kwiaty mają swoją symbolikę? Każdy kwiat, a zwłaszcza jego kolor, mówi o intencjach ofiarodawcy.

– Tak, słyszałam o tym – odparła, wdychając delikatną woń róży.

Czerwony to miłość, każdy o tym wie, pomyślała, siadając na kanapie w pobliżu kominka. Czerwona róża chyba oznacza płomienną miłość, białe kwiaty symbolizują przyjaźń albo niewinną miłość platoniczną, rozważała. Jednak nie zawsze daje się kwiaty z konkretnym przesłaniem. Na przykład Leszek lubił żonkile i zawsze wiosną przynosił mi całe bukiety.

Zaraz, zaraz, żonkile są żółte, a żółty to zdrada. Poczuła zimny dreszcz na plecach, aż się wzdrygnęła. Wstrętny drań!

– Jagódko, coś się stało? – zapytała Amelia, wyrywając ją z zamyślenia. – Posmutniałaś.

– Nie, Amelio, nic mi nie jest.

Nazajutrz Wiktor zabrał Jagodę swoim dżipem na wycieczkę do miasteczka. Zwiedzili ryneczek i wąskie uliczki, gdzie kamieniczki z kolorowymi elewacjami stały rzędem przytulone do siebie, jakby ze strachu przed obcymi. Na koniec, zmęczeni długim spacerem, weszli do uroczej kawiarenki o nazwie Turecka. Wystrój sali rzeczywiście kojarzył się z Turcją. Czerwono-pomarańczowo-niebieskie dywany i kotary ze złotymi akcentami, siedziska z miękkimi poduchami wokół zdobionych orientalnymi motywami okrągłych stoliczków, dekoracyjne miedziane naczynia stojące na półkach i zapach mocnej kawy parzonej po turecku tworzyły niezwykły klimat.

Jagoda zauważyła z radością, że oboje świetnie się rozumieją, jakby znali się już od lat. Rozmawiając z Wiktorem, czuła się kimś ważnym, interesującym partnerem, stojącym na równej pozycji. Słuchał jej z uwagą i poważnie przyjmował to, co mówiła. Dopiero teraz uświadomiła sobie, że Leszek traktował ją zupełnie inaczej, i w tym porównaniu wypadał bardzo mizernie.

W niedzielę pojechali obejrzeć pobliskie jezioro. Przebywanie na świeżym powietrzu przyjemnie Jagodę ożywiło. Po niedawnym zmartwieniu i łzach nie pozostało ani śladu. Próbowała jak najmniej wspominać Leszka, chociaż było to bardzo trudne, bo nie można przecież zresetować mózgu.

Kiedy spacerowali brzegiem jeziora, Wiktor nagle wpadł na zaskakujący pomysł.

– Dzisiaj będziesz miała lekcję jazdy konnej.

Na taką rewelację Jagoda stanęła jak wmurowana.

– Nie – odparła.

– Tak – upierał się Wiktor. Stanął naprzeciw niej i zaglądał jej w oczy.

– Naprawdę nie każ mi tego robić, już ci mówiłam, że boję się koni i mam wrażenie, że z wzajemnością. – Speszona jego spojrzeniem, spuściła wzrok.

– Tylko spróbujesz. – Przyłożył palec wskazujący do jej czoła. – Pamiętasz, co ci mówiłem? Masz przezwyciężać lęki, które siedzą w twojej głowie.

– Pamiętam.

– Więc?

No i zgodziła się.

Adam szczęśliwy, że Hołdzik sobie pochodzi i rozrusza wiekowe stawy, z radością prowadził konia na lonży, jednocześnie dając Jagodzie wskazówki, jak ma się trzymać w siodle. Zdawało jej się, że nie należy do najbystrzejszych uczniów, ale po kwadransie uznała, że jednak Wiktor miał rację i zaczyna jej się to podobać, choć od wysiłku coraz bardziej bolały ją uda. Co jak co, ale jej kondycja fizyczna pozostawiała wiele do życzenia.

Gdy w poniedziałek rano Wiktor wyjechał, ponownie zabrała się do pisania. Z zadowoleniem stwierdziła, że dwudniowa przerwa nie osłabiła jej koncentracji, i praca dalej posuwała się w imponującym tempie.

W środę zadzwoniła Magda.

– Hej! Co się z tobą dzieje?

– Cześć! A co ma się dziać? Wszystko w najlepszym porządku – zdziwiła się Jagoda.

– Wcale nie dzwonisz. Kiedy mam po ciebie przyjechać?

– Nie przyjeżdżaj; to znaczy jeśli chcesz przyjechać w odwiedziny, to bardzo proszę – zreflektowała się – ale ja jeszcze nie wracam.

– Coś podobnego! Tak ci tam dobrze?

– Nie tylko dobrze, ale nawet zaczęłam pisać. Wszystko wróciło do normy, a nawet jest lepiej niż przedtem. Mówię ci, mam wenę jak jasna cholera.

– Dzwonił Leszek?

– Myślisz, że to dzięki Leszkowi? Nie, nie dzwonił i teraz to chyba już bez znaczenia. Szczerze mówiąc, między innymi dlatego jeszcze chcę tu zostać. Chwilami mam poważne wątpliwości, czy warto ratować to małżeństwo.

– Tak sądzisz? A co będzie, jak znowu się z nim spotkasz? Jesteś pewna, że wątpliwości nie powrócą?

– Hmm. – Jagoda zastanawiała się przez chwilę, postukując paznokciem w blat stołu. – Prawdę mówiąc, nie wiem, ale jak wrócę do domu, to się dowiem... Magda... – zaczęła po chwili i urwała.

– Tak?

– Jak myślisz, może to ja powinnam do niego zadzwonić?

– O tym sama musisz zdecydować – odpowiedziała ostrożnie przyjaciółka – ale ja na twoim miejscu bym nie dzwoniła. W końcu to on zrobił ci świństwo i wypadałoby, żeby teraz pokazał, czy mu na tobie zależy. Chyba nie chcesz mu się narzucać? Możesz osiągnąć wręcz odwrotny skutek.

– Zupełnie nie rozumiem, dlaczego on tyle czasu nie dzwoni. Czy tak mało dla niego znaczę?

Mówiąc to, Jagoda posmutniała. Czuła, że dała Leszkowi dość czasu na ochłonięcie i podjęcie rozsądnej decyzji. Rozsądnej – czyli powrotu do żony? Była rozczarowana jego postępowaniem. Zaczęła nawet winić tamtą kobietę za rozpad ich małżeństwa. Na początku była zła tylko na męża. Teraz jej gniew skierował się też przeciwko Beacie. Gdyby nie była taką karierowiczką i nie omotała Leszka, nic by się nie stało. Wyobrażała sobie, że wyrywa tamtej włosy i wali pięścią po jej wypacykowanej buźce. Ostatecznie jednak doszła do wniosku, że gdyby Leszek nie chciał, to ta małpa nie miałaby szans, aby go poderwać. Właściwie oboje są winni.

– Ja też nie rozumiem, ale wiem, że prędzej czy później i tak musi dojść między wami do konfrontacji.

– Na pewno.

– Spokojnie. Poczekaj jeszcze trochę, może się odezwie – pocieszała ją Magda, chociaż miała w tym względzie mieszane uczucia. – Skup się na pisaniu i ciesz się odpoczynkiem. Jak długo chcesz zostać u Kozubków?

– Nie wiem. Chciałabym pobyć tutaj jeszcze przez jakiś czas. Mam taki cug literacki, że szkoda byłoby go stracić. – Jagoda ożywiła się na nowo.

Kiedy była nastolatką, marzyła po cichu, żeby zostać pisarką. Nawet zaczęła pisać jakąś powieść, ale tylko dla siebie. Dla własnej przyjemności. Ot, taka zabawa małolaty przelana na strony sześćdziesięciokartkowego zeszytu. Wstydziła się tego swojego pisania, wiedząc, że jest jeszcze naiwne i dziecinne. Nie zamierzała nikomu pokazywać tego utworu.

Pewnego letniego dnia siedziała na ławce niedaleko domu, oddając się swojej pasji pisarskiej, gdy usłyszała za sobą czyjeś kroki. To był jej kolega z klasy. Zazwyczaj snuł się bez celu po okolicy, nudząc się okropnie, bo całe wakacje spędzał w domu, a jego kumple wyjechali na obozy i kolonie. Przysiadł się do Jagody i zagadał. Odłożyła zeszyt na ławkę i dała się wciągnąć w rozmowę. Po półgodzinie zorientowała się, że jest już pora obiadu i musi natychmiast wracać do domu. Rodzice nie lubili, gdy się spóźniała. Zerwała się na równe nogi i pobiegła, zapominając o swojej powieści. Dwie godziny później kolega, z kpiącą miną, oddał jej zeszyt, oczywiście po wcześniejszym jego przeczytaniu. Do dziś pamiętała, jak bardzo się wtedy wstydziła. Ten incydent sprawił, że na długi czas zarzuciła pisanie. Coś się w niej zablokowało. Bała się otworzyć, nie chciała ujawniać swoich myśli, emocji i przeżyć. Potem, przez wiele lat, pisząc artykuły, cieszyła się namiastką pisarstwa, ale to nie było to, o czym marzyła jako dziewczynka.

Dopiero teraz dzięki Wiktorowi nabrała odwagi i zaczęła robić to, co być może jest jej powołaniem.

– Jednak powinnyśmy się spotkać. Postaram się wpaść do was jeszcze w tym tygodniu. Musimy pogadać na spokojnie, w cztery oczy, bo przez telefon to nie to samo. A nuż cebeeś podsłuchuje? – Magda roześmiała się rozbawiona własnym dowcipem.

– Uważaj, bo jeszcze się okaże, że masz rację – zachichotała Jagoda.

– Eee tam. Oni mają lepsze afery do podsłuchiwania niż losy twojego burzliwego związku małżeńskiego. Jakbyś dokonała jakiejś malwersacji albo pohandlowała marychą, to by było coś.

– No tak – przyznała jej rację Jagoda. – Ja to jestem mały pikuś.

– Okej! Pogadamy sobie dłużej, jak przyjadę.

– Dobrze. I nie martw się o mnie, czuję się doskonale. Gospodarze są wspaniali, a Amelia dba o mnie jak o swoje dziecko. Przypomina mi moją mamę, wciąż wpycha we mnie jedzenie, a trzeba przyznać, że gotuje naprawdę świetnie. Chyba nawet trochę przytyłam. – Mówiąc to, spojrzała na swój brzuch i biodra. – À propos, mam wobec ciebie dług.

– Jaki dług? – zdziwiła się przyjaciółka, nie rozumiejąc, o czym mowa.

– Jestem ci winna tiramisu za ten wyjazd. Miałaś świetny pomysł.

– Aha! No to już nie mogę się doczekać, kiedy wrzucę w siebie trochę kalorii – ucieszyła się Magda. – Może już teraz zacznę się odchudzać, żeby później poszaleć bez ograniczeń, he, he. Cieszę się, że ci się poprawiło i jesteś w dobrym humorze. Przynajmniej nie muszę się już o ciebie martwić. No to do zobaczenia, baw się dobrze i nie pracuj za dużo. Pa!

Jagoda odłożyła telefon i wróciła do pisania. Po chwili znów odezwał się dzwonek. Spojrzała na wyświetlacz.

O kurczę, pomyślała, z redakcji.

– Witam, pani Krystyno, właśnie zamierzałam do pani zadzwonić – skłamała szybko.

– Dzień dobry! Czy to znaczy, że ma pani już gotowy artykuł?

– Niestety nie, ale ja właśnie w tej sprawie, bo widzi pani, mam trochę kłopotów rodzinnych i chciałabym panią prosić o coś w rodzaju urlopu. Na jakiś czas. Czy może pani to dla mnie zrobić? Proszę, bardzo mi zależy – błagała.

– No nie wiem. A co z tym artykułem?

– Muszę mieć wolne albo...

– Ma pani inne plany? – weszła jej w słowo pani Krystyna.

– Tak – odparła Jagoda, chociaż nie była pewna, o co dokładnie tamta pyta.

– Czy pani myśli o przejściu do innej gazety? Chyba nie powie mi pani, że ma lepszą propozycję? – zaniepokoiła się naczelna. – Mam kilka nowych tematów do opracowania. Proszę przyjechać do redakcji, omówimy wszystko.

– Eeee... Teraz nie mogę.

– Dlaczego? – zdziwiła się tamta.

– W tej chwili jestem daleko i... – przerwała, czując się niezręcznie. Właściwie nie chciała wywnętrzać się przed naczelną przez telefon.

– O co chodzi?

– Nie mam pieniędzy na podróż – dokończyła Jagoda, zerkając w stronę leżącej na krzesełku torebki, w której miała trochę ponad pięćdziesiąt złotych. Wyjeżdżając z Magdą, była tak skołowana tą całą sytuacją z Leszkiem, że zupełnie zapomniała o gotówce.

– Jeśli chodzi o zarobki, to mogę dać pani wyższą stawkę – próbowała ją zachęcić pani redaktor.

Zaskoczona Jagoda nie wierzyła własnym uszom. Musiała się otrząsnąć, żeby zacząć ponownie myśleć.

– Prawdę mówiąc, nie o tym myślałam, ale podwyżkę chętnie przyjmę. Dziękuję – odparła zadowolona z siebie, chociaż sama była zdziwiona, że tak zgrabnie zbiła z tropu szefową. – Pani Krystyno, prosiłam tylko o miesiąc wolnego, przecież zawsze ma pani jakieś rezerwowe teksty, a dla mnie to bardzo ważne.

– Aha... – mruknęła naczelna zmieszana i niezadowolona, że sama tak pokierowała rozmową. – No dobrze. Niech będzie, ale nie chciałabym za miesiąc usłyszeć, że pani rezygnuje ze współpracy z nami. Jestem z pani bardzo zadowolona – dokończyła konsekwentnie i z naciskiem, chyba tylko po to, żeby zachować twarz.

Jagoda z radości aż podskoczyła na krześle.

– Dziękuję. Teraz, kiedy dała mi pani podwyżkę, byłoby nierozsądne rezygnować ze współpracy. Za miesiąc osobiście zjawię się w redakcji.

– W takim razie do zobaczenia.

Wyłączyła telefon i z niedowierzaniem patrzyła w gasnący ekranik.

– Coś podobnego – powiedziała na głos. – Surowa, zdystansowana i wiecznie niezadowolona pani redaktor, która od kiedy pamiętam, wszystkich tylko krytykowała, bez jednego życzliwego słowa, nagle dała mi podwyżkę i oświadczyła, że jest ze mnie zadowolona. To sukces. Moje życie trafiło na punkt zwrotny. To na pewno trzeci znak.

Poczuła się tak fantastycznie, iż uwierzyła, że od tej chwili wszystko musi iść w dobrym kierunku.

*

Jagoda pisała dalej jak w amoku. Poza weekendem spędzonym w towarzystwie Wiktora pozostałe dni przeznaczała wyłącznie na intensywną pracę.

Dopiero w następnym tygodniu, w piątkowy poranek przyjechała Magda. Kozubkowie cieszyli się z jej wizyty jak małe dzieci. Amelia prawie natychmiast rzuciła się do kuchni, aby upiec drożdżowe rogaliki z powidłami dla uwielbianego gościa.

Tego dnia pogoda była piękna, słońce i ciepło zachęcały do wyjścia z domu. Na zewnątrz pachniało wiosną, nawet widać było już malutkie pączki, a gdzieniegdzie zieleniły się już młodziutkie listki. Obok stajni w niewielkiej zagrodzie radośnie pobekiwały dwie figlujące, malutkie czarno-białe kózki, które niedawno Adam nabył od jakiegoś znajomego rolnika z myślą o uatrakcyjnieniu pobytu gościom.

Jagoda i Magda, ubrane w grube swetry, zaopatrzone w kubki z gorącą kawą, usiadły na schodach przed frontowymi drzwiami, żeby chwilę porozmawiać sam na sam. Rude psy leżały na suchej trawie, wygrzewając się w wiosennym słońcu. Po chwili jeden z nich wstał i podszedł do Jagody. Przysiadł obok i przymilnie trącił ją mokrym nosem, prosząc o pieszczoty. Podrapała go za uchem i poklepała po grzbiecie. Mimo że zapamiętała imiona zwierzaków, nadal nazywała je psami, gdyż nie potrafiła ich rozróżnić.

Zobaczywszy je obie na kamiennych schodach, troskliwy Adam przyniósł ogrodowe poduszki.

– O! Jak miło, nasze zadki są ci niezmiernie wdzięczne – zażartowała Magda, podsuwając sobie grubą poduchę pod pupę.

– Jak będziecie tak siedziały na tym zimnym kamieniu, to się lekarze wzbogacą – stwierdził Adam.

– Może nie będzie tak źle, ale dziękujemy za troskę o nasze portfele – odrzekła ze śmiechem. – Jesteś nieoceniony.

– Jasne, że tak. – Adam uradował się z komplementu. – Powiedz to mojej żonie.

– Ona to wie już od dawna, a my właśnie się przekonujemy.

– Jakbyście jeszcze miały jakieś wątpliwości, to dajcie znać, przyniosę wam trochę mojej doskonałej nalewki z jeżyn. – Zachichotał i poszedł do swojej pracowni.

Któregoś dnia Jagoda, chcąc zobaczyć artystę w trakcie tworzenia, zajrzała tam do niego. Zastała go przy pracy, właśnie projektował rzeźbę dla bogatego zagranicznego klienta, która miała stanąć w jego przestronnym ogrodzie w Kanadzie. Adam ucieszył się, że Jagoda zainteresowała się jego pracą. Z radością pokazywał jej swoje projekty, obrazy i rzeźby. Wygospodarował sobie przy stajni dwa pomieszczenia, z których jedno, większe, przeznaczone było, jak mówił, do brudnych zajęć, jak na przykład modelowanie w gipsie, glinie albo przycinanie listew potrzebnych do wykonania stelaży dla rzeźb. Panował tam bałagan, na podłodze widniały ślady rozdeptanej gliny i pyłu gipsowego. Drugie pomieszczenie było porządnie wysprzątane. Pełniło funkcję zarówno biura, jak i pracowni, Adam obmyślał tam swoje projekty, malował obrazy, a nawet przyjmował klientów. Na jednej ze ścian zobaczyła kilkadziesiąt zdjęć, na których artysta uwiecznił zrealizowane już prace. Obejrzała również kilka obrazów olejnych, które jeszcze nie zostały sprzedane i leżały w kącie pracowni. O tyle, o ile się znała, mogła stwierdzić, że Adam jest artystą wszechstronnym. Większość jego prac miała wymowę liryczną i odznaczała się ogromną subtelnością, o którą trudno byłoby go posądzać, widząc jego posturę. Tę cechę można było dostrzec, dopiero poznawszy bliżej jego dzieła lub samego twórcę.

Jagoda z Magdą milczały, popijając aromatyczną kawę. Przyglądały się kotu, który celowo zbliżał się do psów, żeby je zdenerwować, a gdy niezadowolone setery podnosiły łby i warczały, szykując się już do ataku, natychmiast wskakiwał na drzewo i z bezpiecznej wysokości patrzył na nie kpiąco, zabawnie przy tym pomiaukując. Magda pomyślała, że odwieczny konflikt dwóch gatunków wciąż trwa, niezależnie od warunków i okoliczności.

– Wydaje mi się, że jest ci tutaj bardzo dobrze – zagadnęła Jagodę. – Zdecydowałaś już, kiedy wracasz, czy postanowiłaś zostać tu na zawsze?

– Na razie mam zamiar tu zostać jeszcze jakieś dwa lub trzy tygodnie.

– Nie nudzisz się?

– Wręcz przeciwnie, wyobraź sobie, że zaczęłam pisać powieść, i całkiem dobrze mi idzie.

– Żartujesz, naprawdę? – Magda zrobiła wielkie oczy.

– Naprawdę, Madziu, i powiem ci, że mnie samej trudno w to uwierzyć. To wszystko przez Wiktora i jego wywody o odwadze, wolności i braniu się z życiem za bary... Krótko mówiąc – przekonał mnie.

– Zaraz, zaraz, jaki Wiktor, o kim ty mówisz?

– A właśnie, ty chyba go nie znasz... – Jagoda pokrótce zrelacjonowała jej historię Szymańskiego, a zwłaszcza ich weekendowych rozmów.

– No, no, Jagódko, czy ty aby się nie zakochałaś? Jak to się mówi, klin klinem – zażartowała Magda. – A swoją drogą nie sądziłam, że tak szybko się uwiniesz. Znając ciebie, spodziewałam się, że już nigdy nie spojrzysz na innego mężczyznę, ale podobno „nie znasz dnia ani godziny".

– Coś ty, Magda! – obruszyła się Jagoda. – Uspokój się! Nawet tak nie myśl. Wiktor jest sympatycznym facetem i wcale mnie nie podrywa, a poza tym w żadnym wypadku nic z tego nie będzie.

– No dobra, żartowałam, ale tak obiektywnie rzecz biorąc, dlaczego nie? Przynajmniej nie byłabyś sama i łatwiej otrząsnęłabyś się z tego chorego małżeństwa... Chyba że... – spojrzała badawczo na Jagodę – zamierzasz wrócić do Leszka.

– Nie. W tej chwili nie chcę ani Leszka, ani żadnego innego samca – zaprzeczyła, kładąc nacisk na „żadnego". – Nie mam zamiaru umierać ze strachu, że znowu mnie ktoś oszuka i zdradzi. O nie! – Machnęła ręką tak energicznie, że rozlała kawę, chociaż trzymała ją w drugiej ręce.

– Cha, cha! – roześmiała się Magda. – Nigdy nie mów nigdy. Człowiek to zwierzę stadne i samotność nie leży w jego naturze. Coś mi się wydaje, że już zdążyłaś się pocieszyć. Swoją drogą, dobrze ci to robi, bo wyglądasz wręcz kwitnąco.

– Przestań, ty małpo zielona!

– Sama jesteś małpa, udajesz taką niewinną, a tymczasem jak nikt nie widzi, robisz swoje. Cicha woda – droczyła się Magda ze śmiechem.

W tym momencie z lasu wyłonił się czarny samochód.

– Oho! O wilku mowa – zauważyła Jagoda i szturchnęła Magdę w udo.

– To twój rycerz?

– Wprawdzie nie jest mój, ale niewątpliwie jest rycerski. Niejedna dama chętnie mdlałaby w jego ramionach.

Patrzyły na powoli zbliżającego się dżipa, który wjechał na podjazd. Wiktor wysiadł i sięgnął po skórzaną czarną torbę leżącą na tylnym siedzeniu.

– Nie dziwię ci się, wygląda całkiem do rzeczy – szepnęła Magda, z uznaniem kiwając głową.

– Witam panie! – zawołał Wiktor, podchodząc bliżej.

– To jest Wiktor Szymański, a to moja przyjaciółka, malarka Magda Witecka. – Jagoda dokonała szybkiej prezentacji.

Uścisnęli sobie dłonie na przywitanie.

– Na długo pani przyjechała? – zapytał Wiktor.

– Niestety nie, po południu wracam do domu. Teraz to nawet żałuję, że tak krótko tu będę – powiedziała Magda, spoglądając to na niego, to na Jagodę.

– Szkoda, Jagodzie przydałoby się towarzystwo przyjaciółki na dłużej, a tak to tylko ja ją zanudzam.

– Słyszałam, że wręcz przeciwnie. Powiem w zaufaniu, że poza panem ona nie potrzebuje już nikogo innego – zachichotała Magda.

– Magda, ty żmijo! – zirytowała się Jagoda i dała jej kuksańca.

– Przestań mnie bić, bo się zatnę! Już nic więcej nie powiem, choćbyś mnie błagała na kolanach – broniła się z udawanym oburzeniem przyjaciółka. – Idę po rogaliki, już od pół godziny czuję ich cudowny

110

zapach, aż dostałam ślinotoku – dodała i szybko wycofała się do domu.

– To my też – zawtórowali jej tamci i zgodnie za
nią podążyli.

*

Po miesiącu od przyjazdu Jagody do Kozubków zadzwonił Leszek. Drżącą ręką chwyciła telefon i przyłożyła do ucha.

– Halo!

– Witaj, kochanie – usłyszała radosny głos męża.
– Co u ciebie?

– Cześć. A jak myślisz? – odparła zimno zła, że tak
długo nie dzwonił.

– Wyjechałaś i nie powiedziałaś, gdzie będziesz.
Nie dałaś znaku życia. Już myślałem, że zostałaś
uprowadzona przez kosmitów – próbował być dowcipny.

Jagoda nie odpowiedziała. Zapadło denerwujące
milczenie, ale ona nie zamierzała ułatwiać mu sprawy.

– Kiedy wracasz? – zapytał po chwili najbardziej
łagodnym tonem, na jaki tylko było go stać.

– Nie wiem, czy mam po co.

– Już się za tobą stęskniłem – stwierdził, puszcza-
jąc mimo uszu jej słowa, a ona pomyślała „dopiero?".

– Czyżby? Powiedziałabym, że dość długo nie
tęskniłeś, może nawet moja nieobecność była ci na
rękę?

Zignorował tę uwagę.

– Znajomi pytają, co się z tobą dzieje.

– Ty masz na pocieszenie Beatę, a znajomi niech się wypchają sianem.

– Nie bądź taka trywialna.

– Beata na pewno ładnie się wyraża – stwierdziła zjadliwie.

– Nie kłóćmy się. To nam w niczym nie pomoże. Proszę cię, żebyś wróciła do domu.

– O ile mnie pamięć nie myli, kiedy ostatnio rozmawialiśmy o naszej przyszłości, powiedziałeś mi, że nie zrezygnujesz z Beaty, więc nie rozumiem, po co miałabym wracać.

– Z Beatą już zerwałem. Wtedy zachowałem się jak idiota... Sam nie wiem, co we mnie wstąpiło. Chcę, żebyś wróciła.

– Co ci tak nagle zależy? – zapytała łagodniej.

– Zawsze mi zależało, tylko na chwilę się pogubiłem. Wybacz... – powiedział tonem skruszonego winowajcy.

Jagoda milczała zaskoczona tymi słowami. Próbowała szybko i rozsądnie przeanalizować nową sytuację, ale doszła do wniosku, że chyba nie podoła, bo teraz jej mózg przetwarzał milion myśli na sekundę. Nawet zaczęła się obawiać, że od nadmiaru informacji system jej się zawiesi.

– Hej! Jesteś tam? – zaniepokoił się Leszek.

– Tak.

– Słyszałaś, co powiedziałem? Możemy zacząć wszystko od początku. Kochanie, nie kłóćmy się już i wracaj do domu – mówił ciepłym tonem.

– Zastanowię się... – wydukała.

– Tęsknię za tobą... – szepnął. – Proszę, żebyś wróciła do domu... Jeszcze nie jest za późno na uratowanie naszego małżeństwa.

Milczała, nie mogąc zebrać myśli. Nie wiedziała, co powinna zrobić, ulec od razu, czy dalej się dąsać i stawać okoniem. Ostatnio przyzwyczaiła się do funkcjonowania bez Leszka i jakoś stopniowo wyzbywała się złudzeń odnośnie do powrotu do dawnego życia. Teraz, gdy usłyszała jego głos, znów pojawiły się wątpliwości.

– Proszę – nalegał. – Pamiętasz, ile lat byliśmy ze sobą szczęśliwi? Tyle nas łączy, że nie warto teraz przekreślać wszystkiego przez jeden głupi, nic nieznaczący incydent. Chcę, żeby było jak przedtem.

– Jak przedtem? Może masz na myśli nasz trójkąt przez ostatnie trzy lata? – Próbowała się opierać, choć czuła, że już zaczyna mu ulegać.

– Kochanie, nie mów tak. Wiesz, że mam na myśli nas dwoje. Mówię o naszym małżeństwie. – Zamilkł na chwilę. – Kocham cię.

Jeszcze chwilę się wahała, po czym odrzekła niepewnie:

– Zastanowię się... może za tydzień.

– Skarbie, niedługo święta, chcę je spędzić z tobą. Pamiętaj, czekam na ciebie. – W jego głosie zabrzmiała błagalna nuta. – No to co, mogę przyjechać po ciebie?

– Nie trzeba, sama sobie poradzę – zaprotestowała szybko, nie chcąc, żeby przyjeżdżał do Kozubków. W przeciwnym razie straciłaby swój ukryty azyl.

– To kiedy wrócisz? – naciskał.

– Nie wiem... Wkrótce. Muszę już kończyć. Cześć!
– Szybko zakończyła rozmowę.

Czuła, że musi ochłonąć. Poszła do łazienki i skropiła twarz wodą. Ręce jej się trzęsły, nogi uginały w kolanach, jakby były z waty.

Telefon od Leszka na nowo zburzył jej spokój. Cały czas była pod wrażeniem tej rozmowy.

Ale ze mnie idiotka, myślała. Szukam jakichś znaków. Wprawdzie dwa pierwsze – przypomniała sobie Wiktora i uśmiechnęła się – wydawały się prawdopodobne, ale telefon od pani redaktor to już było naciągane. Z pewnością tak bardzo się zasugerowałam słowami Amelii, że na siłę wmawiałam sobie jakieś tajemnicze sygnały. Koniec z tym, nie jestem dzieckiem, żeby wierzyć w bajki. Małżeństwo to rzecz najważniejsza. Nie wolno ujnować tego, co przez tyle lat cierpliwie budowałam. Skoro Leszek zadzwonił, to znaczy, że ostatecznie wybrał mnie. Zastanowiła się chwilę. Jednak... jakoś nieprędko się zdecydował. Chyba się wahał. Czy można budować wspólne życie, mając wątpliwości? Czy powinnam mu od razu wybaczyć, czy jeszcze poudawać obrażoną? Odepchnęła od siebie te pytania, bojąc się odpowiedzi, że nie powinna mu ufać. Niewątpliwie nadal nie jestem mu obojętna, uznała. Skoro on chce zacząć od nowa, to jeszcze mamy szansę na szczęśliwe małżeństwo. Każdy ma prawo do błędów, ale najważniejsze, że przejrzał na oczy i okazał skruchę. Moim obowiązkiem jest mu wybaczyć.

Wieczorem zadzwoniła do Magdy i oznajmiła jej, że wraca do domu. Umówiły się na poniedziałek. Jagoda chciała jeszcze przed wyjazdem zobaczyć i pożegnać Wiktora. Od tego czasu już nic nie napisała. Nie mogła skupić się na pracy, wciąż rozpatrywała różne scenariusze spotkania z mężem. Zadawała sobie pytanie, czy na jej widok Leszek ucieszy się, czy też będzie chłodny i zdystansowany, a może okaże skruchę i będzie ją przepraszał? Wyobrażała sobie, jak się potoczy jej dalsze życie. Próbowała przygotować się na to, co może się wydarzyć.

Wiktor przyjechał jak zwykle w piątek i od razu się zorientował, że coś jest nie tak. Jagoda była spięta i milcząca. Wiadomość o jej decyzji powrotu do męża przyjął bez słowa krytyki, za co była mu bardzo wdzięczna. Stwierdził nawet, że prędzej czy później musiało to nastąpić, bo przecież nie może wiecznie się ukrywać i trwać w zawieszeniu, a cokolwiek ją teraz czeka, konfrontacji z rzeczywistością – w tym wypadku z Leszkiem – nie uniknie. W niedzielę wieczorem udała, że jest bardzo zmęczona i chce się wyspać przed podróżą, pożegnali się więc wcześniej niż zazwyczaj. Widziała jednak, że jest mu przykro. Kiedy wychodziła z salonu, nie ruszył się z miejsca. Odprowadził ją smutnym, zamyślonym spojrzeniem, a gdy była już przy drzwiach, powiedział:

– Jagoda...

Zatrzymała się i spojrzała na niego. Nadal siedział nieruchomo, jakby czekał, aż ona zrobi jakiś krok, który coś zmieni.

– Pamiętaj, że zawsze możesz na mnie liczyć.

– Dziękuję – powiedziała. – Będę o tym pamiętać. Odwróciła się powoli i wyszła z pokoju

*

Magda przyjechała zgodnie z umową i prawie natychmiast wyruszyły w drogę powrotną. Pogoda była pod psem, padał deszcz, więc musiały zrobić dłuższy postój. Weszły do restauracji w przydrożnym hotelu, żeby wypić małą czarną.

– Jagoda, czy ty jesteś pewna, że chcesz znowu być z Leszkiem? – zapytała Magda, mieszając łyżeczką kawę w białej filiżance.

– Mam taki zamiar.

– Staram się nie wciskać między was, ale jeśli pozwolisz, powiem ci, co o tym myślę.

– I tak na dużo ci pozwalam. Zresztą wiem, że nie potrzebujesz mojego pozwolenia, bo i tak nie wytrzymasz i powiesz – zażartowała Jagoda, chociaż wyraz jej twarzy wskazywał, że jest podenerwowana i raczej nie jest jej do śmiechu.

Bała się powrotu do domu. Nie wiedziała, czy dobrze robi i czego może się spodziewać po Leszku w tej nowej sytuacji. Jak on ją przyjmie i jak sobie wyobraża ich przyszłość? Czuła, że jest spięta. Wciąż musiała sobie powtarzać, że skoro ją poprosił, żeby wróciła, to znaczy, że wszystko będzie dobrze. Jednak gdzieś głęboko wciąż pojawiały się wątpliwości.

– Z całym szacunkiem, ale to się nie trzyma kupy. Twój mąż zadzwonił po miesiącu twojej nieobecności, a ty na pierwsze wezwanie lecisz do niego bez spadochronu? Wybacz, ale moim zdaniem facet, który wywinął taki numer jak on, po wyjeździe żony w nieznane powinien zatrudnić do jej odszukania cały Scotland Yard i prosić na kolanach, żeby mu wybaczyła, a on ograniczył się tylko do jednego telefonu. Nawet nie przyjechał po ciebie.

– Przecież nie wie, gdzie jestem.

– Okej! Ale może powinnaś poczekać, dać mu czas, żeby jeszcze trochę się pokajał, poskamlał, podenerwował. – Magda wyraźnie się rozkręciła. – I jeszcze powinien podarować ci brylantowe kolczyki w dowód bezgranicznej skruchy – dokończyła, sapiąc z emocji.

– Z tymi kolczykami to niezły pomysł – podchwyciła Jagoda i obie wybuchnęły śmiechem.

– Obrzydliwa materialistka – wykrztusiła po chwili Magda.

– To był twój pomysł.

– Fakt.

– Wiesz, trudno mi tak natychmiast zerwać ze wszystkim, co do tej pory było całym moim życiem. Byłam szczęśliwa z Leszkiem, więc myślę, że warto spróbować jeszcze raz.

Magda westchnęła z rezygnacją.

– Leszek powiedział, że Beata to już przeszłość – ciągnęła Jagoda, zbierając łyżeczką piankę z cappuccino. – No cóż, popełnił błąd, ale teraz tego żałuje. To znaczy, że mimo wszystko zależy mu na mnie.

Magda spojrzała w okno. Przyglądała się chwilę deszczowej, ponurej pogodzie na zewnątrz, zastanawiając się nad tym, co powiedziała jej przyjaciółka.

– Może masz rację – przyznała w końcu. – Przepraszam, że się wkurzyłam. Masz prawo podejmować własne decyzje, oby tylko nie były one decyzjami twojego męża. Pamiętaj, żebyś kierowała się własnym rozumem. Zrób to, co twoim zdaniem jest najlepsze dla ciebie, a nie dla niego.

– Jedźmy już, bo niedługo zacznie się ściemniać, a jeszcze szmat drogi przed nami.

Jagoda zjawiła się w domu późnym popołudniem. Wzięła odświeżający prysznic, rozpakowała torby i zrobiła szybką przepierkę. Musiała czymś się zająć. Mimo obaw, jakie odczuwała na myśl o spotkaniu z mężem, cieszyła się, że znów jest u siebie. Zajrzała do każdego pokoju, kuchni i łazienki. Sama przed sobą nie chciała się przyznać, że szuka śladów obecności innej kobiety. Bała się popaść w paranoję, więc wmawiała sobie, że to naturalne, że musi sprawdzić, co w najbliższym czasie trzeba zrobić. Nic podejrzanego jednak nie znalazła.

Po dziewiętnastej przyjechał Leszek. Gdy zobaczył Jagodę, ucieszył się, uścisnął ją mocno, chociaż trochę niepewnie, i pocałował w oba policzki.

– Cześć, kochanie, jak dobrze, że wróciłaś! Już nie mogłem się doczekać.

– Ja też się cieszę, że tu jestem – szepnęła mu do ucha.

Przez cały wieczór był rozmowny jak nigdy, opowiadał o nowych projektach w pracy i o znajomych, którzy martwili się i bez przerwy o nią dopytywali. Jagoda czuła się trochę nieswojo, lecz miała wrażenie, że radość męża jest szczera. Powoli rosła w niej wiara w to, że wszystko wróci do normy i znów będzie jak dawniej.

*

Przez kilka dni z wielkim poświęceniem sprzątała dom i robiła pranie, bo święta były za pasem, a podczas jej nieobecności Leszek nie bardzo się w te prace angażował. Nigdy nie zajmował się domem. Po pierwsze, nie lubił tego, a po drugie, nie było takiej potrzeby, gdyż żona całkowicie go we wszystkich tych zajęciach wyręczała.

Zadzwoniła także do redakcji i powiedziała, że wkrótce wpadnie i przy okazji weźmie nowe zlecenia. Pani redaktor oznajmiła, że to bardzo dobrze, bo akurat zebrało się trochę nowych tematów, chociaż szkoda, że już nie pomoże im z numerem świątecznym, który zamykają, bo i tak już są spóźnieni. Niemniej cieszy się, że Jagoda jest już w formie.

Wszystko zaczynało się układać, zwłaszcza że Leszek wracał teraz do domu wcześniej i był dla niej o wiele milszy niż kiedyś. Okazywał jej więcej troski i zainteresowania. Czuła się adorowana niczym młoda mężatka.

W niedzielę po południu wybrał się na kilka godzin z kolegami do pubu, żeby pograć w bilard. Mówił, że nie wie, czy powinien iść i zostawić Jagodę samą w domu, ale odparła, że przecież nie jest chora i nic jej nie będzie. Poza tym, przypomniała mu, ma duże doświadczenie w samotnym spędzaniu czasu, na co oburzył się nie na żarty. Jednak gdy oświadczyła, że nie widzi powodu, aby któreś z nich miało rezygnować ze swoich przyjemności, zaczął ulegać. Wprawdzie potem dopadła ją myśl, czy on na pewno chce iść do pubu, czy może znalazł pretekst, aby znów spotkać się z Beatą, ale rozsądnie wytłumaczyła sobie, że zawsze lubił bilard, więc chyba tym razem nie kłamie. Ostatecznie Leszek wyszedł do pubu, a Jagoda zadowolona, że wreszcie ma na to czas, otworzyła laptopa i zabrała się do czytania swojej rozpoczętej powieści. Już po kilku pierwszych rozdziałach z satysfakcją uznała, że właściwie powinna ją kontynuować i na pewno kiedyś to zrobi. Gdy skończyła lekturę, uświadomiła sobie, że jest już bardzo późno, a Leszka jeszcze nie ma. Spojrzała na zegarek i z niedowierzaniem stwierdziła, że jest wpół do dwunastej. Zeszła do kuchni, zaparzyła sobie miętową herbatę i z kubkiem pełnym aromatycznego napoju usiadła przy stole. Po niespełna kwadransie wrócił Leszek.

– Cześć, kochanie! – zawołał od drzwi, widząc światło w kuchni.

– Cześć, co tak późno?

– Ach, zagadaliśmy się – powiedział, całując ją we włosy. – Rozegraliśmy świetną partię i wypiliśmy kilka piw, jak zwykle.

– Rozumiem, że dobrze się bawiłeś?

– Owszem. Rysiowie zapraszają nas w pierwszą sobotę po świętach na grilla, w ramach rozpoczęcia sezonu. Mają nadzieję, że pogoda dopisze, bo jak nie, to trzeba będzie schować się do domu, a wtedy nici z grillowanych kiełbasek.

– Naprawdę? – ucieszyła się Jagoda, bo już dawno nigdzie nie byli razem. Pomyślała nawet, że postara się, aby teraz częściej wychodzili. Krótko po ślubie spotkania towarzyskie były dla nich normą, ale w ostatnich latach zarzucili ten zwyczaj i kontakty ze znajomymi zdarzały się bardzo rzadko. Koniecznie trzeba to zmienić. – To wspaniale. Już się nie mogę doczekać.

– Zaprosili kilkanaście osób, będzie wesoło.

– Cieszę się – odparła i przytuliła się do niego, całując go w usta. – Dzisiaj dzwoniła moja mama i zaprosiła nas na święta, może ich odwiedzimy? Już dawno się nie widzieliśmy.

Leszek objął ją w pasie i szepnął do ucha:

– Oczywiście, kochanie, ale teraz porywam cię do łóżka i nie chcę słyszeć słowa odmowy.

*

W poniedziałek Jagoda wybrała się do redakcji. Tego dnia niebo było zachmurzone, a wiatr wzmagał odczucie chłodu, dlatego postanowiła jechać taksówką. W drodze zadzwonił jej telefon. Wygrzebała z dna torebki komórkę i w ostatniej chwili zdążyła odebrać połączenie.

– Jagoda? Cześć! Jak ci się układa z mężem? – zawołała radośnie Magda.

– Całkiem dobrze. Właśnie myślałam, żeby się z tobą spotkać, może przyjedziesz do mnie?

– Dzisiaj nie dam rady, cały dzień będę w galerii, zaczynamy składać wystawę.

– Szkoda, stęskniłam się za tobą, a poza tym chciałabym, żebyś mi coś doradziła.

– Chyba że wyrwiesz się z tego twojego domowego azylu i przyjedziesz tutaj – zaproponowała Magda.

– Nawet nie muszę się znikąd wyrywać, bo właśnie jestem w taksówce. Jadę do redakcji.

– To świetnie. Jak skończysz w redakcji, przyjeżdżaj do mnie. Tu niedaleko jest doskonała cukiernia, będziesz miała okazję postawić mi obiecane tiramisu. – Magda zachichotała szelmowsko. – Chyba nie zapomniałaś?

– Myślałam, że mi odpuścisz, ale niech ci będzie – odrzekła wesoło Jagoda. – Do zobaczenia!

Niecałe dwie godziny później obie przyjaciółki szły ulicą w kierunku cukierni. Mijały świątecznie przystrojone wystawy sklepowe, w których dominowały wiosenne kolory żółci i zieleni, a ich motywem przewodnim były uśmiechnięte pyzate zajączki, puchate kurczaczki i pstrokate pisanki. Wiosenne dekoracje nie pasowały do tego wyjątkowo chłodnego kwietniowego dnia, chociaż zdecydowanie ożywiały otoczenie i pozytywnie nastrajały spieszących się przechodniów.

– O czym chciałaś ze mną pogadać? Czy coś nie tak z Leszkiem?

– Ależ nie. Z Leszkiem jest wszystko w porządku, wydaje mi się, że nawet lepiej niż przedtem. Mój mąż uruchomił swoje ukryte pokłady czułości.

– Biedny Wiktor, będzie zawiedziony – zauważyła Magda.

– A co ma do tego Wiktor? – obruszyła się Jagoda.

– Niby nic, ale nie zaprzeczysz, że to fajny facet? Przyznaj, spodobał ci się.

– Nie zaprzeczę, ale to nie zmienia faktu, że mam męża, z którym zamierzam spędzić resztę życia.

Magda zatrzymała się nagle.

– Zobacz! – wykrzyknęła, wskazując w kierunku jednego z okien wystawowych. – Jaka piękna sukienka. Po prostu boska – zachwycała się, stojąc przed witryną. – Jeśli po wystawie sprzedam jakiś obraz, to ją sobie kupię. Na lato będzie jak znalazł, istne cudo! – piała z zachwytu.

Stojąc obok Magdy i przyglądając się sukience, Jagoda przypomniała sobie, jak kiedyś często wychodziły razem do miasta na zakupy. Biegały od sklepu do sklepu, szukając ciekawych ciuchów na promocjach i przecenach, a potem tradycyjnie wstępowały gdzieś na kawę, żeby uczcić udane polowanie. Miło spędzały czas i częściej się śmiały. Co się stało, że już nie wychodzą razem? Tak wielu rzeczy już nie robią, chociaż sprawiały im tyle radości. Czas, żeby przywrócić dobre dawne obyczaje. Jagoda uśmiechnęła się do siebie i lekko szturchnęła Magdę łokciem.

– Dobrze, ale teraz chodź już, bo mi trochę zimno – ponagliła, chowając się przed wiatrem za kołnierzem kurtki.

– Idę, idę, ale przyznasz, że jest piękna? – mamrotała Magda, będąc jeszcze pod wrażeniem tego, co zobaczyła. – O! To tu! – Wskazała ręką na oszklone drzwi lokalu.

Wepchnęła Jagodę do środka i weszła za nią. W cukierni było cieplutko, a przytłumione światło stwarzało przytulną atmosferę. Pośrodku stało kilka stolików, oddzielonych ażurowymi parawanami, tworzącymi kameralne boksy. Niewielkie stoliki pod ścianami, otoczone zielenią, oświetlone były miniaturowymi lampkami. Wnętrze prezentowało się uroczo.

Właśnie manewrowały między krzesłami w poszukiwaniu odpowiedniego miejsca, gdy nagle Jagoda stanęła jak wryta, wskutek czego rozglądająca się na boki Magda wpadła na nią gwałtownie.

– Cholera! Pogięło cię czy co? – Zaklęła z bólu i złapała się za nos, bo przed chwilą walnęła twarzą w potylicę Jagody. – Co ty wyprawiasz?

– Ciii – uciszyła ją tamta. – Zobacz. – Wycelowała palcem w kierunku najciemniejszego zakątka w głębi lokalu.

Magda, pocierając obolały nos, spojrzała we wskazanym kierunku i nie mogła uwierzyć własnym oczom. W kąciku siedział sobie nie kto inny jak Leszek w towarzystwie Beaty. Byli bardzo blisko siebie, bliżej niż nakazują normy dobrego wychowania, i rozanielonym wzrokiem spoglądali sobie w oczy, a on ściskał jej rękę, którą przy okazji namiętnie cmokał powyżej nadgarstka. Byli tak bardzo zajęci sobą, że nie widzieli, co się dzieje wokół.

– O cholera! – Magda ponownie zaklęła, bo w tej sytuacji nic więcej nie przyszło jej do głowy.

– Masz rację, cholera... Cholera, cholera! – rzuciła przez ramię Jagoda, z wściekłością tupiąc nogą. – Jeszcze chwila, a zeżre jej tę łapę. Sukinsyn! – warknęła i niewiele myśląc, ruszyła zdecydowanym krokiem w kierunku idyllicznego obrazka.

– Zaczekaj. Co chcesz zrobić? – szepnęła Magda, łapiąc ją za ramię.

– Jeszcze nie wiem, prawdopodobnie ich zamorduję – syknęła Jagoda, wyszarpując rękę.

– Oboje?! – pisnęła przerażona Magda, widząc jej wzburzenie.

Na ułamek sekundy Jagoda zawahała się, ale w tym momencie zdrajca puścił dłoń kochanki i spojrzał w ich stronę. Spostrzegłszy własną żonę, zerwał się z miejsca zaskoczony, potrącając przy tym lekki stolik, w wyniku czego blat podskoczył, a filiżanki z kawą przewróciły się z brzękiem. Zawarta w nich ciecz rozchlapała się na białej bluzce i beżowej spódnicy Beaty. Na ten widok Magda poczuła niewyobrażalną satysfakcję.

– J... Jagoda? – wyjąkał zmieszany Leszek, wybałuszając oczy, co sprawiło, że miał nieskończenie głupkowaty wyraz twarzy.

– A kogo się spodziewałeś, świętego Judy Tadeusza? – odparła zjadliwym tonem, podchodząc bliżej.

Co ona z tym Judą Tadeuszem? – przemknęło przez myśl Magdzie. Aha! Pewnie dlatego, że to patron spraw beznadziejnych, a jak widać, jej mąż jest absolutnie beznadziejny. To nawet logiczne. Może trzeba było pomodlić się do świętego Judy w intencji tego bęcwała. Skończywszy tę szybką analizę, sapnęła i chwyciła się pod boki, bojową postawą dając wsparcie Jagodzie.

– Ale... co ty tutaj robisz? – spytał Leszek po chwili, odzyskując głos.

– To ja chciałabym wiedzieć, co ty robisz, i niekoniecznie tylko tutaj.

Otworzył usta, jakby chciał coś odpowiedzieć, ale powstrzymała go ruchem ręki.

– Nic nie mów, przecież widzę, co się dzieje, a nie trzeba wielkiej inteligencji, aby się domyślić reszty. Nie wiem tylko, po co była ta cała farsa z moim powrotem, ale teraz to już bez znaczenia.

Starała się panować nad emocjami, czuła jednak, że za chwilę tego nie wytrzyma i wybuchnie płaczem. Za wszelką cenę nie chciała się rozbeczeć przy tej wywłoce, tymczasem narastająca w niej wściekłość szukała jakiegokolwiek ujścia.

Zerknęła na stolik i spostrzegła stojący przed oniemiałą Beatą pokaźnych rozmiarów pucharek z napoczętym deserem lodowym z bitą śmietaną. W tym momencie zaświtał jej pomysł inspirowany dość oklepaną sceną z jakiegoś filmu. Nie mogła już się powstrzymać: błyskawicznie chwyciła pucharek i całą jego zawartość wytrząsnęła mężowi na głowę. Smakowity deser rozbryzgał mu się po włosach, a kawałki owoców oblepionych śmietaną, lodami i polewą czekoladową opadły na niebieską

126

koszulę, tworząc pokaźnych rozmiarów abstrakcyjne mazaje.

O rany! Jak w filmie... ale z niej aktorka, pomyślała Magda, patrząc w osłupieniu na rozgrywającą się dramatyczną scenę.

– Teraz oboje pasujecie do siebie – powiedziała spokojnie Jagoda, po czym odwróciła się na pięcie i ruszyła do wyjścia, wpadając po drodze na oszołomioną Magdę i Bogu ducha winną kelnerkę, której wytrąciła z rąk tacę z (na szczęście) pustymi naczyniami.

– Co pani robi?! – krzyknęła za nią zdenerwowana dziewczyna.

– Rozwodzę się! – odwrzasnęła Jagoda.

Szła tak szybko, że Magda, zanim ją dogoniła, zdążyła się już porządnie zasapać.

– Jagoda, poczekaj! Nie leć tak prędko, bo już się zadyszałam i za chwilę wyzionę ducha! – wołała, łapiąc ją w końcu za rękę.

– Daj mi spokój! – krzyknęła tamta, próbując się wyrwać.

– Wiem, że jesteś wkurzona, ale uspokój się, proszę!

Jagoda zatrzymała się w końcu. Odwróciła się do przyjaciółki, a potem nagle wybuchnęła płaczem, padając jej w ramiona.

– No już dobrze – uspokajała ją Magda, czule poklepując po plecach. – Chodź ze mną do galerii. Usiądziemy na zapleczu, zrobię ci dobrej herbaty i pogadamy.

W galerii była już tylko właścicielka, pani Leśniewska. Na widok zapłakanej Jagody prowadzonej przez Magdę teatralnym gestem załamała ręce i wykrzyknęła:

– Matko Boska! Co się stało?!

– Facet – odparła Magda.

– Pobił ją?!

– Gorzej, zdradził.

– A to skurwiel!

Pani Leśniewska, osoba doświadczona – miała już na swoim koncie dwóch mężów i dwa rozwody – w lot pojęła sytuację, więc natychmiast zaprowadziła obie na zaplecze i zaoferowała się, że sama zaparzy herbatę.

– Pij tę herbatę, bo stygnie – poradziła Magda pół godziny później, widząc, że jej towarzyszka wylała już morze łez i jeśli natychmiast nie uzupełni płynów, to zemdleje albo zostanie z niej wysuszony, mały wiórek.

Jagoda powoli odzyskiwała równowagę. Ciepła herbata pomogła jej na ściśnięty żołądek.

– Po co ten gnojek chciał, żebym do niego wróciła? – zadała pytanie nie wiadomo komu – Magdzie, pani Leśniewskiej czy sobie, bo wzrok miała utkwiony w ścianę.

– Nie wiem, złotko, ale za to wiem, że twój mąż to zwykłe bydlę – stwierdziła Magda, ale po chwili namysłu dodała: – Chociaż... chyba wiem, o co mu chodziło. Leszek zawsze był ambitny i chciał uchodzić za porządnego człowieka. Dba o swój wizerunek, bo to ma dla niego duże znaczenie, taki już z niego

128

typ. Czuje się lepszy, kiedy inni dobrze o nim mówią. Wszystkim demonstrował, jaki jest wspaniały pod każdym względem: świetny pracownik, wspaniały mąż, syn i tak dalej. Na początku, kiedy wyjechałaś, myślał, że zaraz do niego wrócisz z podkulonym ogonem. Ale gdy znajomi zaczęli się o ciebie dopytywać, a ty nie wracałaś, wystraszył się, że możesz zażądać rozwodu i wszyscy się dowiedzą dlaczego, a wówczas wyjdzie na świnię, może nawet straci kilku, bardziej lojalnych wobec swoich żon, przyjaciół. Co gorsza, mógł się spodziewać, że w firmie również straci dobrą opinię. Niewykluczone też, że bał się swojego tatusia, który ma nadzwyczaj konserwatywne poglądy i nie uznaje rozwodów, a z tego co pamiętam, twój mąż zawsze czuł przed nim respekt. Nie chciał zrezygnować z Beaty, ale ty byłaś mu potrzebna, żeby zachować wszelkie pozory. I masz odpowiedź – zakończyła, kiwając głową.

– Oszust! – wyrwało się pani Leśniewskiej.

– Ale to znaczy, że on tę glistę naprawdę kocha – wyszeptała Jagoda i chlipnęła w chusteczkę.

– Na to wygląda, co nie zmienia faktu, że przy okazji krzywdzi ciebie. Przykro mi.

– Faceci to urodzeni bigamiści, mogą kochać jednocześnie dwie kobiety – dodała pani Leśniewska z miną eksperta, nie wiadomo, czy chcąc pocieszyć Jagodę, czy też jeszcze bardziej ją przygnębić.

– Ale ze mnie kretynka – wymamrotała Jagoda.

– Każda na twoim miejscu miałaby nadzieję na inny scenariusz. Pod tym względem nie jesteś wyjątkiem.

Jagoda dmuchnęła w chusteczkę i wytarła nos.

– Co teraz zrobisz? – spytała Magda.

– Zostawi drania! – podsunęła ochoczo pani Leśniewska. – Szkoda jej dla takiego palanta. Wiedz, kochana, że żaden facet nie jest wart takiego upokorzenia. Pluń na tę świnię!

– Jagoda, ostatecznie i tak sama podejmiesz decyzję, ale moim zdaniem pani Leśniewska ma rację. Już nie pierwszy raz Leszek cię oszukał.

– Pewnie, że mam – rozkręciła się właścicielka galerii. – Jakbym była w twoim wieku, dziecko, i miała taką urodę, to ani chwili bym się nie zastanawiała. Nie ma co się umartwiać. Znajdziesz sobie innego.

Nagle Jagoda zerwała się na równe nogi. Pospiesznie wygrzebała z torebki komórkę i wystukała numer.

– Dzień dobry, Adam, tu Jagoda... Czy ten pokój, który ostatnio u was wynajmowałam, jest wolny?... Świetnie. Czy mogę przyjechać jeszcze dzisiaj?... Nic się nie stało, pogadamy, jak przyjadę. Będę późno, z góry przepraszam za kłopot... Bardzo dziękuję, pozdrowienia dla Amelii. Do zobaczenia!

Nic nierozumiejąca Magda przyglądała się jej z uwagą, tymczasem Jagoda wystukała kolejny numer.

– Halo! Poproszę taksówkę do galerii Nova... tak... dobrze, dziękuję.

– Jagódko, co się dzieje? Ja ciebie nie poznaję.

– Też chciałabym wiedzieć – wtrąciła pani Leśniewska.

– Ja siebie też nie poznaję, ale teraz mam zamiar pokazać wszystkim, że nie jestem bezwolną i zalęknioną głupią marionetką. Nie dam sobą pomiatać

130

– odparła Jagoda z błyskiem w oku, przyjmując bojową postawę. – Zaraz będzie taksówka, pojadę do banku, a potem do domu po swoje rzeczy. Wyjeżdżam do Kozubków. Natychmiast!

– Sama? Zanim dojedziesz, będzie już noc. Może wolisz, żebym cię odwiozła? – nie na żarty zaniepokoiła się Magda.

– Do banku? – zainteresowała się właścicielka galerii, ale Magda nie zwróciła uwagi na to pytanie.

– Nie trzeba, Magda! Jestem ci wdzięczna za twoją przyjaźń i za to, że zawsze się mną opiekowałaś jak młodszą siostrą, ale teraz ty musisz przygotować swoją wystawę, a ja muszę sobie poradzić sama.

– Ale za taksówkę zapłacisz majątek!

– To może ja zadzwonię do syna – wtrąciła się pani Leśniewska. – On jeździ taksówką, poproszę, żeby panią odwiózł. Przynajmniej nie zedrze z pani, a i bezpieczniej będzie niż z kimś obcym.

– Nie trzeba, dam sobie radę sama. Nie chcę już nikomu robić kłopotów – zaprotestowała Jagoda.

– Ależ nie ma o czym mówić, on zrobi dla mnie wszystko, o co go poproszę. – Właścicielka galerii machnęła ręką, po czym konspiracyjnym tonem dodała: – Sama mu kupiłam to auto. Poza tym, to bardzo porządny chłopak. – Mówiąc to, łączyła się już z synem. – A pani niech odwoła tamtą taksówkę.

– Ale obiecaj, że zadzwonisz, jeśli tylko będziesz potrzebowała pomocy – poprosiła Magda.

– Romek przyjedzie za dziesięć minut – oznajmiła pani Leśniewska, odkładając komórkę na biurko.

Tego dnia Jagoda okazała się energiczna jak nigdy. Podjęła ze wspólnego małżeńskiego konta w banku większą sumę, żeby potem nie być zmuszoną żebrać u męża o każdą złotówkę ani prosić rodziców czy Magdę o pożyczkę, jak było w przypadku poprzedniej wizyty u Kozubków, kiedy nie miała czym zapłacić gospodarzom za gościnę. Następnie pojechała do domu, w pośpiechu spakowała swoje rzeczy, wskoczyła do taksówki i ruszyła w drogę.

*

Taryfa zajechała pod dom Kozubków wieczorem. Było już bardzo późno, ale w oknach jeszcze paliło się światło. Widać Amelia z Adamem czekali na Jagodę. Pan Romek pomógł jej wyjąć walizki z bagażnika i odjechał w momencie, gdy usłyszała szczęk otwieranych drzwi frontowych.

– Jagódko! – Adam podbiegł, żeby ją uścisnąć. – Co się stało? – zapytał, obejmując ją mocno.

W tym momencie poczuła, że łzy znów napływają jej do oczu i za chwilę będzie ryczeć jak bóbr, ale wtedy w drzwiach pojawiła się Amelia i zawołała:

– Adam, przestań ją ściskać i przyprowadź do domu, zanim zamarznie!

Weszli do środka. Adam, dźwigając dwie potężne walizki, pobiegł na piętro do jej pokoju, a Jagoda z płaczem padła w ramiona Amelii. Kobieta tuliła ją przez chwilę, gładząc czule po włosach.

– Chodź, dziecko, do salonu, to sobie porozmawia-my – zaproponowała i krzyknęła do męża: – Adaś, zaparz nam herbaty!

– Zrobię herbatkę, a ty, kochanie, poczęstuj gościa kieliszkiem czegoś mocniejszego! – odparł rzeczowo Adam, zbiegając ze schodów.

Usiadły na kanapie z kieliszkami koniaku w dło-niach, a pan domu dołożył kilka suchych szczap do ognia, który jakby nie zważając na powagę sytuacji, wesoło buzował w kominku.

– No to mów, co się dzieje – zagadnęła Amelia.

Jagoda upiła łyk złocistego płynu i ciężko wes-tchnęła.

– Myślałam, że wszystko będzie dobrze. Kiedy wróciłam, Leszek był miły i zaczęło nam się układać jak dawniej, ale dzisiaj przyłapałam go w kawiarni z tym blond małpiszonem – wyrzuciła jednym tchem i sapnęła.

– Może to nic nie znaczy – próbowała ją uspokoić Amelia, chociaż dobrze wiedziała, że to, co mówi, jest bez sensu. Kiedy przed kilkoma dniami rozło-żyła karty, wyczytała z nich, że mąż Jagody wciąż ją zdradza, nie wiedziała tylko, czy nadal z tą samą kobietą. – Przecież mówiłaś, że razem pracują... może tylko wyskoczyli na kawę w czasie lunchu – dodała niepewnie, chcąc ją pocieszyć.

– Coś ty, obcałowywał jej łapę aż po szyję, mało się nie poślinił – odparła z wściekłością Jagoda. – Mówił, że przez chwilę się pogubił, ale potem zrozumiał, że nadal mnie kocha i chce być ze mną, a okazało się, że wciąż mnie oszukiwał. Było mu wstyd, że żona od niego uciekła. Wstrętny hipokryta. Miałam ochotę stłuc mu tę gębę na kwaśne jabłko.

– To by nic nie dało – stwierdziła rozsądnie Amelia.

– I jeszcze byś miała kłopoty za przemoc w rodzinie – dodał Adam.

Żona rzuciła mu karcące spojrzenie.

– Przepraszam. Tak jakoś przyszło mi do głowy – zreflektował się. – Wybacz, Jagódko, nie chciałem cię urazić. Po prostu nie wiem, jak ci pomóc.

– Masz rację, Adasiu, gdy ktoś ma zakuty łeb, jak mój mąż, to i tak nic do niego nie dotrze – skwitowała Jagoda i znów upiła łyk koniaku.

Przez chwilę wszyscy milczeli w zamyśleniu, słuchając trzaskania płonącego drewna.

– Amelio, kiedy mi wróżyłaś z kart, powiedziałaś, że mam szukać trzech znaków. Myślałam, że telefon od Leszka to właśnie ten znak, i wydawało mi się, że powinnam wrócić do męża. Czyżbym się myliła?

Amelia spojrzała na Adama i westchnęła.

– Widzisz, wiedziałam, że tylko namieszam – powiedziała do niego z wyrzutem.

– Przepraszam, ale chciałem dobrze. Byłem pewien, że to był dobry pomysł – odparł z zażenowaniem Adam, skubiąc brodę. – Jak zwykle miałaś rację, kochanie.

– Jagódko – zaczęła Amelia – to wszystko nie jest takie proste. Żeby czytać znaki, trzeba mieć niebywałą intuicję, którą niektórzy z biegiem czasu, w miarę dorastania, zatracają. Wtedy nietrudno o pomyłkę. Dlatego w życiu lepiej kierować się tak zwanym głosem serca, bo to też jest intuicja. Pod warunkiem, że głosu serca nie myli się z popędem, co niektórym też się zdarza. Zawierzając sobie, poczujesz, co dla ciebie najlepsze, i twoje wybory, mimo trudnych chwil w życiu i różnych zwrotów, zawsze wyprowadzą cię na właściwą drogę.

– Myślałam, że te znaki będą całkiem wyraźne – wtrąciła Jagoda.

Amelia uśmiechnęła się i czule uścisnęła jej rękę.

– Moja droga, to nie zawsze jest łatwe, chociaż moim zdaniem twoje były wyraźne, ale jakimś cudem za bardzo się pogubiłaś w swoich problemach i sama nie wiedziałaś, czego tak naprawdę chcesz. Zrobiłaś dokładnie to, czego oczekiwał twój mąż. Przywiązałaś się do niego i jego model życia przyjęłaś za swój, nie zastanawiając się, czy to ci odpowiada. Spróbuj na chwilę zapomnieć o tym, co cię spotkało, i o swoim małżeństwie. Wyobraź sobie, że jesteś osobą niezależną, nieuwikłaną w żadne układy, i zastanów się, gdzie chciałabyś teraz być i co robić. Musisz zapytać sama siebie, co cię uszczęśliwi w życiu i co jest twoim pragnieniem.

Jagoda pomyślała, że chciałaby teraz być u boku Wiktora, bo ostatnio tylko przy nim czuła się wesoła i szczęśliwa. Potem poczuła lekki ucisk w żołądku.

– Przepraszam... chyba mi niedobrze – powiedziała i szybko wybiegła do łazienki.

Kozubkowie patrzyli, jak znikła w przedpokoju, po czym Adam odezwał się smutno:

135

– Żal mi jej. To niesprawiedliwe, kiedy jedno z małżonków zawodzi drugie w tak bolesny sposób.

– Niestety takie historie zdarzają się bardzo często, mój drogi. Trudno ci to zrozumieć, bo jesteś wyjątkowo uczciwy. Za to ja mam fart, że trafiłam na takiego oddanego męża. Jestem szczęściarą.

Adam uśmiechnął się do niej.

– Myślisz, że poradzi sobie z tym wszystkim sama?

– Poradzi sobie. Bóg stawia przed nami przeciwności, ale tylko takie, z którymi możemy sobie poradzić. Jeśli coś jest ponad nasze siły, to zawsze znajdzie się ktoś, kto poda nam rękę i pomoże pokonać przeszkodę. Ona nie wybrała prostej drogi, dlatego teraz będzie jej ciężej. Cofając się w przeszłość, sprowokowała kolejne wydarzenia, które mogą być dla niej trudniejsze niż te poprzednie. Niestety każdy krok powoduje następstwa – odparła i pokręciła głową. – Niepotrzebnie wróciła do męża.

– Nie mogłaś jej tego wywróżyć z kart? Może gdyby wtedy wszystko wiedziała, nie wróciłaby do tego gnoma – powiedział z wyrzutem Adam.

– A jak ty sobie to wyobrażasz? Miałam jej tak wprost powiedzieć, żeby się rozwiodła?

– A dlaczego nie? – zdziwił się szczerze.

– Adasiu, chociażby dlatego, że ona jeszcze go kochała. Nie można tak po prostu włazić z buciorami w czyjeś życie i ingerować w ludzkie uczucia.

– Myślałem, że dla dobra sprawy można.

– Można tylko wtedy, gdy ludzie przestają się kochać. Ja nie wiem, ile uczucia tliło się jeszcze w tym jej Leszku, ale ona nadal bardzo go kochała i nawet gdybym jej wówczas powiedziała, że ma się rozwieść, to i tak by mi nie uwierzyła i zrobiłaby dokładnie to, co chciał. Widziałeś, że wystarczył jeden telefon, a ona natychmiast do niego pognała. Niestety musiała po raz drugi przekonać się na własne oczy, jakiego ma męża. Po prostu tak miało być.

– No cóż, chyba masz rację. – Adam westchnął bezradnie. – Jak zwykle.

– Niektóre kobiety już takie są. Wierzą, że zdarzy się jakiś cud, w końcu chłop się nawróci i oszukując się, cierpią latami.

– Nie rozumiem tego – mruknął Adam, z niedowierzaniem kręcąc głową.

– Może powinnam sprawdzić, czy czegoś jej nie potrzeba.

W tym momencie drzwi łazienki skrzypnęły i po chwili Jagoda weszła do salonu. Była bardzo blada, a podkrążone oczy sprawiały, że wyglądała na niezwykle zmęczoną.

– Wybaczcie – szepnęła – to chyba te nerwy i alkohol. Nie jadłam nic od rana i zrobiło mi się niedobrze.

– Może przygotuję ci coś do jedzenia? – zaproponowała Amelia.

– Nie, nie! – zareagowała gwałtownie Jagoda. – Nie mam apetytu i boli mnie żołądek. Chyba pójdę do łóżka. Jak się dobrze wyśpię, to mi przejdzie.

– Na pewno – przytaknął Adam. – Mówią, że na kłopoty najlepszy jest sen. Rano wszystko zobaczysz w jaśniejszych barwach.

– To zmykaj do pokoju i kładź się spać, a ja zaraz zaparzę ci ziółek i przyniosę do łóżka.

*

Następnego dnia Jagoda obudziła się z potwornym bólem głowy. Nadal ją mdliło, czuła się kompletnie rozbita. Z trudem wstała z łóżka i powlokła się do walizki po proszki przeciwbólowe. Wsunęła dwie tabletki do ust, popiła resztką ziółek z kubka i wróciła do łóżka. Leżała jeszcze pół godziny, zanim ból ustąpił. Koło dziesiątej usłyszała ciche pukanie do drzwi.

– Jagódko, nie śpisz? – dał się słyszeć cichy głos Amelii.

– Nie, wejdź, proszę.

– Dzień dobry. – Amelia weszła do pokoju, niosąc tacę z jedzeniem. – Zrobiłam ci śniadanie, na pewno jesteś głodna – powiedziała, stawiając ją na stole.

– Nie bardzo. Mój mózg jest jak gąbka, a żołądek tańczy kankana – wystękała Jagoda.

– To na pewno z głodu. Musisz coś zjeść, bo wpędzisz się w chorobę, a tego byśmy nie chcieli. Podać ci do łóżka?

– Nie, dziękuję. Wstanę i wezmę prysznic, może lepiej się poczuję.

Po śniadaniu znowu ją mdliło, więc położyła się i zasnęła. O pierwszej Amelia przyszła z obiadem, ale tym razem Jagoda zdecydowanie odmówiła jedzenia. Na drugi dzień rano miała jeszcze mdłości, ale około południa poczuła się na tyle dobrze, że mogła wstać i zejść na dół.

– O, jak miło cię widzieć! – zawołała ucieszona Amelia na widok wchodzącej do kuchni Jagody. – Jak się czujesz?

Jagoda usiadła przy stole i poczuła kuszący zapach świeżo zaparzonej kawy.

– Dziękuję, już lepiej.

– I tak też wyglądasz – stwierdziła Amelia.

– Mam ochotę na kawę. – Uśmiechnęła się słabo.

– Myślę, że najpierw dam ci specjalnych ziółek, a potem dostaniesz jajecznicę na szynce i kawę. Od przyjazdu prawie nic nie jesz. Tak nie można, bo w końcu osłabniesz.

Rzeczywiście ziółka sprawiły, że poczuła się całkiem dobrze i z apetytem zjadła wszystko, co było na talerzu. Potem nie czuła już mdłości.

– No widzisz, teraz nawet kolorki ci wróciły – ucieszyła się Amelia, dumna ze swoich ziółek. Usiadła naprzeciwko i popijała małymi łykami gorącą kawę z zabawnego żółtego kubka w kwiatki.

– Amelio, kiedy przyjedzie Wiktor?

– Dzwonił wczoraj wieczorem. Jak tylko usłyszał, że u nas jesteś, zapowiedział się na dzisiejszy obiad. – Amelia przyjrzała się uważnie Jagodzie. – Czy chcesz z nim o czymś ważnym porozmawiać?

– Tak, o moim rozwodzie.

– Czy to znaczy, że podjęłaś już ostateczną decyzję?

– Definitywną i tym razem nieodwołalną. Teraz wiem, że popełniłam błąd, wracając do Leszka. Nie mam pojęcia, jak mogłam się łudzić. Oszukiwał mnie trzy lata, a miałby się zmienić w kilka tygodni? Byłam głupia.

– W końcu był twoim mężem dłużej, niż cię zdradzał. Wcześniej wszystko układało się dobrze, więc miałaś prawo ponownie mu zaufać. Przywiązanie to bardzo silne uczucie, a zerwanie z przeszłością wymaga dużej odwagi i wysiłku. Zwłaszcza gdy wspomnienia są piękne. – Wstała od stołu i podeszła do kuchenki, żeby zamieszać gotującą się w garnku zupę. – Po prostu pragnęłaś, aby wróciły tamte czasy, kiedy byłaś z nim szczęśliwa, bo wtedy wiedziałaś, że jesteś kochana, i czułaś się bezpieczna. Miałaś nadzieję, że rozpoczęcie wszystkiego jeszcze raz jest możliwe, ale przekonałaś się, że nie można cofnąć czasu. Nic już nie będzie tak samo. – Amelia uśmiechnęła się do własnych myśli. – Moja babcia mawiała, że wypalone uczucie nigdy nie odżywa.

– Masz rację.

– Nie załamuj się. Życie jest pełne wzlotów i upadków, ale zazwyczaj nie ma tego złego, co by na dobre nie wyszło. – Amelia spojrzała na nią ciepło. – Moja mama w trudnych chwilach mawiała: „I na naszej ulicy jeszcze kiedyś zaświeci słoneczko".

– Nade mną teraz są same burzowe chmury i na razie nie zanosi się na zmianę pogody – zauważyła ironicznie Jagoda i obie się roześmiały.

– Kochanie – Amelia znów przysiadła na brzegu krzesła – oboje z Adasiem chcielibyśmy, żebyś spędziła u nas święta. Będzie nam bardzo miło, jeśli się zgodzisz.

– Mieliśmy z Leszkiem spędzić święta z moimi rodzicami, ale teraz wolałabym się z nimi nie widzieć – powiedziała zasępiona Jagoda. – Tak dawno u nich nie byłam. Cieszyłam się na ten wyjazd do Szczyrku. Rodzice lubią Leszka, chociaż on traktuje ich dość chłodno. Mimo wszystko dobrze się dogadują i są dla siebie mili. Każde święta, które spędzaliśmy razem, były bardzo udane. – Upiła łyk kawy i westchnęła. – Tęsknię za rodzicami, ale jeszcze nie jestem gotowa na taką konfrontację. Chyba do nich zadzwonię i uprzedzę, że nie możemy przyjechać. Coś wykombinuję, żeby nie naciskali – stwierdziła nieśmiało, czując, że sytuacja jest dla niej dość niezręczna. – Jednak nie chciałabym się wam narzucać.

– Przecież u nas jest dość miejsca, a wiesz, że gości uwielbiamy. Nie musisz czuć się zakłopotana. Wiktor też spędza z nami święta.

– W takim razie z przyjemnością skorzystam z zaproszenia. Dziękuję. Jesteście bardzo kochani.

Gdy po południu przyjechał Wiktor, Jagoda bardzo się ucieszyła na jego widok. Pomyślała nawet, że chyba bardziej niż powinna w obecnej sytuacji.

Poszli na poobiedni spacer, żeby rozkoszować się ładną pogodą i uroczą świeżą zielenią łąk i lasów. Było przyjemnie ciepło, Jagoda zdjęła kurtkę. Oboje wiedzieli, że ten spacer to tylko pretekst do poważnej rozmowy sam na sam.

– Jagoda, co się dzieje? Przy obiedzie byłaś taka milcząca – zaczął niepewnie Wiktor.

– To samo, co przedtem.

– Proszę cię, mów jaśniej, bo nie rozumiem, a nie chciałbym się domyślać, żeby nie wyciągnąć błędnych wniosków.

– To znaczy, że mój mąż nadal mnie zdradza.

– Żartujesz? Przecież mówił, że zakończył ten romans. – Spojrzał na nią z ukosa.

– Tak mówił, ale najwidoczniej skłamał...

– To ta sama kobieta czy jakaś nowa?

– Stara, ale młoda... to znaczy ta sama.

Zrelacjonowała mu całą historię z kawiarnią i decyzją o rozwodzie. Wiktor słuchał w skupieniu, a gdy opowiadała, jak wyrzuciła Leszkowi na głowę lody z owocami, śmiał się, nie mogąc uwierzyć, że zdobyła się na taką odwagę.

– Wiktorze... – Zatrzymała się nagle i spojrzała mu prosto w oczy. – Chcę cię prosić, abyś pomógł mi w sprawie rozwodowej.

– Jesteś pewna, że tego chcesz?

– Tak. Tym razem jestem pewna – powiedziała z przekonaniem i poczuła, że mimo wszystko łzy napływają jej do oczu.

Wiktor zbliżył się do niej, otoczył ją ramionami i mocno przytulił. Poczuła bijące od niego ciepło i miły zapach wody po goleniu. Rozpłakała się, a on trzymał ją w ramionach i uspokajał, delikatnie głaszcząc po włosach. Trwała tak wtulona w niego, jakby chciała się schować przed całym złem tego świata, który teraz wydawał się jej brzydki i nieprzyjazny. Miała ochotę zostać w tym czułym uścisku na zawsze.

142

Wiktor pocałował ją w czubek głowy i szepnął:

– No, kochanie, przecież świat się nie kończy. – Ujął jej twarz w dłonie i zmusił, by Jagoda spojrzała na niego. – Pomogę ci i będę zawsze przy tobie.

Przymknęła oczy i wtedy poczuła jego usta na swoich. Poddała się pocałunkowi z rozkoszą, jakiej się nie spodziewała. Przez moment pomyślała o Leszku i opanowało ją poczucie winy, ale już po chwili ta myśl znikła. Pozostał tylko Wiktor, mężczyzna, który był teraz przy niej. Dzięki niemu życie stało się mniej bolesne, a przyszłość jawiła się w jaśniejszych kolorach. Miała przeczucie, że Wiktor nie kłamie i można mu zaufać. Pojawiła się nadzieja, że wszystko, co najgorsze, jest już za nią.

*

W poświąteczny wtorek, po powrocie do pracy, Wiktor natychmiast rozpoczął starania, by Jagoda jak najszybciej uzyskała rozwód. Bardzo chciał zaoszczędzić jej cierpień i stresu, ale wiedział, że i tak będzie musiała stawić się w sądzie i bolesna konfrontacja z mężem jej nie ominie. Sam ze swej strony mógł tylko znaleźć jej dobrego adwokata, reszta zależała od niej.

Tymczasem Jagoda mieszkała u Kozubków i nie miała zamiaru wracać do domu.

Dni stawały się coraz dłuższe i cieplejsze. Przyroda wokół dworku buchnęła świeżą zielenią, Amelia zaczęła już pierwsze porządki w warzywniku i ogrodzie. Jagoda, gdy tylko robiła sobie przerwę w pisaniu, szykowała kawę dla siebie i gospodarzy albo szła pomóc im w pracach na powietrzu. Adam kopał ogródek, wyczyniając przy tym różne psoty, a one, chichocząc, wybierały chwasty, oczyszczając ziemię pod przyszłe uprawy. Może sprawiła to wiosna, a może miła atmosfera, ale Jagoda czuła, że w ich towarzystwie pracowało jej się raźniej. Ze zdziwieniem stwierdziła, że pierwszy raz w życiu te „prace ziemne" dają jej ogromną przyjemność, mimo że w swoim domu we Wrocławiu z lenistwa ograniczała się tylko do koszenia niewielkiego trawnika i grabienia opadłych jesienią liści. Właściwie nie była pewna, czy wynikało to z lenistwa, czy może z faktu, że wszystko robiła sama, przez co te zajęcia stawały się nieatrakcyjne.

Wszyscy nabrali ochoty na piesze lub konne wędrówki po lesie. Nawet Amelia ulegała Adamowi i dawała się wyciągnąć na krótkie wycieczki po okolicy.

Teraz Jagoda częściej widywała Wiktora, bo przyjeżdżał nie tylko w piątki, ale jak tylko pozwalały mu na to jego własne obowiązki, pojawiał się również w tygodniu. Chodzili razem na długie spacery, obejmując się lub trzymając za ręce, a wieczorami siadywali na ganku, ubrani w ciepłe swetry lub kurtki, i oglądali gwiazdy. Adam specjalnie dla nich wytaszczył z pracowni stół ogrodowy i krzesełka, twierdząc, że pogoda już sprzyja nocnym rozmowom przy księżycu. Siadywali więc we czwórkę po kolacji z kieliszkiem brandy lub nalewki i w nikłej poświacie palącej się na stoliku świecy wesoło spędzali czas, który jakby się zatrzymał w tym miłym, cichym miejscu z dala od cywilizacji. Tenor i Sopran z zadowoleniem układały się przy nogach swego pana, jakby chciały się ogrzać jego ciepłem, i przysypiały, od czasu do czasu zabawnie pochrapując.

Około jedenastej w nocy Kozubkowie zazwyczaj mówili „dobranoc" i znikali w domu, a Jagoda z Wiktorem cieszyli się swoim towarzystwem. Dla niej były to najwspanialsze chwile: patrzyła w jego czarne, błyszczące oczy i widziała, że nie jest mu obojętna. Wiedziała już, że te wieczory do końca życia będzie wspominała z czułością.

– Ty chyba masz jakąś magiczną moc – powiedział kiedyś Wiktor, spoglądając w rozgwieżdżone niebo.

– Dlaczego? – spytała zaciekawiona Jagoda.

– Bo kiedy siedzisz tu obok mnie, wydaje mi się, że te gwiazdy są bliżej. Mógłbym wyciągnąć rękę i sięgnąć po jedną z nich.

– Przestań sobie żartować.

– Poza tym rzuciłaś na mnie urok.

Spojrzała na niego i uśmiechnęła się niepewnie.

– Nie sądziłem, że jeszcze kiedykolwiek doznam tego uczucia... – Odwrócił się w jej stronę. – Jesteś mi bardzo bliska i chciałbym zawsze mieć cię przy sobie.

– Ja też, Wiktorze – szepnęła.

Patrzyła mu w oczy i miała wrażenie, że zna go od bardzo dawna. Była nim zachwycona i wydawało jej się, że stopniowo się zakochuje. On też był jej bardzo bliski i chciała, żeby już na zawsze pozostał przy niej. Czasem jednak nachodziła ją myśl, czy w innej sytuacji też była-by nim zainteresowana. Może lgnie do niego tylko dlate-go, że po rozstaniu z Leszkiem poczuła pustkę w swoim życiu? A jeśli tak, to może oszukuje i jego, i siebie? Takie rozterki chwilami burzyły jej spokój i sprawiały, że nie potrafiła w pełni cieszyć się własnym szczęściem.

Radość z towarzystwa Wiktora zakłócało jej rów-nież nie najlepsze samopoczucie. Zdarzało się, że momentami była osłabiona. Zwłaszcza rano, gdy wstawała z łóżka, kręciło jej się w głowie i miała mdłości. Uznała, że to skutek stresu. Denerwowała się czekającą ją sprawą rozwodową, pocieszała się jednak, że skoro powoli odzyskiwała już apetyt, to wkrótce wszystko inne też wróci do normy.

– Może powinnaś iść do lekarza – powiedziała któregoś dnia Amelia.

– Nie trzeba. – Jagoda pokręciła przecząco głową. – To z pewnością nic takiego. To na pewno nerwy.

– Nerwy czy też nie, moim zdaniem to za długo trwa. Uważam, że wizyta u lekarza nie zaszkodzi. Na wszelki wypadek warto sprawdzić, co to takiego.

– Ale już jest prawie dobrze i z każdym dniem się poprawia – upierała się Jagoda. – Poza tym twoje ziółka czynią cuda. Czuję się po nich coraz lepiej.

– Widzę, ale wiesz co? – Amelia postawiła kubek z herbatą na kuchennym stole i spojrzała na Jagodę. – Nawet jeśli nie czujesz takiej potrzeby, zrób to dla mnie. W końcu jesteś pod naszą opieką i martwię się o ciebie. Bardzo cię proszę, jedź do lekarza. Jak chcesz, Adaś cię zawiezie albo poproszę Wiktora.

– Nie trzeba, sama sobie poradzę.

– Ale obiecaj mi, że pójdziesz do lekarza – naciskała tamta.

Jagoda głęboko westchnęła.

– No dobrze, poddaję się. Jak tylko będzie okazja, pójdę. Ale to i tak niepotrzebne.

– Ojej! – Amelia machnęła ręką. – Potrzebne, niepotrzebne... Lepiej sprawdzić, co to jest. Przynajmniej będę spokojniejsza.

– Dobrze, już dobrze. – Jagoda się roześmiała. – Obiecuję, że wybiorę się do przychodni, więc już się nie denerwuj. A swoją drogą, oboje z Adamem jesteście cudowni. Zaopiekowaliście się mną jak najbliższa rodzina. Czuję się u was wspaniale... Szczerze mówiąc, lepiej niż w domu – dokończyła prawie szeptem.

– Coś ty, przecież to zwykła ludzka rzecz troszczyć się o bliźnich – zbagatelizowała sprawę Amelia.

– Nie, to nie jest zwykła ludzka rzecz, bo nie każdy ma w sobie tyle serdeczności i człowieczeństwa, sama o tym wiesz. Przyjęliście mnie jak kogoś wyjątkowego, z otwartymi ramionami, troszczycie się o mnie, a teraz nawet nie chcecie już pieniędzy, a ja tyle czasu siedzę wam na głowie i nie wiem, co ze sobą zrobić, bo nie mam dokąd pójść. Myślałam, żeby wyjechać do rodziców do Szczyrku, ale teraz nie czuję się na siłach, aby im cokolwiek tłumaczyć. Poza tym boję się, że będą próbowali odwieść mnie od rozwodu.

Amelia z czułością uścisnęła jej dłoń.

– Spokojnie, nie musisz się spieszyć, wszystko w swoim czasie. A nam jest bardzo miło, że jesteś z nami. Cieszymy się z twojego towarzystwa, więc zostań u nas jak najdłużej.

*

Dzięki sympatycznej atmosferze u przyjaciół, jakimi okazali się Adam i Amelia, oraz wizytom Wiktora Jagoda nie czuła się osamotniona i coraz spokojniej myślała o rozwodzie z Leszkiem. Mimo to chwilami była dziwnie podenerwowana, a mdłości, chociaż coraz rzadziej, nadal pojawiały się w najmniej oczekiwanych momentach.

Pod koniec maja czuła się jednak na tyle dobrze, że dała się namówić Wiktorowi na krótką przejażdżkę konną. Wprawdzie już kilka razy jeździła na lonży, ale nigdy jeszcze nie była w terenie. Bała się, ale bardzo chciała pokazać Wiktorowi, że nie jest tchórzem.

Adam trzymał w swojej stajni dwa dorodne konie: pierwszy, Boran, był wałachem rasy wielkopolskiej, drugi szlachetny, choć już starszawy folblut miał na imię Hołd. Kary Boran był z reguły spokojny, ale czasem zdarzało mu się kaprysić. Każdy, kto potrafił jeździć konno, mógł bez kłopotu dać sobie z nim radę, ale dla słabych jeźdźców i nowicjuszy Adam przeznaczał gniadego Hołda. Był to koń po przejściach. Wcześniej przebywał w stadninie, jeździli na nim ludzie ze szkółki, ale kiedyś paskudnie złamał nogę. Ponieważ zrastała się opornie, jego dalszy los stanął pod znakiem zapytania. Wtedy szczęśliwie Adam odkupił Hołda, żeby uchronić go przed cierpieniem, a może nawet przed trafieniem do rzeźni. Uważał, że tak młody koń, wówczas trzylatek, nie powinien skończyć jako kiełbasa. Nowy właściciel dbał o konika i cierpliwie go leczył, nie szczędząc pieniędzy ani wysiłku, aż w końcu Hołd doszedł do dobrej formy. Widać docenił troskę Adama, bo z czasem złagodniał i pokochał go nad życie. Teraz, gdy Adaś wyprowadzał konie na łąkę, Hołd zawsze szedł za nim luzem niczym wierny pies, trzymając łeb przy ramieniu pana, jakby był przyklejony do jego rękawa. Był tak łagodny, że każdy, kto tylko chciał się nauczyć jeździć, mógł go spokojnie dosiąść, nie obawiając się, że nagle coś mu strzeli do głowy.

– Poradzisz sobie – zapewnił Jagodę uradowany Wiktor, trzymając za uzdę gniadosza, podczas gdy ona gramoliła się na siodło. – Pojedziemy stępa, zrobimy sobie mały spacerek.

– Tylko nie szybko. Obawiam się, że koń nie wie, kto na nim siedzi, i może wyciąć mi jakiś numer – poprosiła.

– I całe szczęście, bo gdyby wiedział, jaki skarb niesie na grzbiecie, to ze strachu nie ruszyłby z miejsca.

– Mam wrażenie, że gdyby się na mnie poznał, to jak najszybciej chciałby się pozbyć z grzbietu takiej galarety.

– W takim razie ja mu powiem, żeby był grzeczny, bo wiezie moją dziewczynę – oznajmił Wiktor

i zaczął szeptać coś koniowi do ucha, aż ten potrząs-
nął głową.

Jagoda spojrzała na niego uważnie. Zaskoczyły
ją słowa Wiktora „moją dziewczynę". Nie wiedziała,
czy to tylko takie żartobliwe stwierdzenie, czy też on
rzeczywiście tak ją traktuje.

– No widzisz? On nie wierzy w to, co mu mówisz
– powiedziała. – Chyba uznał cię za kłamczucha.

– A to ciekawe, na tobie się nie poznał, a na mnie tak.

– A ja ci mówię, że on dobrze się zna na ludziach.

– Trzymaj wodze, a ja dociągnę popręg – powiedział Wiktor, podciągając pasy tak mocno, że koń aż
stęknął. Wiktor zapiął sprzączki i poklepał Hołda po
szyi. – No, gotowe. Strzemiona dobre?

– Tak jest, panie kapitanie – zażartowała.

– To twoja pierwsza jazda bez lonży i pierwszy
wypad w teren, bądź ostrożna i trzymaj się siodła.
No to w drogę! – zakomenderował i lekko, jednym
susem wskoczył na grzbiet Borana.

Zdawał sobie sprawę, że umiejętności Jagody
jeszcze są niewielkie, dlatego jechali głównie stępa,
chwilami lekkim kłusem, żeby od razu jej nie przeforsować. Mniej więcej po półgodzinie rozbolały ją uda.

– Nogi mnie bolą! – zawołała do jadącego przodem
Wiktora.

Obejrzał się do tyłu i wstrzymał konia, żeby zrów-
nać się z jej gniadoszem.

– Co mówiłaś?

– Mówiłam, że nogi mnie bolą. Mam słabe uda
i trudno mi utrzymać się w siodle.

– Jesteśmy już blisko domu, więc za chwilę będziemy na miejscu, a może wolisz zsiąść i odpocząć?

– Nie, jedźmy dalej, wytrzymam jeszcze trochę.

– Jesteś pewna, że dasz radę? – zaniepokoił się, że przecenił jej kondycję i jak na pierwszy raz pojechali zbyt daleko.

– Dam radę – zapewniła go i na potwierdzenie kiwnęła głową.

– W takim razie jedźmy na skróty przez łąkę, po drugiej stronie jest zagajnik, a za nim już dom.

Skręcili z drogi na miękką zieloną łąkę i ruszyli w kierunku domu.

– Za miesiąc będziesz miała rozprawę... Wezwanie przyjdzie pocztą na adres kancelarii – zaczął Wiktor. – Mam nadzieję, że skończy się na jednej, chyba że Leszek będzie się upierał i nie wyrazi zgody na rozwód. Wtedy sędzia będzie musiał przyjrzeć się okolicznościom, ale w tej sytuacji nie sądzę, żeby twój mąż chciał robić jakieś problemy.

Zerknął na Jagodę, ale była spokojna.

– To dobrze. Nie chciałabym prać brudów publicznie. To nie w moim stylu...

Teraz, po tym wszystkim, co jej zafundował Leszek, nie była już pewna, czy on też chce się rozwieść kulturalnie. Kiedyś stronił od konfliktów i unikał kłótni. Wtedy uważała, że nie jest zdolny do zdrady i nigdy by jej w ten sposób nie skrzywdził. Okazało się jednak, że go nie znała zbyt dobrze, a przynajmniej źle go oceniała. Możliwe więc, że w tym wypadku Leszek również nie zachowa się tak, jak się spodziewała. Kto wie, może jeszcze nieraz ją zasko- czy i to niekoniecznie pozytywnie.

Konie szły stępa, strzygąc uszami i parskając radośnie. Majowe słońce przyjemnie grzało, a świeża zieleń była już coraz bujniejsza. Jagoda rozejrzała się wokoło i wciągnęła w płuca pachnące lasem i łąką powietrze.

Kiedy była mała, co roku latem jeździła z rodzicami na wieś do dziadków. Spędzali u nich zawsze tydzień lub dwa w czasie urlopu ojca. Ostatni raz pojechali, gdy miała już szesnaście lat. To były ich ostatnie wesołe, wspólne wakacje. Jagoda zapamiętała to lato. Potem jesienią zmarł dziadek, a siedem miesięcy po nim babcia. Mama mówiła, że dziadkowie byli tak ze sobą zżyci, że żadne z nich nie chciało zostać samo na tym świecie. To, że dziadkowie tworzyli bardzo zgodną parę, Jagoda uważała wtedy za coś oczywistego. Dziadek Tadzio odnosił się do babci Basi w sposób wyjątkowo czuły i opiekuńczy, podobnie jak jej ojciec do matki albo Adam do Amelii. Kiedyś, gdy była już troszkę starsza, rodzice powiedzieli jej, że dziadkowie od dnia ślubu nie przespali osobno ani jednej nocy. Wtedy nie zrobiło to na niej większego wrażenia. Dopiero teraz rozumiała, jak wielkie uczucie ich łączyło. Wychodząc za mąż, była pewna, że jej małżeństwo okaże się podobne, ale się pomyliła. Dziadek nigdy nie zdradził swojej żony, a Leszek tak.

Jagoda przestała ściskać konia nogami, żeby dać odpocząć bolącym udom, i poluzowała wodze, co koń przyjął z wdzięcznością i opuścił łeb.

– Martwisz się? – zapytał z troską w głosie Wiktor.

– Nie bardzo, ale cały czas mam poczucie porażki. Przecież kończy się coś, co było dla mnie najważniejsze przez kilkanaście lat. Ten związek był sensem mojego życia. Mam wrażenie, że to małżeństwo trwało całe wieki.

Koń Jagody gwałtownie uniósł łeb i niespokojnie zaczął strzyc uszami.

– Podobno czasem coś starego musi się skończyć, aby zrobić miejsce nowemu, które niebawem musi nadejść – powiedział Wiktor.

Jagoda poczuła, że jej koń zaczyna nerwowo drobić nogami i rzucać głową. Ściągnęła nieco wodze w nadziei, że się uspokoi, ale zwierzę stawało się coraz bardziej niespokojne.

– Skróć mocniej wodze – rozkazał Wiktor, widząc, że coś jest nie tak.

Skrępowany w pysku wodzami Hołd wszedł w krótki kłus, ale szarpał łbem, starając się poluzować wędzidło, które go wstrzymywało.

– Co się dzieje?! – krzyknęła przerażona Jagoda.

– Cholera, on się zaplątał tylnymi nogami w jakieś druty! – zawołał Wiktor, próbując podjechać bliżej gniadosza, ale spłoszony koń odwrócił się w przeciwną stronę i nagle ruszył galopem, oddalając się od niego. – Kieruj go w moją stronę, skręcaj, spróbuję go złapać za uzdę! – wrzeszczał Wiktor, galopując tuż za nią.

Jagoda ze strachu napięła nogi, żeby lepiej trzymać się w siodle, zaparła się stopami w strzemionach

153

i maksymalnie odchylając się do tyłu, jak widziała na westernach, z całej siły na jaką było ją stać, ciągnęła wodze do siebie, chcąc zatrzymać oszalałego wierzchowca.

Tymczasem Hołd postanowił pozbyć się niewygodnego jeźdźca, który w panice szarpiąc wodze, tłukł go niemiłosiernie wędzidłem po zębach. Koń w jednej chwili wrył się przednimi nogami w ziemię, spuścił nisko łeb, a zaraz potem wygiął się, robiąc barani grzbiet, i podrzucił zadem w górę, wierzgając tylnymi kopytami w powietrzu. To wystarczyło, żeby przerażona Jagoda wystrzeliła do przodu jak z procy. Miała wrażenie, że jest na rodeo i właśnie próbowała okiełznać dzikiego mustanga. Na szczęście jakimś cudem nogi wysunęły jej się ze strzemion i zrobiwszy w powietrzu pokazowe półsalto, upadła na ziemię na lewy bark. Zakończyła popis efektownym fikołkiem, wypuszczając przy tym wodze z rąk. Spłoszony, oswobodzony koń pocwałował do stajni, a ona siedziała na ziemi, w oszołomieniu patrząc na biegnącego ku niej Wiktora.

– Nic ci nie jest?! Jesteś cała?! – zawołał zdenerwowany, ukląkł przy niej i mocno przytulił.

– Chyba nic – odparła, powoli dochodząc do siebie.

– Ależ ze mnie głupek – mówił cały czas, nie wypuszczając jej z objęć. – Po co ja cię namawiałem na tę jazdę? Mogłaś sobie zrobić krzywdę. Moja kochana. Nigdy bym sobie nie wybaczył, gdyby coś ci się stało.

– Boli mnie noga w kostce! – stęknęła.

– Pokaż.

Gdy zdejmował jej but i skarpetę, Jagoda krzyknęła z bólu. Wiktor ostrożnie obejrzał jej nogę.

– Nic dziwnego, że boli, już robi się siniak, chyba skręciłaś kostkę. Mam nadzieję, że to nie pęknięcie. Trzeba z tym do szpitala na prześwietlenie. Zaniosę cię do samochodu i pojedziemy.

Gdy Wiktor, dźwigając Jagodę na rękach, wyłonił się z zagajnika, zdenerwowany Adam już biegł im na spotkanie.

– Daj, ja ją poniosę – powiedział i wziął Jagodę na ręce.

– Skąd wiedziałeś? – wysapał zmęczony już Wiktor.

– Koń wrócił do stajni bez jeźdźca, to się domyśliłem – wyjaśnił Adam, gnając wielkimi susami przez trawnik. – Zaalarmowałem Amelię, czeka na nas na ganku... Nic ci nie jest, Jagódko?

– Tylko noga – jęknęła.

– Rzeczywiście, wygląda nieciekawie – stwierdził, patrząc na spuchniętą, siną kostkę, przypominającą banię.

– Na wszelki wypadek zawiozę ją do szpitala – powiedział Wiktor, otwierając samochód.

– Tak, tak, to dobry pomysł – odrzekł Adam, pakując ją na siedzenie pasażera.

– Chyba muszę zabrać dokumenty – zauważyła trzeźwo Jagoda. – Są w mojej torebce w pokoju.

– Oczywiście. – Adam odwrócił się w kierunku domu i zawołał: – Amelko, przynieś torebkę Jagody!

Wiktor starał się nie jechać zbyt szybko, bo gdy tylko dżip podskakiwał na wybojach, Jagoda jęczała, że boli ją noga. Na pierwszy rzut oka widać było, że coś z tą nogą jest nie tak, bo stopa i kostka spuchły, a krwiak stawał się coraz ciemniejszy. Na szczęście zanim wyruszyli, Amelia zrobiła jej okład z foliowych woreczków z lodem, zawiniętych w ręcznik, dlatego opuchlizna już się nie powiększała.

*

– Noga jest skręcona w kostce, a do tego pęknięta torebka stawowa – oznajmił lekarz, patrząc na zdjęcie rentgenowskie. – Na szczęście złamania nie ma. Trzeba będzie założyć lekki gips na tydzień lub dwa, żeby unieruchomić staw. Niestety, na początku będzie pani dokuczać ból, ale pielęgniarka zaraz poda zastrzyk znieczulający, a potem przepiszę jakieś środki przeciwbólowe.

Jagoda, siedząc na szpitalnej kozetce, słyszała jego słowa jak przez ścianę. Czuła, że robi jej się słabo.

– Panie doktorze – powiedziała.

– Tak, słucham?

– Jest mi niedobrze.

– Siostro, proszę podać pani naczynie.

Młoda pielęgniarka szybko podsunęła nerkę, ale po chwili mdłości ustąpiły.

– I proszę natychmiast wykonać dodatkowe badania, to mogą być objawy wstrząśnienia mózgu.

– Pani jest bardzo blada – stwierdziła rzeczowo kobieta. – Może położy się pani na chwilę?

Lekarz popatrzył uważnie na Jagodę.

– Już przeszło? – zapytał.

– Chyba tak. Panie doktorze – wciągnęła powietrze głęboko w płuca – takie napady mdłości mam od ponad miesiąca. Ostatnio czułam się lepiej i myślałam, że już się skończyły... Sądziłam, że to na tle nerwowym, bo ostatnie miesiące były dla mnie trudne, ale nie jestem pewna, czy mam rację...

– Często zdarzają się te wymioty?

– Na początku prawie codziennie rano, czasem kilka razy w ciągu dnia. Potem trochę rzadziej i jeszcze niekiedy miałam zawroty głowy.

Lekarz usiadł za biurkiem, otworzył duży zeszyt i zaczął coś notować.

– Hmm. W takim razie najpierw zadam pani kilka pytań, a potem zdecydujemy, jakie jeszcze badania będą konieczne, ale do domu pani dzisiaj nie wróci. Zatrzymamy panią w szpitalu do jutra na obserwacji. Czy pani jest w ciąży?

– Nie – zaprzeczyła zdecydowanie, lecz po chwili zastanowienia poprawiła się niepewnie: – chyba nie.

– Czy mężczyzna, który tu panią przywiózł, to pani mąż?

– Nie. To tylko znajomy. Przywiózł mnie, bo jeździliśmy razem konno, kiedy zdarzył się ten wypadek – wyjaśniła zmieszana.

– Rozumiem. – Lekarz pokiwał głową. – Siostro, proszę przekazać temu panu, że wszystko w porządku,

157

ale na wszelki wypadek pani zostanie do jutra w szpitalu.

– Teraz? – zapytała pielęgniarka, robiąc przy tym minę osoby jakby mało rozgarniętej, a może tylko mało doświadczonej.

– Tak, teraz. Ja tu sobie poradzę przez te kilka minut. – Spojrzał karcącym wzrokiem znad okularów na dziewczynę. – I niech już nie czeka! – dodał, gdy ta była przy drzwiach.

– Tak jest, panie doktorze – powiedziała pielęgniarka i posłusznie znikła za drzwiami.

– Kiedy miała pani robione ostatnie kompleksowe badania? – Lekarz ponownie zwrócił się do Jagody.

– Nie pamiętam. W każdym razie bardzo dawno temu – oświadczyła zgodnie z prawdą.

– No tak – mruknął jakby do siebie, a ona nie wiedziała, co to miało znaczyć.

*

Następnego dnia podczas porannego obchodu znajomy już lekarz podszedł do łóżka Jagody.

– Witam panią. Jak się czujemy?

– Dzień dobry, panie doktorze, czy już wiadomo, co mi dolega?

– Owszem. – Uśmiechnął się uspokajająco. – I nie ma pani powodu do zmartwień. Po wczorajszym wypadku nie ma żadnych obrażeń poza tą kostką. – Wskazał brodą na opatrzoną lekkim gipsem nogę.

– A te mdłości?

– A te mdłości, droga pani, to sama natura. Tak jak przypuszczałem, jest pani w ciąży. Dobrze, że zrobiliśmy wszystkie badania, bo przynajmniej mamy jasność, co się z panią dzieje. Jest pani w stanie błogosławionym i prawdopodobnie po Nowym Roku urodzi pani dziecko. Na szczęście wszystko w porządku – wyjaśnił z wyraźnie zadowoloną miną. – Gratuluję.

– Co takiego?!

– To tylko ciąża, te przykre objawy wkrótce powinny ustąpić. Potrzymamy panią jeszcze do jutra, żeby się upewnić, czy po tym wypadku nic się nie dzieje z płodem. A pani musi teraz dużo wypoczywać i prowadzić zdrowy tryb życia, odpowiednie odżywianie i te inne rzeczy. – Machnął ręką. – Sama pani wie. Po wyjściu ze szpitala radzę możliwie jak najszybciej udać się do swojego ginekologa.

Jagoda patrzyła na niego w osłupieniu i milczała.

To niemożliwe, myślała gorączkowo, jakim cudem... kiedy... To nie może być prawda. Może się pomylili?

– Panie doktorze, jest pan pewien, że nie zaszła jakaś pomyłka? Że to nie są objawy stresu?

– Na sto procent. A przy okazji, dzwonił ten pani znajomy od konnych wycieczek i pytał o pani zdrowie.

– Tak? – zachrypiała, czując jakąś dziwną gulę w gardle.

– Pozwoliłem mu odwiedzić panią po południu – oznajmił, odchodząc od łóżka.

Serce podskoczyło jej do gardła; bezsilnie opadła na poduszkę.

– Proszę się nie martwić, wszystko będzie dobrze. Do widzenia! – Lekarz pożegnał się i wyszedł z sali.

Jak to możliwe? Ciąża? Dziecko? Wprawdzie takie przypuszczenia już wcześniej przychodziły jej do głowy, ale odrzucała je, wierząc, że zawroty głowy i mdłości są spowodowane nerwami. To chyba jakiś cud. Przez tyle lat nic się nie zdarzyło, a teraz, kiedy rozpada się jej małżeństwo, szast-prast i będzie miała dziecko. Cóż za ironia losu. Wszystko się dzieje na opak, jakby ktoś specjalnie poplątał kolejność wydarzeń. Westchnęła głośno, zapatrzona w biały sufit szpitalnej sali. No i co ja mam teraz zrobić? – myślała. Na pewno nie usunę, to jasne. Jestem dawno po trzydziestce i jeśli w ogóle rozważać ciążę, to chyba najwyższy czas. Ale dziecko powinno mieć oboje rodziców, a w tym wypadku ojcem jest Leszek, z którym właśnie lada moment się rozwodzę. Z Wiktorem teraz też już nie mogę być, bo to nie jego problem. Niby z jakiej racji miałabym mu robić taki wątpliwy prezent, tym bardziej że on już ma swoje dziecko, które kocha, więc po co mu cudze... „Kochanie, możesz mnie mieć, ale teraz w ofercie jest tak zwana transakcja wiązana. Nowa oferta w ramach promocji obejmuje malutki prezencik w postaci *baby*, tak z okazji Nowego Roku". Zasłoniła twarz rękami. Chciało jej się wyć z rozpaczy. Biedny Wiktor, a tak dobrze się między nami układało...

Niczym slajdy przemknęły jej wspomnienia spędzonych z nim cudownych chwil, jak pomógł jej w lesie, gdy ugrzązł w błocie jej samochód, wspólne spacery i wieczory pod rozgwieżdżonym niebem, wycieczka nad jezioro i czerwona róża, którą przyniósł jej w dowód przyjaźni. Przyjaźni??? Nie! To był dowód miłości. Od dawna wiedziałam, że on coś do mnie czuje, i to jest coś więcej niż przyjaźń, chociaż na początku nie chciałam o tym myśleć. Zresztą to, co ja do niego czuję, to też nie jest tylko przyjaźń, ale coś o wiele głębszego... Ja go kocham! – krzyczało w niej wszystko aż do bólu. A może Wiktor to moja druga połówka i teraz stracę szansę na prawdziwe szczęście?

Trzy znaki... trzy znaki... – zastanawiała się gorączkowo. Co to mogło być w tamtym czasie? Hmmmm... Wiktor jest rozwodnikiem – to rozwód, w lesie zawołał *carpe diem* – to nowe wyzwania i życie na własny rachunek, a czerwona róża – to miłość i życie z Wiktorem, którego kocham. O rany!!! Po co ja wracałam do tego Leszka? Trzeba było tak się nie spieszyć, poczekać na rozwój wypadków i przemyśleć ostateczną decyzję. Ależ ze mnie kretynka. Co ja narobiłam? Jak ta głupia poleciałam na pierwsze skinienie Leszka. Wystarczył jeden telefon, żebym znowu mu się podporządkowała niczym jakaś niewolnica i jak niewolnica zostałam teraz z brzuchem i zrujnowanym życiem.

Trzeba powiedzieć o wszystkim rodzicom. O mój Boże! Rodzice! To będzie dla nich szok... Nie, żeby zmartwili się ciążą i perspektywą posiadania wnuka, ta wiadomość z pewnością wprawi ich w stan euforii, ale informacja o planowanym rozwodzie w takiej sytuacji zwali ich z nóg albo co gorsze, doprowadzi do zawału. Nie ma wyjścia, muszę się z nimi jak najszybciej zobaczyć i wszystko wyjaśnić. Jak ja sobie z tym wszystkim poradzę? Rany, ale się porobiło!

Magda... Kochana Magda miała rację. Muszę do niej zadzwonić!

Drżącymi rękami wygrzebała z torebki komórkę i wybrała numer.

*

– Jesteś pewna, że chcesz wyjść już dzisiaj? Może lepiej byłoby zostać do jutra, jak zalecił lekarz? – pytała zaniepokojona Magda, podając jej reklamówkę.

– Co to? – Jagoda zajrzała do torby.

– Tu masz trochę kosmetyków, szczoteczkę do zębów, pastę, grzebień i parę innych niezbędnych rzeczy, które zdążyłam kupić po drodze – wyjaśniła przyjaciółka. – Słyszałaś, co mówiłam? Nie wiem, czy powinnaś już teraz wychodzić ze szpitala. Co ci się tak spieszy?

– Dziękuję, jesteś nieoceniona – odparła Jagoda i odłożywszy torbę, zaczęła wciągać but na zdrową stopę. – Jestem pewna, że tak będzie najlepiej.

– Ale co się stało, że tak nagle chcesz jechać do rodziców? I w ogóle dlaczego nie z powrotem do Kozubków?

– Do Kozubków nie mogę, bo tam jest Wiktor. Do domu też nie, bo tam jest Leszek, pozostali mi tylko rodzice.

– Nie rozumiem. Nagle dostałaś jakiejś alergii na facetów?

– Opowiem ci po drodze.

– A Wiktor? Przecież mówiłaś, że ma przyjechać po południu do szpitala. Co pomyśli, jak się dowie, że tak nagle znikłaś?

– Wiktor, Leszek, nie chcę widzieć żadnego z nich – oświadczyła Jagoda, szybko rozczesując włosy. – Dlatego musimy się pospieszyć.

– Leszek też ma tu przyjechać? – Zdziwiona Magda z wrażenia aż przysiadła na brzegu łóżka.

– Nie, ale mam już tego wszystkiego dość. Muszę odpocząć i pomyśleć. – Jagoda na chwilę przerwała zapinanie guzików bluzki. – Jeśli chcesz wiedzieć, to szczerze mówiąc, nie wiem, czy dobrze robię. Już nic nie wiem. Muszę jechać do Szczyrku. – Przytuliła się do Magdy.

– Skoro tak mówisz, to nie ma sprawy.

Magda uznała, że teraz nie ma co drążyć. W końcu Jagoda jest dorosła i chyba wie, co robi. Jednak nadal dręczyło ją pytanie, skąd ten nagły pośpiech. Doszła do wniosku, że coś musi być nie tak i z pewnością jest to coś więcej niż tylko chwilowy kaprys.

– Dziękuję, że przyjechałaś. Mówiłam ci, że jesteś najlepszą przyjaciółką na świecie?

– Jasne, że jestem najlepsza. – Magda pogładziła ją po plecach. – Żebyś ty wiedziała, ile swoich planów musiałam pozmieniać, żeby tu do ciebie przygalopować na wezwanie, to w dowód wdzięczności postawiłabyś mi pomnik, ale w końcu po to ma się przyjaciółki od serca.

– Pomnika ci nie postawię, ale masz u mnie kolejne tiramisu, a u mamy zrobię ci prawdziwe bombardino – obiecała jej Jagoda.

– Już jedno tiramisu mi wisisz, bo przez tego niewiernego nie było okazji. To teraz wisisz mi dwa – podsumowała Magda z właściwą sobie skrupulatnością. – W takim razie jedźmy; liczę, że jeszcze dzisiaj spróbuję tego dino.

Jagoda oparła się na ramieniu Magdy i razem wyszły z sali. Na korytarzu spotkały lekarza, który przyjmował ją do szpitala.

– Do widzenia, panie doktorze – pożegnała się z nim Jagoda.

Zatrzymał się i z dezaprobatą kręcąc głową, powiedział:

– Nie powinna pani wychodzić na własne żądanie. – Skarcił ją surowym spojrzeniem. – No, ale skoro już tak pani zdecydowała, to proszę pamiętać, żeby w najbliższym czasie pójść do lekarza. Lepiej się upewnić, czy wszystko jest w porządku.

– Dobrze, obiecuję, że tak zrobię, panie doktorze.

– Ale pani nie powinna teraz tak kuśtykać, te podskoki wam nie służą – stwierdził na koniec.

Wam??? – powtórzyła w myślach Magda. Czyli komu? Ja nie kuśtykam, a podskoki Jagody przecież mi nie zaszkodzą.

– Przydałby się jakiś sprzęt – ciągnął lekarz. – Proszę tu chwileczkę poczekać, zaraz wracam. – Szybkim, sprężystym krokiem wszedł do pokoju lekarzy i po chwili wrócił, niosąc dwie szwedki. – Proszę, będzie pani wygodniej – powiedział, podając je Jagodzie.

– Och, bardzo dziękuję – ucieszyła się. – Ale to chyba własność szpitala?

– To moja własność, używałem ich kiedyś, jak miałem złamaną nogę, bo przeszarżowałem na nartach. Jak już mi zdjęli gips, to je tutaj zostawiłem z myślą, że może, nie daj Bóg – tu się uśmiechnął – jeszcze komuś posłużą. Proszę je wziąć, a jak już nie będą potrzebne, to mi je pani podrzuci do szpitala.

– Bardzo dziękuję...

– Nie ma za co i proszę uważać na siebie i bobo, do widzenia paniom. – Skłonił się z galanterią i odszedł.

Zjechały windą na parter, a potem ruszyły na parking, kierując się w stronę samochodu. Chodzenie o kulach okazało się nie takie proste, jak się Jagodzie wcześniej wydawało, ale szybko nabierała wprawy, a tymczasem idąca obok Magda kombinowała, co pan doktor miał na myśli, mówiąc „bobo”.

– Jagódko, co ten lekarz gadał o bobo? – zapytała w końcu, sadowiąc się na miejscu kierowcy. Czuła, że musi wyjaśnić tę kwestię, bo jak nie, to ciekawość rozsadzi ją jak stary bojler.

– Ufff. – Jagoda przystanęła przy drzwiach po drugiej stronie samochodu i nerwowo potarła czoło. – Jestem w ciąży.

165

– Coooo???!

– Będę miała bobo. – Uśmiechnęła się na myśl o dziecku, po czym z wysiłkiem, stękając, wpakowała się do auta.

– Ależ to fantastycznie! Gratulacje!!! – Magda uściskała ją z całej siły. – Ale... – Odsunęła się i popatrzyła jej w oczy. – Czyje to dziecko?

– Jak to czyje? Oczywiście, że Leszka – obruszyła się Jagoda.

– Oj, chyba się narobiło. Teraz zaczynam rozumieć twoją desperację.

– To dobrze, że już rozumiesz. Dlatego chcę cię mieć przy sobie, jak będę rozmawiała z rodzicami. Musisz mi pomóc. Mam nadzieję, że nie odmówisz. Proszę.

– A co ja mam robić? Reanimować panią Marysię, kiedy dostanie apopleksji od tych rewelacji?

– Będziesz mnie wspierać swoim autorytetem.

– No to mam przegwizdane.

– Na to wygląda – stwierdziła Jagoda, sadowiąc się wygodniej.

Magda przekręciła kluczyk w stacyjce i powoli wyjechały z parkingu, po czym skręciły w kierunku drogi wylotowej z miasta.

– Zdajesz sobie sprawę, że ucieczka do rodziców niczego nie rozwiąże? – spytała rozsądnie Magda, wrzucając czwórkę.

– Wiem, ale co mam teraz zrobić?

– Tego to ja już nie wiem. Jak dla mnie, to ostatnio za dużo się dzieje. Już przestaję za tobą nadążać.

Milczały przez chwilę, bo Magda musiała się skupić na drodze, dopóki nie wyjadą z miasta, w którym w godzinach szczytu był jeden wielki korek. Na wylotówce znów zaczęła przepytywać Jagodę.

– Kiedy to się stało?

– Przed świętami, jak wróciłam do domu. Leszek był taki czuły i troskliwy...

– Jagoda, bardzo cię przepraszam, ale nie masz szesnastu lat, jak to się stało, że tak nagle straciłaś zdrowy rozsądek? Postanowiłaś zajść w ciążę, żeby uzdrowić wasz związek, czy co?

– Oszalałaś?! Nawet przez myśl by mi nie przeszło, żeby w taki sposób wykorzystywać dziecko. Przecież mnie znasz, nigdy bym nie zrobiła czegoś podobnego. Poza tym nie zaszłabym świadomie w ciążę bez wcześniejszej aprobaty Leszka. To czysty przypadek, traf, cud, wpadka czy jak tam sobie chcesz to nazwać.

– Ale nie usuniesz? – zapytała Magda, aby się upewnić co do zamiarów przyjaciółki, żywiąc jednocześnie nadzieję, że kłopoty i przykre doświadczenia ostatnich miesięcy nie pomieszały jej doszczętnie w mózgu.

– Magduniu – Jagoda spojrzała na nią z wyrzutem – znasz mnie prawie dwadzieścia lat, a zadajesz mi tak niedorzeczne pytania. Oczywiście, że nie usunę. Nigdy bym sobie tego nie wybaczyła i całe życie dręczyłyby mnie koszmary. Jasne, że chcę je mieć, i to absolutnie nie podlega żadnej dyskusji.

– Dzięki Bogu – stwierdziła z ulgą tamta. – Cieszę się, że twoje trybiki nadal pracują. Przez chwilę

się bałam, że może ten upadek coś ci uszkodził. –
A po chwili, uderzając otwartą dłonią w kierownicę,
krzyknęła: – O kuropatwa blada!! Ale się cieszę, będę
ciotką!

W tym momencie zadzwoniła komórka. Jagoda
wygrzebała z torebki telefon, spojrzała na wyświetlacz, po czym z powrotem wrzuciła aparat do torby.

– Hej! Nie odbierzesz? – zdziwiła się Magda.

– Nie.

– Kto dzwonił?

– Wiktor.

– A co on ci zrobił, że nie chcesz z nim rozmawiać?

– Nic. Tylko na razie nie jestem gotowa na taką
rozmowę. Poza tym, co ja mu powiem? Cześć, kochany, wybacz, romansik już nieaktualny, bo właśnie
spodziewam się dziecka mojego byłego męża?

– Może nie w ten sposób, ale chyba należy mu
się jakieś wyjaśnienie. Znikasz bez słowa ze szpitala,
nie odbierasz telefonu... to trochę nie w porządku,
zwłaszcza że, jak mówiłaś, coś między wami jednak
zagrało.

– Masz rację, ale nie wiem, jak mu to powiedzieć.
Po prostu jest mi cholernie wstyd, że tyle namieszałam. Czuję się, jakbym go zawiodła.

Samochód płynnie pokonywał kolejne kilometry,
a dobra pogoda sprawiała, że jazda była całkiem przy-
jemna.

Magda rzeczywiście świetnie sobie radzi z autem,
pomyślała Jagoda, obserwując przyjaciółkę. Widać, że

lubi jeździć i chyba lubi też to autko. Nazywa tę swoją toyotę corollę Toti. Ładnie, uśmiechnęła się do siebie. Położyła głowę na oparciu i przymknęła powieki. Dlaczego ja nie jeżdżę samochodem? – zadała sobie pytanie. Czemu nie mam swojego samochodu? Zrobiłam prawo jazdy jeszcze na studiach, a potem nigdy nie jeździłam. Zawsze tylko Leszek prowadził. Sama nigdzie się nie ruszałam, a w razie konieczności korzystałam z taksówek albo komunikacji miejskiej. Powinnam bardziej się usamodzielnić. Westchnęła ciężko. Teraz będę musiała.

Znów zadzwonił telefon, ale nawet nie sięgnęła do torebki. Po chwili jednak, gdy melodyjka ogłosiła przyjście esemesa, wyjęła komórkę i przeczytała wiadomość:

Cześć, kochanie. Byłem w szpitalu, powiedziano mi, że wyszłaś na własne żądanie. Gdzie jesteś? Martwię się o Ciebie. Kocham. Wiktor.

Jagoda zacisnęła powieki, żeby powstrzymać łzy napływające do oczu.

– Od kogo?

– Od Wiktora.

– Co pisze? Na pewno się martwi.

– Nieważne – ucięła. Było jej głupio i przykro, ale nie chciała dłużej się tłumaczyć.

– Jak sobie chcesz. – Magda wzruszyła ramionami i umilkła, skupiając się na prowadzeniu auta.

Mijały przydrożne bary, zajazdy i motele, których właściciele wystawili już stoliki do ogródków. Wielu podróżnych chętnie korzystało z możliwości zjedzenia posiłku lub choćby wypicia kawy na świeżym powietrzu. Coraz częściej na parkingach pojawiały się samochody osobowe wypchane bagażami i sprzętem sportowym, co świadczyło, że sporo osób wyjeżdżało na wakacje, korzystając z przedsezonowych promocji w domach wczasowych i hotelach.

Od dłuższego czasu jechały bez postoju i Jagoda była zmęczona. Zaczynała jej dokuczać skręcona kostka.

Mniej więcej po dwudziestu minutach komórka znów dała znać o przyjściu esemesa.

Skarbie, co się z Tobą dzieje? Odchodzę od zmysłów, bo nie wiem, gdzie jesteś. Amelia i Adam też się martwią. Odezwij się. Kocham Cię. Wiktor.

– Wypijemy kawę – zdecydowała Magda, zjeżdżając z szosy na parking przed motelem. – I coś zjemy, bo w pośpiechu nie zdążyłam przygotować żadnych kanapek na drogę. Mój żołądek zaczyna już kwilić jak niemowlę, nomen omen.

– Magda, zadzwoń, proszę, do Amelii i powiedz, że odebrałaś mnie ze szpitala i nic mi nie jest... przeproś ich w moim imieniu... i podziękuj za wszystko... Tylko nie mów, gdzie jestem.

– Dobra, dobra, okej, przecież chodziłam do renomowanej szkoły i głąbem nie jestem. Wiem, co mam mówić.

– Przepraszam – zreflektowała się Jagoda. – Twoja wyjątkowa inteligencja jest poza wszelką dyskusją, ale...

– Teraz trochę ci głupio – weszła jej w słowo Magda, zamykając samochód. – Z całym szacunkiem, ale to nie *W-11* i nie ukrywasz się przed mafią, tylko przed przyjaciółmi, cholera jasna!

– Sorry, masz rację, ale sama widzisz, jak mi trudno zebrać się na odwagę. Zawsze sądziłam, że moja pierwsza ciąża będzie zaplanowana i wyczekiwana, a nie zaskoczy mnie w najmniej odpowiednim momencie, kiedy życie mi się sypie! Magda, tyle się ostatnio dzieje, że nie mogę nadążyć, i zupełnie zgłupiałam.

– Widzę. – Magda spojrzała na nią z politowaniem, ale szczerze jej współczuła, więc już po chwili dodała łagodniej: – Okej, głowa do góry! Nie jesteś sama, bo masz mnie, najlepszą przyjaciółkę pod słońcem, która ostatnio przekracza powszechnie przyjętą normę wyciągania cię z tarapatów.

– I dzięki Bogu – podsumowała z wdzięcznością Jagoda, uśmiechając się do niej.

– A jeszcze niedawno mówiłaś, że teraz weźmiesz życie w swoje ręce i będziesz samodzielna. Szybko zapomniałaś o swoich postanowieniach. Gdzie ta odwaga, którą kipiałaś, kiedy pakowałaś swoje manatki?

– No widzisz? To znaczy, że do samodzielności trzeba dojrzeć albo jakoś się jej nauczyć – stwierdziła Jagoda, z wysiłkiem kuśtykając na szwedkach. – Widać ja jestem gorszą kretynką, niż przewidują statystyki, i potrzebuję więcej czasu, żeby stać się dorosłą.

Magda przystanęła, podparła się pod boki i z przymrużonymi oczami powiedziała:

– Wiesz co? Jak urodzisz dziecko, to bardzo szybko dorośniesz, jestem o tym święcie przekonana. – Pogroziła Jagodzie palcem.

Wieczorem podjechały pod dom rodziców Jagody. W oświetlonym oknie pojawiła się jakaś postać, a po chwili na ganek wybiegł niewysoki starszy mężczyzna.

– Wszelki duch Pana Boga chwali! – zawołał na widok Jagody próbującej wygramolić się z auta. – Prędzej bym się spodziewał najazdu kosmitów. Matka! Chodź szybko, córcia przyjechała! – krzyczał radośnie, biegnąc, by się przywitać z niespodziewanymi gośćmi.

Jagoda, będąc jeszcze u Kozubków, kilkakrotnie dzwoniła do rodziców, ale nie pisnęła ani słowem o sytuacji z Leszkiem. Nie chciała ich denerwować i uznała, że lepiej będzie powiedzieć im o wszystkim osobiście. Na pytania, kiedy oboje przyjadą, odpowiadała wymijająco, że nie mogą, bo Leszek ma teraz dużo pracy i w żaden sposób nie uda im się wyrwać z Wrocławia. Dzisiaj też nie powiadomiła ich o swoim przyjeździe. Wiedziała, że usłyszawszy o szpitalu, będą się niepotrzebnie denerwowali i wyobrażali sobie nie wiadomo co. Chciała im tego oszczędzić.

– Cześć, tato!

– A co ci się stało, córeczko? – zapytał zaskoczony, gdy Magda podała Jagodzie szwedki. – Co z twoją nogą? Złamana?

– Och, nic takiego, drobiazg, tylko skręcona – odparła, całując ojca w oba policzki.

– O! I Magdusia jest! – ucieszył się, podchodząc, żeby ją wyściskać, jakby była jego drugą córką.

– Dobry wieczór, panie Janie, jak miło pana widzieć – powiedziała Magda, odwzajemniając serdeczne przywitanie.

– A cóż to tak mało bagażu? – zdziwił się, widząc, że Magda wyjmuje z bagażnika jedną torbę mikroskopijnych rozmiarów.

– Chodźmy, tato, do domu, tam sobie pogadamy – odezwała się szybko Jagoda, wyręczając Magdę z konieczności tłumaczenia sytuacji.

*

Dom państwa Marii i Jana Wierszyckich stał na obrzeżach Szczyrku, w spokojnej okolicy w pobliżu lasu, i wyglądał dość osobliwie. Można powiedzieć, że reprezentował styl eklektyczny, który bardziej bawił, niż zachwycał. Wybudowany w czasach głębokiej komuny modny wówczas tak zwany klocek, przyozdobiony był ludowymi, regionalnymi elementami, między innymi drewnianą boazerią, okiennicami i rzeźbionymi w stylu góralskim tralkami na ganku i tarasie z tyłu, wychodzącym na południe, z widokiem na szczyty gór. Można było się domyślić, że poprzedni właściciel, nie miejscowy, nieudolnie próbował przerobić go tak, aby charakterem wpasował się w tutejszy pejzaż. Niestety, ów zabieg okazał się chybiony i teraz dom nie tylko nie przypominał góralskiej chaty, ale nawet wyglądał jak nie z tej ziemi. Mimo to Wierszyccy docenili jego ukryte walory, a także znakomite położenie, i nie zrażając się wyglądem zewnętrznym, pokochali.

Chociaż byli zdecydowanymi mieszczuchami, wychowali się w dużym mieście i spędzili tam większość życia, jednak z miłości do gór kupili dom w Szczyrku. Stało się to niedługo po tym, jak ich jedyna córka wyszła za mąż i wyprowadziła się z rodzinnego trzypokojowego mieszkania w bloku. W tym czasie pan Wierszycki, jedyny żywiciel rodziny, gdyż pani Maria nigdy nie pracowała zawodowo, w ramach redukcji etatów został wysłany na zasłużoną, wcześniejszą emeryturę. Rodzice Jagody uznali więc, że nic już ich nie trzyma w mieście, za którym i tak nigdy nie przepadali, sprzedali mieszkanie i z radością przenieśli się w góry.

Dom nie był duży, ale i tak poza trzema pokojami na piętrze udało im się wygospodarować jeszcze dwa niewielkie pokoiki na parterze, z osobnym wejściem, dla ewentualnych gości. Korzystając z tego Magda, sama lub z mężem, przyjeżdżała tu od czasu do czasu poza sezonem, żeby odpocząć albo malować obrazy. Czuła się u państwa Wierszyckich jak w rodzinnym domu, a oni uwielbiali ją i traktowali jak drugą córkę. Dlatego zawsze, kiedy tylko nadarzała się okazja, z przyjemnością ich odwiedzała.

Teraz wszyscy czworo jedli śniadanie na tarasie w cieniu wielkiego ogrodowego parasola, bo o dziesiątej rano słońce grzało już dość mocno i raziło w oczy. Obie przyjaciółki, jeszcze w szlafroczkach,

Jagoda w swoim żółtym, a Magda w pożyczonym od pani Marii, w ciemnofioletowe kwiaty na bladofiołkowym tle, rozkoszowały się ciepłym, słonecznym dniem i widokiem gór, którego na co dzień nie miały.

– Dzwoniłaś do Kozubków? – spytała zaniepokojona Jagoda, odkładając nadgryzioną kanapkę na talerz.

– Jasne, jeszcze wczoraj wieczorem – odparła Magda. – Bardzo się martwili, ale... odniosłam wrażenie, jakby Amelia nie była tym wszystkim zaskoczona. Hmm... to dziwne – dodała w zamyśleniu. – Amelia mówiła, że Wiktor odchodzi od zmysłów, bo sądzi, że obraziłaś się na niego za ten wypadek.

Jagoda westchnęła ciężko i spojrzała na górskie szczyty w oddali, które coraz wyraźniej wyłaniały się z rozstępujących się chmur.

Państwo Wierszyccy dopiero teraz dochodzili do jako takiej równowagi psychicznej po rewelacjach, jakie usłyszeli wieczorem. Gdy tylko Jagoda z Magdą weszły do domu i dopełniły ceremonii powitania, pani Maria, tknięta złym przeczuciem, zaczęła się dopytywać, co się stało, że tak nagle i bez zapowiedzi przyjechały. W wielkim pośpiechu przygotowała im kolację, po czym usiadła obok męża i niespokojnie zerkała to w jego, to w ich stronę, czekając, aż posiłek dobiegnie końca i wreszcie usłyszą, co się dzieje.

Ostrożnie dawkując informacje, Jagoda zrelacjonowała zdarzenia z ostatnich miesięcy, na co pani Maria zaczęła okazywać skrajnie różne reakcje. Na wieść, że Leszek ma kochankę, przeraziła się i krzycząc „o mój Boże!", położyła rękę na klatce piersiowej w okolicach serca, ciężko przy tym oddychając, co sprawiło, że wszyscy myśleli, iż właśnie dostała zawału. Z kolei pan Jan próbował uspokoić żonę, czule głaszcząc jej rękę, by jak najszybciej usłyszeć dalszy ciąg historii córki. Kiedy pani Maria dowiedziała się, że Jagoda wniosła pozew o rozwód, zaczęła histerycznie szlochać, aż pan Jan musiał interweniować i w pośpiechu zaopatrzywszy żonę w całą rolkę papierowych ręczników przyniesionych z kuchni, jedną ręką poklepywał ją po plecach, a drugą wachlował serwetką, co chwila powtarzając: „Już, już, uspokój się, Marysiu, teraz rozwody to statystycznie normalna rzecz".

Po dłuższym czasie, gdy mama wyczyściła nos i jako tako doszła do równowagi, Jagoda, czując spore zdenerwowanie, przeszła do dalszego ciągu opowieści. Wtedy to usłyszawszy o ciąży, pani Maria wpadła niemalże w stan euforii i mocno uścisnęła córkę, jeszcze bardziej zalewając się rzewnymi łzami, tym razem ze szczęścia.

Rewelacje, które Jagoda niespodziewanie przekazała rodzicom, sprawiły, że pani Maria do drugiej w nocy nie mogła usnąć, podobnie jak pan Jan, gdyż żona, nie zważając na późną porę, bez przerwy go budziła, chcąc się z nim podzielić nowymi przemyśleniami. W końcu doszedł do wniosku, że sen szlag trafił. Widząc, że małżonka jest bardzo podekscytowana i nie spocznie, póki nie wyrzuci z siebie wszystkich obaw i lęków o przyszłość ich jedynego dziecka, wstał z łóżka i zszedł do kuchni. Zaparzył dwa kubki herbaty miętowej i przyniósł je do sypialni. Potem, siedząc na łóżku i popijając świeży napar, rozmawiali jeszcze długo, zastanawiając się, czy to dobrze, że Jagoda, będąc w ciąży, chce się rozwieść z Leszkiem, i jak mogliby pomóc córce w nieszczęściu.

– Kim jest Wiktor? – zwrócił się do Jagody pan Jan, przypomniawszy sobie teraz szczegóły z wczorajszej opowieści córki.

– Znajomy, z którym jeździłam konno, to on odwiózł mnie do szpitala – odparła szybko, nie dopuszczając, żeby Magda niechcący coś chlapnęła.

– Aha. – Pan Jan pokiwał głową w taki sposób, jakby chciał powiedzieć: już ja dobrze wiem, że nie mówisz nam wszystkiego.

– A Leszek dzwonił? – zapytała Magda, zerkając na Jagodę.

– Uhmm, późnym wieczorem dzwonił na komórkę, ale nie odebrałam, bo byłam już w łóżku i zasypiałam – odrzekła, zabierając się do jedzenia, a Magda spojrzała na nią z politowaniem.

– O, właśnie! – przypomniała sobie pani Maria. – Lesio dzwonił rano na stacjonarny i pytał, czy jesteś u nas, ale powiedziałam, że jeszcze śpicie, bo byłyście zmęczone po podróży. Mówił, że usłyszał od Radka, że miałaś wypadek. Dzwonił do szpitala i dowiedział się, że już wyszłaś, a potem dzwonił do ciebie na komórkę, ale nie odbierałaś.

– Co jeszcze mu powiedziałaś, mamo?

– Nic takiego. – Pani Maria niewinnie wzruszyła ramionami. – Pytał, jak się czujesz, to mu

177

powiedziałam, że dobrze. Zadzwoni później jeszcze raz.

– Czy on wie o dziecku? – Pan Jan znów zareagował niczym czujny psycholog.

– Jeszcze nie – odparła Jagoda, przełykając kęs pomidora.

Pan Jan cały czas bacznie przyglądał się córce, jakby chciał prześwietlić jej mózg i znaleźć wszystkie informacje, których był ciekaw.

– Mam nadzieję, że wkrótce zamierzasz go o tym poinformować. Ma prawo wiedzieć.

– Jasne, tato – zniecierpliwiła się Jagoda, przerywając smarowanie następnej kromki chleba, przy czym machnęła nożem tak energicznie, że spadł z niego kawałek masła i przykleił się Magdzie do ręki. – Po prostu jeszcze nie miałam okazji. Przecież sama dowiedziałam się o tym dopiero wczoraj – dokończyła, patrząc na rozpaćkane masło.

– Hola, hola! – zirytowała się Magda. – Jak na mój gust, ostatnio zbyt często przejawiasz skłonności do marnowania jedzenia. Pomyśl o tych biedakach głodujących w Zimbabwe. – Wytarła dłoń papierową serwetką i dodała: – Swoją drogą, popatrz na to wszystko z pozytywnej strony, przynajmniej wiesz, kto jest ojcem.

Wszyscy jednocześnie spojrzeli na nią ze zdumieniem, ale mimo że nikt nie skomentował jej słów, jakoś dziwnie się skurczyła, czując ogólną dezaprobatę.

– Upsss... – pisnęła zawstydzona, czerwieniąc się jak dojrzewający pomidor.

– Mamo, ten twój znajomy lekarz jeszcze przyjmuje? – Jagoda szybko zmieniła temat.

– Mówisz o doktorze Maju?

– Przecież to ginekolog – wtrącił pan Jan.

– A do kogo ma teraz iść, do chirurga plastycznego? – zganiła go pani Maria. – Przyjmuje w szpitalu i w swoim gabinecie. Pamiętasz, gdzie mieszka?

– Tak, pamiętam – przytaknęła Jagoda.

– No właśnie, i w domu ma prywatny gabinet. Przyjmuje w czwartki i piątki od szesnastej. Są jakieś problemy z ciążą? To początek, więc musisz bardzo uważać – zaniepokoiła się mama.

– Nie, nic się nie dzieje, ale lekarz w szpitalu powiedział, że powinnam być pod stałą kontrolą – uspokoiła ją Jagoda. – Muszę się umówić na wizytę.

– Tak, możesz to zrobić telefonicznie, później dam ci jego prywatny numer.

– Dzięki, mamo.

W salonie odezwał się sygnał telefonu. Pan Jan poszedł odebrać i po chwili wrócił na taras.

– Jagódko, Leszek dzwoni, idź i porozmawiaj z nim.

Jagoda przewróciła oczami, po czym posłusznie wstała od stołu. Oparła się na szwedkach i z przerażoną miną, jakby szła na szafot, posłusznie pokuśtykała do pokoju.

– Halo! – zawołała do słuchawki.

– Cześć, mała! – usłyszała spokojny głos Leszka. – Jak się czujesz?

– Dziękuję. Zważywszy na okoliczności, całkiem dobrze – odparła.

Leszek milczał przez chwilę, a ona zastanawiała się, jak mu przekazać najnowsze wieści. Czuła się niezręcznie i obawiała się jego reakcji. Nie wiedziała, czy na wiadomość o ciąży mąż się ucieszy, czy też wpadnie w złość. W tych okolicznościach może też mieć wątpliwości, czy dziecko jest jego. Skoro on sam zdradzał, to gotów pomyśleć, że ona też byłaby do tego zdolna. Oparła kule o ławę i usiadła w ulubionym bujanym fotelu ojca, stojącym tuż przy stoliku z telefonem.

– Mówiąc o okolicznościach, masz na myśli wypadek i skręconą nogę?

– Nie tylko – odchrząknęła, czując dziwny ucisk w gardle. – Mówię o innych okolicznościach. Musimy poważnie porozmawiać, ale to nie jest rozmowa na telefon.

– Co chcesz przez to powiedzieć? – zaniepokoił się Leszek. – Coś nie tak z twoim zdrowiem?

– W pewnym sensie, ale chciałabym z tobą porozmawiać osobiście.

– Jagoda, co może być nie na telefon? Przestań kombinować i mów jaśniej, a nie zagadkami. Chcesz, żebym się denerwował? – zirytował się. – O co chodzi?

– Ale ja wolałabym w cztery oczy.

– A jak ty to sobie wyobrażasz, że ja nagle rzucę wszystko i pojadę do ciebie setki kilometrów, bo ty masz mi coś do powiedzenia? Wybacz, ale nie mam czasu. Mów, o co chodzi.

– No dobrze, jak chcesz! – podniosła głos. – Jestem w ciąży! – Odpowiedziało jej milczenie. – Będziemy mieli dziecko!

Po drugiej stronie nadal panowała cisza jak makiem zasiał. Jagoda nie słyszała najmniejszego szelestu ani nawet oddechu Leszka.

Padł już czy jeszcze stoi? – pomyślała, czekając na jakikolwiek dźwięk w słuchawce. Nic nie gruchnęło, to chyba jeszcze nie stracił przytomności, stwierdziła logicznie.

– Chcesz powiedzieć... że to... moje dziecko? – wydukał po dłuższej chwili.

– Tak, właśnie to chcę powiedzieć.

– Jesteś pewna?

– Tak, jestem pewna, jak tego, że mam trzydzieści trzy lata, męża, który ma kochankę, i rozwód w perspektywie – odparła zjadliwie. – Na sto procent, nie ma innej opcji. – Poczuła, że najgorsze już za nią, i to ją uspokoiło. – To stało się przed świętami, kiedy wróciłam do domu.

– Ale jak to możliwe?

– A jak myślisz? Mam ci tłumaczyć, skąd się biorą dzieci? Oboje w tym uczestniczyliśmy.

– Eeee, w takim razie... chyba rzeczywiście musimy się spotkać. No to może przyjadę do Szczyrku w ten weekend?

– Jak chcesz, możesz przyjechać.

– Rodzice wiedzą o naszych problemach?

– Wiedzą.

– O wszystkim?

– Tak, powiedziałam im. Musiałam. I tak długo trzymałam tę sprawę w tajemnicy.

– Jak myślisz, nie będą mieli nic przeciwko temu, jeśli się u was zjawię?

– Nie przesadzaj, znasz ich – stwierdziła Jagoda, myśląc jednocześnie, że właściwie ma całkiem w porządku rodziców.

– A o Beacie też wiedzą?

– Też wiedzą i bardzo się zmartwili, zwłaszcza mama, ale nie przejmuj się tym teraz, oni zaakceptują wszystkie nasze decyzje, cokolwiek postanowimy, nawet jeśli będą nie po ich myśli – uspokajała go, nie rozumiejąc, skąd się w niej bierze tyle troski i życzliwości, skoro właściwie powinna być wściekła za to, co jej zrobił. – Nie bój się, nie dosypią ci cyjanku do zupy pomidorowej.

– No dobrze, w takim razie spotkamy się w sobotę.

– Okej. Cześć! – Chciała już się wyłączyć, gdy usłyszała jeszcze, że Leszek ją woła.

– Jagoda! Jagoda!

Ponownie przyłożyła słuchawkę do ucha.

– Co? – zapytała zniecierpliwiona.

– Ee... chciałem ci powiedzieć, ee... że cieszę się z tego dziecka.

Uśmiechnęła się do siebie. To miłe z jego strony. Pomyślała, że to dziecko może mieć normalnych rodziców i przynajmniej nie będzie się czuło niekochane i odrzucone.

– Ja też. – Rozłączyła się i poczuła, że łzy napływają jej do oczu. Uświadomiła sobie, że ma ambiwalentne uczucia, radości i smutku. Z jednej strony cieszyła się na myśl o dziecku, a z drugiej była zła, że burzy ono jej plany i nadzieje na szczęśliwe życie z Wiktorem.

Stękając z wysiłku, powlokła się na górę do swojego pokoju po chusteczki i tabletkę przeciwbólową. Odruchowo spojrzała na komórkę. Jedno połączenie nieodebrane od Wiktora i jedna nowa wiadomość – też od Wiktora. Odczytała esemes:

Skarbie, dowiedziałem się, że u Ciebie wszystko w porządku i że wyjechałaś z Magdą, ale nie wiem dokąd. Przepraszam Cię za ten wypadek, wybacz mi. Błagam, zadzwoń. Bardzo Cię kocham. Wiktor.

Miała ochotę odpisać mu – „to Ty mi wybacz, ja też Cię kocham" – ale brakło jej odwagi. Trzy razy pisała wiadomość i kasowała. W końcu dała za wygraną. Po co to dalej ciągnąć, skoro już i tak wszystko się maksymalnie skomplikowało?

Wiedziała, że na pewno zawiodła Wiktora. Nie zdziwiłaby się, gdyby ją znienawidził za to, że znikła bez słowa wyjaśnienia i nawet nie oddzwania, ale wstydziła się z powodu tej sytuacji. Nie chciała się tłumaczyć z czegoś, co stało się poza jej wolą.

Gdybym miała dziecko wcześniej, zanim się poznaliśmy, wszystko wyglądałoby inaczej. Byłoby od razu jasne, czy Wiktor akceptuje fakt, że jestem matką, ale postawienie go teraz nagle w tak trudnej sytuacji byłoby chyba gorsze niż zniknięcie bez słowa, myślała, wycierając pełne łez oczy. W końcu chciał się ze mną związać, gdy jeszcze nie miałam dziecka, a teraz to wygląda tak, jakbym go zdradziła. Nie będę go zmuszać do wychowywania cudzego potomstwa. Może potem przez resztę życia miałby do mnie o to żal? A jeśliby się nie zgodził na taki układ i odszedł?

183

Byłaby to w pełni uzasadniona decyzja, ale kolejny raz poczułabym się odtrącona. Nie zniosłabym takiego upokorzenia. Chyba już nigdy nie mogłabym zaufać żadnemu mężczyźnie. Wolę nie wiedzieć, co by zrobił. Tak czy siak, Wiktor to już przeszłość. Nie zawrócę kijem Wisły. Teraz muszę myśleć o przyszłości mojego maleństwa.

Położyła telefon na kolanach i znowu zaczęła płakać jak dziecko. Nagle usłyszała pukanie, a po chwili drzwi się uchyliły i do pokoju zajrzała Magda.

– Mogę wejść? – zapytała.

– Wejdź – odrzekła Jagoda, wycierając nos.

Magda usiadła na łóżku obok niej i przytuliła ją mocno.

– Co się stało? To przez Leszka?

– Nie. – Jagoda pokręciła przecząco głową.

– Powiedziałaś mu o ciąży?

– Uhm.

– I jak to przyjął?

– Dobrze – chlipnęła i zrobiła głęboki wdech.

– No to o co chodzi?

– O to, że tak mi się wszystko pogmatwało i jestem przerażona... Magda, dlaczego mnie to spotkało, dlaczego nie mogę mieć spokojnego, normalnego życia jak inni... jak ty? Jeszcze niedawno byłam szczęśliwą mężatką i nie miałam żadnych większych zmartwień.

– No... ja nie wiem, dlaczego ostatnio tyle się na ciebie zwaliło, ale wierz mi, inni też mają kłopoty – odparła Magda. – Po prostu losowo padło tym razem na ciebie. Za to wiem, że sobie poradzisz. Teraz uważasz, że to cię przerasta, ale zobaczysz, za jakiś czas wszystko się ułoży. Jestem pewna, że będzie dobrze. Po prostu nie byłaś przygotowana na to, co się stało, ale na tym polega życie, że zawsze nas zaskakuje. – Poklepała ją po plecach.

– Chyba tak – zgodziła się z nią Jagoda, ocierając twarz.

– Przestań beczeć, bo mi już całą bluzkę zmoczyłaś, jeszcze się zbiegnie i będę musiała scedować ją na twojego bobasa, bo nikt inny się w nią nie zmieści. A zapewniam, że to moja ulubiona i trudno będzie mi się z nią rozstać – próbowała ją rozśmieszyć Magda.

Jagoda westchnęła i uśmiechnęła się do niej przez łzy, gdy nagle znów zadzwoniła komórka. Spojrzała na wyświetlacz.

– Poczta głosowa. Odsłucham – powiedziała, wybierając połączenie.

Cześć, mówi Wiktor. Nie odbierasz telefonu, nie odpisujesz na esemesy... – Umilkł na chwilę. – *Jagoda, nie wiem, co mam o tym wszystkim myśleć. Jestem zupełnie zdezorientowany... Jeśli się na mnie obraziłaś albo masz mnie dosyć i nie chcesz mnie już więcej widzieć, to wiedz, że uszanuję twoją decyzję i nie będę więcej do ciebie dzwonić ani cię nachodzić, czy w jakikolwiek sposób zakłócać twojego spokoju. Chciałbym tylko wiedzieć, dlaczego tak się zachowujesz i za co popadłem w taką niełaskę. Proszę tylko o kilka słów wyjaśnienia... To wszystko. Życzę ci zdrowia i... bądź szczęśliwa.*

Jego głos brzmiał chłodno. Czuła, że Wiktor jest bardzo zły i rozczarowany. Dopiero teraz do niej dotarło, że to już koniec i właśnie traci go bezpowrotnie.

Wyłączyła telefon i znów się rozpłakała.

– O matko! Co się stało?! – zdenerwowała się Magda.

– To wiadomość od Wiktora. On mnie znienawidzi za to, co mu zrobiłam. Miał taki zimny głos.

– Może powinnaś do niego zadzwonić i wyjaśnić, co się stało.

– Nie, nie chcę go obarczać moimi problemami, to by było nie w porządku. Dziecko pokrzyżowało wszystkie nasze plany. Poza tym wstyd mi.

– Skąd wiesz, że by cię znienawidził? Są mężczyźni, którzy akceptują dziecko z poprzedniego związku swojej ukochanej – odparła rozsądnie Magda. – Sądzę, że powinnaś mu o tym powiedzieć i przekonać się, jaki jest. Nie podejmuj decyzji za niego. Daj mu szansę.

– Ale ta ciąża nastąpiła w chwili, gdy już się poznaliśmy, czuję się, jakbym go zdradziła – szepnęła Jagoda, sięgając po kolejną chusteczkę. Nie potrafię tego wyjaśnić logiczniej.

– Wiesz co? Gadasz jak pijany do bambosza. Co za różnica, kiedy zaszłaś w ciążę? Przecież kiedy się poznaliście, byłaś mężatką, a wróciłaś do męża, bo wierzyłaś, że uratujesz swój związek. Nie zafundowałaś sobie przypadkowego kochanka i nie puszczałaś się na prawo i lewo. Twój powrót do domu to nie był skok w bok. Wiktor wiedział o wszystkim i nie powinien mieć do ciebie pretensji, że będziesz miała dziecko z mężem. – Mówiąc to, Magda popatrzyła uważnie na Jagodę. – Słuchaj, czy ty go kochasz?

– Bardzo.

– W takim razie, moim zdaniem, powinnaś się z nim spotkać i porozmawiać, ale zrobisz, jak uważasz. W końcu masz prawo podejmować własne decyzje, tylko żebyś potem nie żałowała.

– Magda, a może... może Wiktor nie jest mi pisany i dlatego teraz zaszłam w ciążę? Może nie powinnam się w nim zakochać?

– Tak się składa, że nikt nie wie, co mu pisane. – Przyjaciółka wzięła ją za rękę. – Chodź, teraz idziemy na kawę. Rodzice czekają i pewnie już się niepokoją.

*

Leszek przyjechał, tak jak obiecywał, w sobotę koło południa. Rodzice Jagody przyjęli go z radością i natychmiast zaprosili do stołu, bo przecież po takiej wyczerpującej podróży (raptem trzy godziny) zięć na pewno jest głodny. Mimo serdeczności okazywanej przez teściów był niepewny i nieco spięty.

Po posiłku Jagoda i Leszek wyszli na spacer, żeby spokojnie porozmawiać bez świadków. Wydawało im się, że polna droga, którą właśnie szli, wiedzie donikąd. Leszek zerwał źdźbło trawy i wziął je do ust. Jagoda, lekko utykając, wspierała się na szwedce. Początkowy ból kostki po kilku dniach zaczął stopniowo ustępować i teraz tylko niewygodny gips jej przeszkadzał.

Szli powoli, a za ich plecami wciąż jeszcze było widać dom rodziców. Nie spieszyli się, choć wiedzieli, że mają wiele rzeczy do omówienia.

– I co zamierzasz? – zapytał Leszek.

– A o co pytasz?

Przygryzł trawkę i nie wypuszczając jej z zębów, powiedział:

– Co do ciąży, to wiem, że zamierzasz urodzić to dziecko. Znam cię i spodziewam się, że żadne inne rozwiązanie nie wchodzi w grę, co bardzo mnie cieszy. Zresztą ja też chcę tego dziecka.

– No właśnie, to o co chodzi?

– O to, czy chcesz, żeby dziecko miało oboje rodziców.

– Oczywiście, że tak – odparła zdziwiona. – Przecież to dziecko ma już oboje rodziców.

– Oj, Jagoda – zirytował się. – Po prostu pytam, czy stworzymy mu normalną rodzinę, zamieszkamy razem i razem będziemy się nim opiekować?

– Razem będziemy się nim opiekować. Nigdy nie przyszłaby mi do głowy inna opcja. Nie będę utrudniać ci kontaktów z dzieckiem. Jesteś jego ojcem i masz do tego prawo. Dla mnie to oczywiste.

Leszek chwycił ją za nadgarstek, zatrzymał się i spojrzał jej głęboko w oczy. Chciała cofnąć rękę, ale ściskał ją jeszcze mocniej.

– Jagoda, uważam, że w tych okolicznościach mamy szansę. Wierzę, że dziecko pozwoli nam odbudować to, co straciliśmy przez ostatnie lata, kiedy monotonia stała się już nie do wytrzymania i kiedy zaczęliśmy się mijać, bo każde z nas stworzyło sobie swój własny świat. Ja wciąż w pracy...

– Albo z kochanką – przerwała mu, nie mogąc się powstrzymać od sarkazmu. Emocje, towarzyszące ostatnim wydarzeniom, znów dały o sobie znać. – Puść mnie!

Ze złością wyszarpnęła rękę, ale nie odsunęła się od niego. Stała, odważnie patrząc mu w oczy. Gdzieś w oddali zaszczekał pies. Zauważyła, jak Leszek na moment zacisnął usta. Znała ten grymas, który pojawiał się zawsze, gdy jej mąż czuł się niepewnie. Wiedziała, że zastanawiał się, co ma teraz powiedzieć. Nie zamierzała mu niczego ułatwiać. Czekała, aż sam zacznie mówić.

– Proszę cię, nie wracajmy do tego. To już przeszłość.

– Czyżby? A co z Beatą?

Spuścił wzrok i z westchnieniem podrapał się po głowie.

– Beata odeszła ode mnie. Znalazła lepszy obiekt zainteresowania.

– Naprawdę? Poznała się na tobie i uznała, że ten związek jest zbyt ryzykowny, bo nie jesteś stały w uczuciach – podsumowała z lekką satysfakcją.

Miała ochotę roześmiać mu się w twarz, ale wiedziała, że nie powinna. Powstrzymała się, chociaż nie było to łatwe.

– Daj spokój. Ten cały związek z Beatą był bez sensu, sam to widzę, więc nie musisz mi robić przytyków. Zachowałem się wobec ciebie jak dupek i teraz to rozumiem. Krzywdziłem cię, nie do końca zdając sobie sprawę, jak bardzo. Przepraszam. Ale teraz nie wracajmy do tego, bo przeszłości już nie zmienimy.

– Ale też nie wymażemy jej z pamięci – zauważyła.

– Masz rację, jednak ciągłe wałkowanie tego, co było, nie ma najmniejszego sensu. Po co kłócić się wciąż o to samo? – uciął. – Proszę cię, żebyś przemyślała moją propozycję. Byliśmy ze sobą szczęśliwi tyle lat, że szkoda nie spróbować jeszcze raz... od nowa.

– Już to słyszałam i o ile dobrze pamiętam, to już próbowaliśmy od nowa i jakoś nic dobrego z tego nie wynikło, zwłaszcza dla mnie – odparła.

– Słuchaj. – Chwycił ją za ramiona, tak że nie mogła się wyszarpnąć. – Będziemy mieli dziecko i to jest najważniejsze, poza tym teraz mamy na czym budować nasz związek i wierzę, że to może się udać. Chyba nie powiesz mi, że tobie jest zupełnie obojętne, w jakich warunkach będzie się ono wychowywało, w normalnej rodzinie czy tylko z matką, czekając na dojeżdżającego, niedzielnego tatusia... Jagoda, ja nadal cię kocham. – Znów popatrzył jej w oczy i nagle nachylił się, chcąc ją pocałować w usta, ale odwróciła głowę, robiąc unik. – Chcę się wami zaopiekować. Zastanów się nad tym.

Milczała zaskoczona tym, co zamierzał przed chwilą zrobić. Nie spodziewała się od niego takich deklaracji i zupełnie nie była na nie przygotowana. Zdawała sobie sprawę, że powrót do Leszka byłby najprostszym wyjściem, jednak w tej chwili jeszcze nie potrafiła podjąć decyzji.

– Przemyślę twoją propozycję, ale nie oczekuj, że zapomnę o tym, co mi zrobiłeś.

– Dobrze, mam tylko nadzieję, że kiedyś mi wybaczysz – powiedział cicho.

Odsunęła jego ręce i powoli ruszyła w kierunku domu.

– Już ci wybaczyłam, ale nie wiem, czy kiedykolwiek będę w stanie znów cię pokochać tak, jak kiedyś – rzuciła przez ramię.

*

Tydzień później Jagoda umówiła się na wizytę kontrolną do doktora Maja. Miała już zdjęty gips i chociaż jeszcze chwilami noga ją bolała, to i tak była szczęśliwa, że może się poruszać bez szwedek. Pojechała do lekarza taksówką, bo stojąc w autobusie, mogła przeforsować kostkę.

Gdy doktor Maj wysłuchał relacji o wypadku, zdecydował, że Jagoda ponownie musi wykonać wszystkie możliwe badania ginekologiczne i inne. Kilka dni później, oglądając wyniki, uznał, że cieszy się, iż w tej chwili nic jej nie dolega, ale mimo to zalecił czujność. W razie jakichkolwiek niepokojących objawów, w dzień czy w nocy, miała dzwonić na jego prywatny numer komórkowy.

– Czy coś pana niepokoi? – zapytała.

– Nie, w tej chwili wszystko w porządku, ale mówię to każdej pacjentce w ciąży. Ostrożności nigdy za wiele. – Z uśmiechem podał jej receptę.

– A to co?

– Trochę witamin i tabletki wzmacniające – wyjaśnił. – To standard. Proszę dbać o siebie i się nie przemęczać.

Po wyjściu z gabinetu zadzwoniła do redakcji. Umówiła się z panią Krystyną na kolejne dwa artykuły, które – jak ustaliły – Jagoda prześle pocztą elektroniczną.

Szła powoli ulicą zatopiona w myślach, przyglądając się witrynom. W pewnym momencie uświadomiła sobie, że od kilku minut stoi przed wystawą sklepu z rzeczami dla dzieci. Weszła do środka, żeby z bliska popatrzeć na te wszystkie cuda, które z pewnością niebawem będzie kupowała. Ekspedientka, drobna szczupła brunetka, była bardzo kontaktowa i zaraz nawiązała z nią rozmowę. Dowiedziawszy się, że Jagoda jest w ciąży, natychmiast złożyła jej gratulacje i pochwaliła się, że ma już dwuletnią córeczkę, która w ciągu dnia jest pod opieką babci. Dla Jagody było to ogromne zaskoczenie, gdyż dziewczyna wyglądała na bardzo młodziutką. Poczuła się przy niej staro. Nigdy wcześniej nie wzięła pod uwagę, że pierwsza ciąża w tak późnym wieku jest dość ryzykowna, chociaż teraz coraz więcej kobiet decyduje się na późne macierzyństwo. Pomyślała z rozbawieniem, że w takim razie powinna dziękować losowi za to, że za nią zdecydował, bo jakby poczekała jeszcze kilka albo kilkanaście lat, to jej dziecko mogłoby sobie pomyśleć, że ma dwie babcie, a żadnej mamy. Oglądała ubranka, zabawki, wózki, kombinezony, czapeczki i nie mogła się oderwać od tych pięknych kolorowych drobiazgów. W końcu kupiła śliczne, maleńkie wełniane buciki i parę śpioszków. Niektóre kobiety uważają, że przed porodem nie powinno się nic kupować dla dziecka, ale Jagoda bardzo chciała już coś mieć. Chciała się przekonać, jak to jest kupować takie maleńkie ubranka z myślą o kimś, kogo jeszcze nie ma na tym świecie, a kogo pojawienia dopiero się oczekuje. Pożegnała się z sympatyczną ekspedientką i zachwycona wyszła ze sklepu.

Idąc, myślała o tych pierwszych cudeńkach dla swojego przyszłego dziecka i nagle dotarło do niej, że jest bardzo szczęśliwa. To był całkiem nowy wymiar szczęścia. Ogarnęły ją podniecenie i radość, ale inne niż kiedykolwiek do tej pory. Zauważyła, że wokół jest kolorowo, a słońce świeci i grzeje tak przyjemnie, że czuła na sobie jego miłe ciepło. Pomyślała sobie, że ten świat nie jest taki zły, a ona wcale nie znalazła się w sytuacji bez wyjścia i tak naprawdę to nic złego się nie dzieje. Wiedziała, że tkwi w niej siła, jakiej nigdy przedtem nie miała, i doszła do wniosku, że na pewno ze wszystkim sobie poradzi, niezależnie od tego, czy zdecyduje się być z Leszkiem, czy sama.

Wyjęła z torebki komórkę i wybrała numer do Magdy.

– Magda, to ty?

– Jasne, że ja – usłyszała głos przyjaciółki. – Jakby moją komórkę odebrał ktoś inny, to byłaby jego ostatnia chwila w życiu. Co się stało? Masz jakiś inny głos.

– Słuchaj, przed chwilą kupiłam śliczne buciki dla niemowlaka i śpioszki – oznajmiła uradowana Jagoda.

– No, nareszcie reagujesz jak normalna kobieta, czyżbyś wracała do świata żywych?

– Nie śmiej się, to absolutnie fantastyczne. Byłam w sklepie i oglądałam wspaniałe ciuszki dla niemowląt. Nie masz pojęcia, jakie to wszystko cudne.

– Ja mam pojęcie, ale ty przez ostatnie tygodnie nie miałaś tej świadomości. Przestałaś widzieć jasną stronę medalu. Cieszę się, że zaczynasz myśleć pozytywnie. Już się obawiałam, że gdy po porodzie bobas zobaczy twoją skwaszoną minę, to dozna głębokiej traumy na całe życie – zażartowała Magda.

– Jeszcze, nie daj Boże, na widok przygnębionej matki postanowiłby wrócić tam, skąd przyszedł – odparła z rozbawieniem Jagoda. – Jak zwykle masz rację. Obiecuję ci, że już nie będę takim smutasem.

– Trzymam cię za słowo. Muszę kończyć, bo jestem w drodze do galerii Leśniewskiej i właśnie stoję na światłach. Za chwilę będę miała zielone. Przyjadę do ciebie na weekend z moim osobistym Radkiem, to sobie pogadamy. Mam nadzieję, że nas przenocujecie?

– Dobrze wiesz, że tak. Przecież moi rodzice cię uwielbiają, czasami nawet mam wrażenie, że bardziej ciebie niż mnie. Chyba zacznę być zazdrosna.

– Nie przesadzaj... O kurczę! Mam zielone, muszę kończyć. Do zobaczenia w piątek wieczorkiem! – rzuciła szybko i się rozłączyła.

Jagoda schowała komórkę do torebki i dopiero teraz zauważyła, że kilka kroków przed nią stoi jakaś atrakcyjna kobieta i bacznie ją obserwuje. Przyjrzała jej się dokładniej i rozpoznała w niej dawną koleżankę z liceum.

– Renata? – powiedziała zaskoczona.

– Jagoda! – wykrzyknęła radośnie tamta i rzuciła się jej na szyję.

– Skąd się tu wzięłaś? – zapytała Jagoda, uwalniając się z objęć Renaty.

– Przyjechałam na dwa tygodnie, żeby trochę odpocząć od tak zwanej codzienności i rutyny – wyjaśniła koleżanka. – Ale co za traf, że akurat ciebie tu spotkałam.

– No w moim przypadku to raczej normalne, że od czasu do czasu tu bywam. Przecież moi rodzice mieszkają w Szczyrku.

– A prawda, zapomniałam, że jesteś tutaj jakby u siebie. A co u ciebie słychać? – Przyjrzała się Jagodzie i dodała: – Świetnie wyglądasz.

Jagoda roześmiała się zadowolona.

– Ty też wyglądasz doskonale – odrzekła najzupełniej szczerze, bo rzeczywiście młodsza o trzy lata koleżanka wyglądała bardzo ładnie. Półdługie blond włosy, rozwiane górskim wiatrem, pięknie zaróżowiona cera, no i nadal doskonała sylwetka dodawały jej młodości i uroku.

Renata zawsze zaliczała się do tych dziewczyn, które do przesady dbają o swój wygląd. Jako jedyna córka bogatych rodziców była rozpieszczona i skupiona tylko na sobie. Nie szczędząc kosztów i wysiłku, robiła wszystko, żeby mieć wygląd wziętej modelki. Po studiach wyszła za mąż za trzynaście lat starszego, ale dobrze sytuowanego materialnie radcę, dzięki czemu nadal nie musiała sobie niczego odmawiać. Teraz, jak zawsze, ubrana była w modne ciuchy. Świetnie skrojony sportowy żakiet i wąskie spodnie podkreślały jej nienaganną figurę, a rewelacyjnie dobrane, zgodne z najnowszymi trendami w modzie buty i torebka dopełniały całości, dodając szyku swojej właścicielce. Zapewne wszystko zostało kupione w drogich sklepach. Nadal lubiła obwieszać się biżuterią; czasem, jak na przykład w tej chwili, nawet zbyt krzykliwą. Długie, wypielęgnowane tipsy ozdobione misternym kwiatowym wzorkiem i odważny makijaż robiły spore wrażenie. Wyglądało na to, że Renata niezmiennie hołduje tej samej filozofii co kiedyś – modnie i bogato.

– Słuchaj, teraz się spieszę, bo mam wizytę w spa, ale koniecznie musimy się umówić na jakieś spotkanie przy kawie.

– Jasne – zgodziła się Jagoda i spontanicznie, bez zastanowienia zaproponowała: – Wpadnij do nas w sobotę na obiad. Będzie miło, przyjadą Magda z Radkiem i Leszek. – Mówiąc to, już się zorientowała, że popełniła błąd, ale natychmiast odsunęła od siebie tę myśl. – Jesteś tu z rodziną?

– Niestety jestem sama. Dwa lata temu rozwiodłam się z Krzysztofem, a córka obecnie jest u niego.

Jagodzie włączył się brzęczyk alarmowy, ale zganiła się za to i uznała, że popada w paranoję.

– Bardzo mi przykro – odparła absolutnie szczerze, przypominając sobie swoje bolesne rozstanie z Leszkiem.

– Oj tam! – Renata lekceważąco machnęła ręką. – Nie ma tego złego, co by na dobre nie wyszło. Wierz mi, lepiej się rozwieść niż męczyć we dwójkę. Teraz przynajmniej Krzysiek częściej zajmuje się Anulką, czego wcześniej nie robił, a dzięki temu ja mam więcej czasu dla siebie. – Roześmiała się beztrosko. – No, muszę lecieć. W takim razie do soboty.

– Do zobaczenia! – zawołała za nią Jagoda, bo Renata, zarzucając rozpuszczonymi włosami, już pomachała jej ręką na pożegnanie i pospiesznie ruszyła ulicą.

Jagoda w radosnym nastroju wróciła do domu i oznajmiła rodzicom, że z ciążą jest wszystko w porządku, a w piątek przyjadą goście. Słysząc to, pani Maria z przerażeniem stwierdziła, że w tej sytuacji musi zrobić większe zapasy żywności, bo to, co jest w domu, może nie wystarczyć, zwłaszcza że przed chwilą dzwonił Lesio i też potwierdził swój przyjazd w piątek. Na to pan Jan polecił żonie, żeby natychmiast szykowała się do wyjścia, bo najdalej za godzinę wyjadą na zakupy. Pojechali sami, bo Jagoda oświadczyła, że zostaje w domu, gdyż jej kostka nie wytrzyma kilkugodzinnej wędrówki po markecie.

Gdy została sama, usiadła w swoim pokoju i otworzyła laptopa, odebranego przez Magdę od Kozubków wraz z pozostałymi jej rzeczami, które kurierem przysłała w paczce do Szczyrku.

Wyjeżdżając tak nagle, wprost ze szpitala, Jagoda zabrała tylko torebkę z dokumentami i telefonem, którą miała wówczas przy sobie. W domu rodziców też nie miała żadnych ubrań poza starym dresem, od lat używanym przy różnych pracach w ogródku. Wprawdzie pani Maria natychmiast przeszukała szafy i wybrała dla niej co mniejsze lub bardziej skurczone w praniu rzeczy, a pan Jan poświęcił się, oddając córce swoją najlepszą, prawie nową koszulkę, która sięgała Jagodzie do połowy uda, ale i tak było tego niewiele. Na szczęście przez pierwsze dwa tygodnie ze względu na kontuzjowaną nogę poruszała się głównie po ogródku, nie wypuszczając się do miejsc bardziej publicznych. A kiedy w końcu musiała wyjść z domu, paczka z rzeczami dotarła już do Szczyrku.

Otworzyła Worda i zaczęła pisać nowy artykuł, gdy nagle zadzwoniła komórka. Spojrzała na wyświetlacz, zobaczyła numer – Amelia. Przez kilka sekund wahała się, czy odebrać. Właściwie sama powinna wreszcie zadzwonić do Kozubków, ale wciąż odkładała to na później. Bała się, że Amelia będzie robiła jej wyrzuty, ale z drugiej strony wiedziała, że musi z nią porozmawiać i przeprosić. Czując zażenowanie, po czwartym sygnale odebrała telefon.

– Halo!

– Dzień dobry, tu Amelia Kozubek – usłyszała niepewny, cichy głos.

– Witaj, Amelio.

– Przepraszam, że dzwonię... Wiem, że nie odbierasz telefonów od Wiktora, ale pomyślałam, że na mnie chyba się nie gniewasz i zechcesz ze mną porozmawiać.

Jagoda poczuła się zawstydzona. W końcu Amelia z Adamem nie byli winni całej tej niezręcznej sytuacji i przecież w trudnych dla niej, Jagody, chwilach zachowali się jak najlepsi przyjaciele. Nie dzwoniła do nich, bo nie chciała, żeby jakieś informacje dotarły do Wiktora.

– Oczywiście, Amelio, to ja powinnam do was zadzwonić, ale tak jakoś... nie byłam gotowa na rozmowę, a poza tym było mi trochę głupio.

– Ależ nic nie szkodzi. Dzwonię, bo chciałam się dowiedzieć, czy u ciebie wszystko w porządku i czy nie potrzebujesz jakiejś pomocy.

– Wszystko dobrze, nic mi nie jest i nie musicie się o mnie martwić. Oboje z Adamem jesteście wspaniali. Dziękuję, że się o mnie troszczycie. Amelio, czy Hołdowi nic się wtedy nie stało?

– Rozciął sobie pęcinę o te druty, ale Adaś go opatrzył i rana już ładnie się zagoiła. To dlatego wtedy poniósł cię i zrzucił. Po prostu się wystraszył.

– Tak, wiem. To niczyja wina.

– Była u nas Magda po twoje rzeczy i mówiła, że masz się dobrze, ale nie chciała powiedzieć, gdzie jesteś.

– Bo ją o to prosiłam. Mam ważne sprawy i nie chcę was nimi obarczać.

– Jesteś pewna, że nie chcesz się z nami widzieć? – nalegała Amelia. – Wiktor jest załamany, bo nie rozumie, dlaczego popadł w taką niełaskę.

Jagoda przez chwilę milczała. Biedny Wiktor, nie wie, co tak naprawdę się stało, pomyślała ze smutkiem.

– Pozdrów go ode mnie i powiedz, że się nie gniewam... ani na was, ani na niego. Po prostu... pewne sprawy się skomplikowały.

– Powiesz coś więcej?

– Nie, wybacz, ale tak będzie lepiej. Nie chcę już nikomu zwalać na głowę własnych kłopotów, bo i tak już dużo namieszałam – tłumaczyła się Jagoda, czując coraz większe zażenowanie. Było jej bardzo przykro. – Amelio, jestem wam bardzo wdzięczna za wszystko, co dla mnie zrobiliście. Naprawdę to doceniam. Jesteście wyjątkowymi ludźmi, ale musiałam tak postąpić. Wiem, że z waszej strony może to wyglądać inaczej, ale uwierz mi, w tej chwili byłoby mi trudno spotkać się z wami, a tym bardziej z Wiktorem. Przepraszam.

– Rozumiem, przekażę mu to, co powiedziałaś – odrzekła Amelia z lekkim smutkiem. – W takim razie już nie przeszkadzam. Życzę ci zdrowia, Jagódko. Pamiętaj, że cię lubimy i zawsze jesteś u nas mile widziana.

– Dziękuję, jesteście mi bardzo bliscy. Nie gniewaj się.

– Nie gniewam się. Trzymaj się, Jagódko, i dbaj o siebie. W tym stanie musisz na siebie bardzo uważać. Nie lekceważ tego ostrzeżenia – powiedziała, tak jakby wiedziała o ciąży, ale Jagoda sądziła, że to raczej niemożliwe, bo Magda nigdy by nie zdradziła jej sekretu.

– Tak, Amelio, będę na siebie uważać. Dziękuję za wszystko. Do widzenia.

*

W piątek koło osiemnastej przyjechała Magda z Radkiem. Jagoda była tak szczęśliwa, że wszystkim udzielił się jej dobry humor.

– Wyglądasz tak promiennie, że cię nie poznaję – powiedziała z uznaniem Magda, gdy usiedli do kolacji.

– To prawda – dodał Radek. – Magda mówiła mi, że jesteś załamana i taka biedna, a ja widzę kwitnącą i pogodną kobietę. Nawet mówiła, że zbrzydłaś.

– Radek, ty świntuchu – oburzyła się Magda, dając mu kuksańca. – Jeszcze Jagoda w to uwierzy.

Jagoda roześmiała się i spojrzała ciepło na rodziców.

– Bo niedawno tak było, ale już się pozbierałam. Teraz najważniejsze jest to maleństwo – powiedziała, kładąc dłoń na brzuchu.

– Dobrze mówisz. Oto właściwe podejście. Dziecko to priorytet – potwierdził Radek, nakładając sobie na talerz solidną porcję sałatki.

– Mówisz, jakbyś się na tym znał – zgasiła go Magda.

– Po pierwsze, mój motylku, lubię dzieci, po drugie, mam wyobraźnię, po trzecie, jestem bardzo wrażliwym mężczyzną, a po czwarte, mam nadzieję wkrótce się o tym przekonać osobiście. – Mówiąc to, uśmiechnął się ciepło do żony.

– Właściwie to ja nie mam nic przeciwko temu, żebyś się przekonał. – Magda odwzajemniła jego czuły uśmiech.

– A wiesz już, czy to chłopiec, czy dziewczynka? – zapytał Radek, zwracając się do Jagody.

– Jeszcze nie.

– I dobrze, tym większa będzie niespodzianka.

– Komu dolać wina? – spytał pan Jan.

– Ja dziękuję, napiję się soku – oznajmiła Jagoda.

– Ja poproszę. – Magda ochoczo podsunęła kieliszek.

– Radek, a może wolałbyś coś mocniejszego, koniaczku albo jakiegoś drinka?

– Chętnie, lampkę koniaku po kolacji – odparł Radek.

Jagoda spojrzała wymownie na Magdę, co swoim bystrym okiem dostrzegła pani Maria.

– To my pójdziemy pozmywać naczynia – zaproponowała Magda, wstając od stołu. – Dziękuję za pyszną kolację.

– Ależ nie, Madziu, idźcie sobie posiedzieć na tarasie, taki ciepły wieczór – odparła pani Maria. – Ja sama pozmywam.

– To my z Radkiem pójdziemy do gabinetu – ucieszył się pan Jan, wykorzystując sytuację, bo znając zainteresowania Radka, wiedział, że będzie mógł się pochwalić świeżo nabytymi albumami i książkami popularnonaukowymi.

Jagoda z Magdą umościły się w wygodnych ogrodowych fotelikach na tarasie. Powoli zapadający zmierzch zasnuwał cieniem góry w oddali, a z prawej strony wolno opadające za horyzont słońce czerwoną łuną malowało niebo na zachodzie, oblewając złotem krawędzie grzebieniastych szczytów. Fioletowoszare kłęby chmur, nieustannie zmieniające kształty, płynęły leniwie po niebie, aby po dłuższej chwili zniknąć bezpowrotnie za kalenicą domu. W ogrodzie rozbrzmiewały subtelne odgłosy cykad, tworzące akustyczne uzupełnienie dla obrazów stworzonych przez samą naturę. Pogodny, ciepły wieczór nastrajał do sekretnych rozmów i refleksji.

Magda uwielbiała te górskie, malownicze zachody, których w mieście nie miała okazji oglądać. Jako malarka z wielką wrażliwością obserwowała ów widok, z zachwytem chłonąc jego piękno i niepowtarzalność.

– Istnieją malarze, którzy zamieniają słońce w żółtą plamę, ale są i tacy, którzy z pomocą swojej sztuki i inteligencji zmieniają żółtą plamę w słońce – powiedziała natchnionym głosem.

– Co mówisz?

– Nic takiego, tylko przyszły mi do głowy słowa Pabla Picassa – wyjaśniła, patrząc na znikającą powoli za widnokręgiem pomarańczową kulę.

– Ach tak. – Jagoda ze zrozumieniem pokiwała głową.

– Jak się czujesz? – zapytała Magda, odrywając wzrok od fascynującego obrazu.

– Dziękuję, świetnie.

– To nawet widać. Cieszę się. Ale chyba chciałaś ze mną o czymś pogadać?

– Tak – potwierdziła Jagoda. – Leszek chce, żebym do niego wróciła. Uważa, że powinniśmy razem wychowywać dziecko.

– Hmm... – Magda upiła łyk wina z kieliszka i wygodniej usadowiła się na miękkiej poduszce. – To przyzwoicie z jego strony, ale czy uważasz, że warto do niego wracać?

– No właśnie, nie jestem pewna.

– Już raz do niego wróciłaś i poniosłaś klęskę.

– Teraz nie ufam mu już tak, jak kiedyś. Myślę jednak, że może mu zależy na tym dziecku. – Potarła ręką czoło i westchnęła.

– A co z Beatą?

– Zrobiła go w trąbę i porzuciła jak stary, nikomu niepotrzebny kapeć... Przynajmniej on tak twierdzi.

– Patrz, jak się cwanizna na nim poznała! No to wypijmy za byłe kochanki. – Magda zaśmiała się, unosząc kieliszek do ust.

– Żebyś wiedziała – zachichotała Jagoda. – Panienka znalazła sobie lepszy obiekt zainteresowania. Zapomniałam tylko zapytać, czy bogatszy.

– No to teraz smutno mu w samotności. Nie ma do kogo się przytulić, więc doszedł do wniosku, że lepsza stara kołdra niż żadna – stwierdziła Magda. – A co z Wiktorem? Rozmawiałaś z nim?

– Nie. Dzwonił kilka razy, ale chyba już się pogodził z tym, że nie chcę z nim rozmawiać, i przestał.

– Nie za łatwo go sobie odpuściłaś? – Magda przyjrzała się jej uważnie, ale widząc niewyraźną minę Jagody, uznała, że nie warto drążyć sprawy. – No dobra,

Wiktora zostawiamy w spokoju, jednak zastanów się, czy Leszkowi wystarczy dziecko, aby dochować wierności żonie.

– Właśnie nie wiem, chociaż wydaje mi się, że bardzo mu zależy. Mam wrażenie, że dostał już za swoje i jest na dobrej drodze, żeby w przyszłości być wspaniałym ojcem.

– Dobrym ojcem może tak, ale czy także dobrym mężem? – odparła Magda. – Osobiście uważam, że Leszek ma poważny problem z utrzymaniem zapiętego rozporka. Na twoim miejscu byłabym ostrożna. Zastanów się nad tym, czy jego romans z Beatą nie powtórzy się za kilka miesięcy z inną kobietą. Czy mężczyzna, który zrobił to raz, a w tym wypadku można uznać, że zdradził cię jakby dwa razy, poprzestanie na tym i w przyszłości będzie przykładnym mężem? Kochasz go jeszcze?

– Kiedy byłam u Kozubków, wydawało mi się, że już go nie kocham, ale jak tu przyjechał i był taki skruszony, troszczył się o mnie i błagał, żebym dała mu szansę być ojcem... to miałam mieszane uczucia. W każdym razie chyba nie jest mi zupełnie obojętny. W końcu wiele nas łączy.

– Jeśli o mnie chodzi, to mężczyzna mógłby mnie zdradzić tylko raz, i to byłby jego pierwszy, a zarazem ostatni skok w bok. Ale ty chyba jesteś beznadziejnym przypadkiem bezgranicznej tolerancji. Powinnaś się leczyć. – Magda westchnęła i pociągnęła kolejny łyk wina. – Hmm... jednak kto wie, może rzeczywiście dziecko go odmieni. Słyszałam o takich przypadkach.

W drzwiach pojawiła się pani Maria z butelką wina.

– Dolać ci, Magduniu? – zapytała z daleka i nie czekając na odpowiedź, podeszła i napełniła kieliszek Magdy, po czym oznajmiła konspiracyjnym tonem:

– Jagódko, Lesio przyjechał.

– Pójdę się przywitać – powiedziała Jagoda, wstając z fotela.

– Siad! – rozkazała Magda, aż pani Maria podskoczyła, a Jagoda natychmiast klapnęła z powrotem na poduchę. – Niech sam tu przyjdzie. – Jagoda z matką spojrzały na nią zdumione. – Gdy tylko ten facet pojawia się na horyzoncie, ty lecisz do niego jak pies do pana, merdając przy tym ogonem. Przestań się zachowywać jak niewolnica.

*

Następnego dnia po południu w domu państwa Wierszyckich zjawiła się Renata. Modnie ubrana, zgrabna, świeżo opalona w solarium, z lśniącymi włosami i z delikatnym, jak na nią, makijażem, wyglądała bardzo młodo i ponętnie. Co prawda Renata zawsze wyglądała ładnie, bo była atrakcyjną kobietą. Jednak tego dnia szczególnie było widać, że codzienne zabiegi w spa i u kosmetyczki sprawiły, iż wydawała się wypoczęta, zrelaksowana i w jakiś wyjątkowy sposób promieniała.

Pani Maria z Magdą prawie całe przedpołudnie krzątały się w kuchni, przygotowując obiad. Na początku pani Maria protestowała, tłumacząc, że przecież Magduni należy się odpoczynek i powinna iść z mężem na spacer, a nie siedzieć przy garach, bo kto to widział, żeby gość zajmował się pracami domowymi. Magda jednak uparła się, żeby pomóc, bo bardzo lubi gotować i nawet traktorem nie wyciągną jej teraz na spacer, a jak Radek chce pooddychać świeżym powietrzem, to niech sobie idzie z panem Janem. W końcu gospodyni dała za wygraną. Mimo że nadal mruczała pod nosem, że tak nie wypada, to w rzeczywistości była bardzo zadowolona z pomocy, tym bardziej że uwielbiała towarzystwo Magdy, z którą przy takich okazjach zawsze można było wesoło pogawędzić, a robota szła jak po maśle.

Szybko uwinęły się z przygotowaniami i w chwili gdy przyszła Renata, wszystko było już zapięte na ostatni guzik. Obiad okazał się wyśmienity i wszyscy nie szczędzili im komplementów.

Po obiedzie pani Maria podała kawę i świeżutki placek drożdżowy, który nie wiadomo kiedy zdążyła upiec. Było tak wesoło, że Renata się zasiedziała i nawet nie spostrzegli, gdy pani Maria zaczęła nakrywać do kolacji. Renata uznała, że właściwie powinna już wyjść, ale pan Jan oświadczył, że przed posiłkiem nikogo z domu nie wypuści, bo to byłaby ogromna ujma na honorze gospodarzy.

Wieczorem Leszek wpadł na wspaniały pomysł i powiedział:

– Chodźmy do pubu, może uda nam się zagrać w bilard.

207

Magda z Radkiem i Renata natychmiast się zgodzili, więc Jagodzie nie pozostawało nic innego, jak tylko do nich dołączyć. W pubie, jak w każdy sobotni wieczór, było pełno ludzi, ale zdołali dopchać się do stołu bilardowego, więc zdecydowali się zostać. Koło północy Jagoda oznajmiła, że jest zmęczona i chce już wrócić do domu. Renata nalegała, aby jeszcze trochę posiedzieli, ale Jagoda uparła się, że jest już bardzo śpiąca. Jakoś z niewytłumaczalnego powodu nikt nie powiedział Renacie, że Jagoda jest w ciąży i może czuć się zmęczona. W końcu Renata ustąpiła.

Na ulicy okazało się, że tylko Renata idzie w przeciwnym kierunku. Zważywszy na późną porę, Leszek uznał, że to niebezpiecznie, aby kobieta wędrowała samotnie w nocy po ulicach, i zaoferował się, że odprowadzi ją do pensjonatu. Wstawiony po kilku kolejkach bacardi Radek przyklasnął tej propozycji.

– Masz rację, chłopie, popieram w całej długości, nigdy bym sobie nie wybaczył, gdyby ktoś uchybił... – tu czknął – takiej uroczej damie. Ty odprowadź naszą Reniutkę... – nastąpiło kolejne czknięcie – a ja odholuję te dwie królowe do naszego pałacu. Panie wybaczą, że nie odwiozę, ale karetę z dyni pies mi zeżarł – powiedział, wskazując na pusty postój taksówek. Po czym, nie wiedzieć czemu, zasalutował, zagarnął ramionami Magdę i Jagodę niczym kwoka pisklęta i tanecznym krokiem poprowadził je w stronę domu.

Widząc Leszka oddalającego się w towarzystwie Renaty, Jagoda poczuła ukłucie w sercu. Jakaś cząstka jej kobiecej natury oznajmiła jej, że jest zazdrosna i mimo wszystko mu nie ufa. Jednak było już za późno, nie mogła nic zrobić. Nie chciała poniżać się przed Renatą, robiąc scenę na ulicy.

Leszek wrócił w momencie, gdy Jagoda, pachnąca i rozgrzana po prysznicu, wyszła z łazienki zawinięta w gruby płaszcz kąpielowy.

– Cześć, kochanie – powiedział Leszek, podchodząc do niej, i pocałował ją w szyję.

– Cześć. Renata bezpiecznie dotarła na miejsce? – zapytała, siląc się na spokojny ton.

– Tak, odprowadziłem ją pod pensjonat – odparł – a dalej sama sobie poradziła.

Jagoda podeszła do drzwi swojego pokoju, nacisnęła klamkę i odwróciła się do Leszka.

– To był miły dzień – powiedziała. – Dobranoc.

Leszek zbliżył się, objął ją delikatnie w pasie i pocałował, tym razem w policzek.

– Ślicznie wyglądasz – szepnął jej do ucha, muskając je wargami.

Czuła lekką woń alkoholu z jego ust, ale nie miało to znaczenia. Ciepło jego ciała i zapach znajomej wody po goleniu sprawiły, że nagle zrobiła się podniecona. Zatęskniła za dawnymi czasami, gdy byli sobie tak bardzo bliscy i szczęśliwi.

– Pozwolisz mi dzisiaj zasnąć u twojego boku? – szepnął, gładząc palcami jej włosy.

– Jeszcze nie zasłużyłeś – odparła, odruchowo poddając się jego pieszczotom.

– A wrócisz ze mną do domu?

– Zobaczymy.

– Przynajmniej już nie mówisz nie. – Uśmiechnął się i przytulił ją mocniej. – To dobry znak.

Nie protestowała, gdy wsunął rękę pod jej płaszcz kąpielowy. Jego dłoń była zimna i Jagoda dostała gęsiej skórki. Zrozumiała jednak, że przez ostatnie miesiące bardzo tęskniła za tym dotykiem. A może za dawnym życiem? Opanowując się, lekko odepchnęła go od siebie, rzuciła krótkie „dobranoc" i weszła do swojego pokoju, cicho zamykając za sobą drzwi.

Zaskoczony takim obrotem sprawy Leszek w milczeniu stał pod drzwiami, nie wiedząc, co teraz począć.

*

– No i pojechali – powiedziała pani Maria, stojąc obok furtki i machając jeszcze chusteczką w kierunku znikających już za zakrętem aut.

Jagoda objęła matkę i przytuliła.

– Chodź, mamo, pomogę ci pozmywać naczynia.

– Ja tak lubię gości. – Pani Maria wciąż jeszcze machinalnie powiewała chusteczką. – Szkoda, że nie mogli zostać dłużej, żeby chociaż Magdunia...

– Wiesz, że nie mogli – odparł ojciec. – Leszek musi jutro być w pracy, Radek też, a Magda nie chciała zostać, bo byłaby bez samochodu, a przecież ona nie znosi podróży pociągami.

– Wiem, wiem, ale było tak miło... zupełnie jak dawniej – westchnęła i otarła łzy.

Wrócili do domu i pan Jan natychmiast zasiadł w salonie przed telewizorem, żeby nareszcie w spokoju obejrzeć wiadomości, podczas gdy Jagoda z matką zajęły się sprzątaniem kuchni. Jagoda zmywała i płukała naczynia, a pani Maria wycierała i chowała je do szafek, a także pakowała resztki jedzenia do hermetycznych plastikowych pojemniczków i wkładała je do lodówki. W pewnym momencie, wycierając kolejny talerz, przysiadła na brzegu krzesła przy stole i zagadnęła:

– Córciu, czy pogodziliście się z Leszkiem?

– Oczywiście, przecież widzisz, że przyjeżdża – odparła Jagoda, nie przerywając zmywania.

– To wiem, ale pytam, czy wróciliście do siebie... no wiesz, jak małżeństwo.

Jagoda z ukosa spojrzała na matkę i odłożyła talerz na suszarkę.

– Nie jestem pewna, czy to już na dobre – odparła sucho.

– Nie chcę być wścibska, ale wydaje mi się, że Leszek... mam nadzieję, że... no, że znów jesteście razem. Nie gniewaj się, ale bardzo bym chciała, żeby między wami znów wszystko było jak dawniej.

– Mamo, to nie takie proste po tym, co Leszek mi wywinął.

– Wiem, córeczko, uważam jednak, że w twojej sytuacji... Skoro jesteś w ciąży, powinnaś mu wybaczyć błędy. Najlepiej będzie, jak do niego wrócisz. Dziecko powinno mieć oboje rodziców, a i tobie będzie lżej.

– Nie zapominaj, mamo, że on bardzo mnie zranił. Trudno tak nagle o tym zapomnieć.

– Nie bądź taka zawzięta – fuknęła mama, po czym dodała łagodniejszym już tonem: – Małżeństwo wymaga ciągłych kompromisów. Rozumiem, że zdrada boli, ale to, że Leszek zbłądził, nie powinno przekreślać waszego wieloletniego związku. Przecież kochaliście się i byliście ze sobą szczęśliwi. Poza tym dziecko może wszystko zmienić i na nowo rozpalić uczucie, które kiedyś was łączyło. Kto wie, może wbrew pozorom ono wcale jeszcze nie wygasło.

– Myślisz, że to możliwe, żeby wszystko było jak przedtem? – zapytała Jagoda, siadając naprzeciwko matki po drugiej stronie stołu. – Czy w ogóle jest możliwe, żeby kiedykolwiek wróciło to, co mam wrażenie, że już się skończyło?

– Może niekoniecznie to, co się skończyło, ale dawna miłość może się jeszcze powtórzyć.

– Z tym samym człowiekiem?

– Tak sądzę.

– Myślisz, że to takie proste?

– Nie, to nie jest proste, ale Leszek jest ojcem dziecka i będzie lepiej, jeśli oboje stworzycie temu maleństwu normalną rodzinę. Odnoszę wrażenie, że Leszkowi bardzo na tym zależy, i chyba się nie mylę.

– Uważasz, że ja nie potrafię stworzyć własnemu dziecku normalnej rodziny? Czasami lepiej, żeby dziecko miało jedno z rodziców niż dwoje, tkwiących w chorym związku – powiedziała Jagoda, wycierając dłonie w ręcznik. – Dla mnie normalna rodzina to nie ilość, tylko jakość. Nieważne, jak jest liczna, ale czy się kocha, wzajemnie wspiera i czy jej członkowie są wobec siebie uczciwi.

– Masz rację, ale jeśli między wami pozostała jeszcze choć odrobina uczuć, to ciągle jest szansa, że uda wam się odbudować szczęście. Nie powinnaś tak łatwo rezygnować z Leszka, zwłaszcza teraz. – Poskrobała paznokciem blat stołu. – Nie warto rozpamiętywać przeszłości, bo nikt nie jest idealny. Ludzie popełniają błędy i czasem robią rzeczy, które ranią, ale lepiej wybaczyć, niż pielęgnować stare żale. Sądzę, że Leszek zrozumiał już swój błąd i żałuje. Teraz bardzo chce go naprawić. Nie odrzucaj zbyt pochopnie jego starań.

– Dobrze – zgodziła się Jagoda. – Obiecuję, że się zastanowię. – Wstała i zaczęła wycierać umytą filiżankę.

– Nie gniewaj się na mnie, że się wtrącam, ale ja chcę dla was jak najlepiej.

– Wierz mi, mamo, że ja też.

– Wycofasz sprawę rozwodową?

– Możliwe.

*

Przez całe wakacje Jagoda została u rodziców, a Leszek wytrwale przyjeżdżał do niej prawie w każdy weekend. Widać było, że ze wszystkich sił stara się odzyskać względy żony. Jej rodzice byli bardzo zadowoleni z takiego obrotu sprawy. Robili, co w ich mocy, żeby małżeństwo córki się nie rozpadło. Przez

213

cały czas oboje odwoływali się do jej rozsądku, perswadując, aby zbyt pochopnie nie odprawiała Leszka z kwitkiem. Uważali, że rozwód to w pewnym sensie plama na honorze rodziny, jak również martwili się o los Jagody, która jako samotna matka mogłaby sobie nie poradzić z wychowaniem dziecka, a tym bardziej z problemami natury materialnej. Z góry zakładali, że lepiej, aby córka i przyszły wnuk byli pod opieką męża, choćby takiego jak Leszek. Toteż hołubili go na każdym kroku. Pani Maria szykowała pyszne obiady i podsuwała mu ulubione ciasta, pan Jan częstował wyszukanymi trunkami. Oboje robili wszystko, żeby zięć czuł się u nich rozpieszczany i ceniony, a co za tym idzie, by jak najczęściej przyjeżdżał do Jagody. Mieli nadzieję, że te spotkania korzystnie wpłyną na ich związek, dzięki czemu z czasem Jagoda wybaczy mężowi i zdecyduje się do niego wrócić. Natomiast Leszek, widząc zdecydowaną przychylność teściów, stawał się coraz pewniejszy i śmielej zabiegał o względy Jagody. Czuł, że jej opór słabnie i niedługo definitywnie przekona ją do powrotu do domu.

Ona zaś, ulegając namowom jego i rodziców, robiła się coraz bardziej uległa. Zdawała sobie sprawę, że zaczyna wracać dawny porządek. Znów stawała się Jagodą, którą można manipulować. Mimo to świadomie poddawała się stopniowo temu naciskowi, jakby chciała na nowo uwierzyć, że jej życie jest poukładane i szczęśliwe jak kiedyś, zanim jeszcze odkryła romans Leszka. Nie była tylko pewna, czy to możliwe, aby wrócił spokój i zaufanie, jakim go kiedyś darzyła. Chwilami przeżywała rozterki, gdyż miała wrażenie, że sama się oszukuje, jednak nie robiła nic, by uniknąć sideł, które zastawiali na nią rodzice i mąż.

Zastanawiała się, dlaczego jest taka bezwolna i nie potrafi zachować się bardziej stanowczo. Co było tego powodem, jej uległy z natury charakter czy też wpływ metod wychowawczych rodziców, którzy nauczyli ją posłuszeństwa? Obawiała się, że postępując w ten sposób, nigdy nie będzie się czuła wolna i szczęśliwa. Zawsze będzie wracała do punktu wyjścia i mimo usilnych prób, nigdy nie stanie się niezależna. To dziwne, ale kiedyś zupełnie jej to nie przeszkadzało.

Niestety teraz, spodziewając się dziecka, jeszcze bardziej się bała życia w pojedynkę. Samodzielność kojarzyła jej się z niedostatkiem i mnóstwem kłopotów, z którymi może sobie nie poradzić. Doszła nawet do wniosku, że straciła jedyną i najlepszą okazję, by stać się wolną, w momencie, gdy przed świętami wróciła do Leszka. Gdyby nie ta pochopna, niefortunna decyzja, prawdopodobnie teraz byłaby szczęśliwa z Wiktorem. Miała niejasne przeczucie, że jej miejsce jest właśnie u jego boku.

– Co się ze mną dzieje? – mówiła do siebie. – Czy zawsze byłam taka beznadziejna i tylko nie zdawałam sobie sprawy, jaka jestem?

Leżała na wznak na łóżku w swoim pokoju i dotykając ręką brzucha, próbowała określić pozycję dziecka. Miała nadzieję, że zorientuje się w jego obecnym położeniu i potrafi wyczuć nóżki i główkę, gdy nagle ktoś zapukał do drzwi i wyrwał ją z zamyślenia.

– Jagódko, nie śpisz, mogę wejść? – usłyszała głos Magdy.

– Jasne, wejdź! – Ucieszyła się na widok przyjaciółki.

– Bałam się, że cię obudzę. Twoja mama mówiła, że chyba śpisz.

– Skąd się tu wzięłaś? – zapytała Jagoda, siadając na łóżku.

– Jak to skąd, przecież się nie teleportowałam – zaśmiała się Magda i usiadła na krawędzi łóżka. – Przyjechałam przed chwilą.

– Nie słyszałam żadnego samochodu. Przyjechałaś sama czy z Radkiem?

– Sama, dałam mojemu ślubnemu wychodne. Ostatnio miał dużo pracy w firmie, więc zdecydował się dzisiaj wyskoczyć z kumplami do pubu, żeby się odstresować, a to znaczy, że jutro będzie odsypiać do trzeciej po południu, a potem leczyć kaca. Nic tam po mnie, więc postanowiłam dać mu urlop od obowiązków małżeńskich i wpaść do was w odwiedziny.

– Tak się cieszę, że przyjechałaś. – Jagoda uściskała przyjaciółkę.

– Jak się czuje dzidzia? – zapytała Magda, kładąc rękę na brzuchu Jagody.

– Dobrze, a co u ciebie?

– U mnie okej... Wczoraj odwiedziła mnie w galerii Amelia.

– Naprawdę? – zdziwiła się Jagoda. – A co ona tam robiła?

– Podobno Adam musiał przyjechać w sprawie zlecenia na rzeźbę, bo wygrał jakiś ogólnopolski konkurs, a ona skorzystała z okazji i zabrała się z nim. Chciała się ze mną zobaczyć.

– Czy coś się stało? – zaniepokoiła się Jagoda.

– U nich wszystko w porządku, ale Amelia martwi się o Wiktora.

– Jak to? – zdenerwowała się Jagoda i zrobiła wielkie oczy.

– Mówiła, że Wiktor się załamał i nawet przestał do nich przyjeżdżać. Powiedział Adamowi, że wszystko tam przypomina mu ciebie i dlatego nie może już ich odwiedzać – powiedziała Magda i zamilkła na chwilę.

– A właściwie, co z twoją sprawą rozwodową?

– Zrezygnowałam... to znaczy napisałam pismo do sądu i wycofałam pozew.

Magda z dezaprobatą pokręciła głową. Spojrzała smutnym wzrokiem na Jagodę i westchnęła głęboko.

– To dlatego tak się załamał. Na pewno ten jego znajomy prawnik mu o tym powiedział... Wiktor nie rozumie twojego postępowania. Odtrąciłaś go tak nagle, a on nie wie dlaczego. Znikłaś bez słowa wyjaśnienia po tym niefortunnym wypadku, więc myśli, że obwiniasz go o to, co się stało, że cię zawiódł, a przecież nie chciał ci zrobić krzywdy.

– Wiem, że to był tylko wypadek i nikt nie jest temu winien – odparła z zakłopotaniem Jagoda.

– Ale mu tego nie wyjaśniłaś.

– Bałam się powiedzieć, jaki był prawdziwy powód.

– A co było prawdziwym powodem: ciąża czy twój strach przed nowym, prawdopodobnie szczęśliwym życiem?

– Proszę, przestań, przecież wiesz.

– Jagódko, ty wiesz, ja wiem, ale on nie wie, co jest grane. – Magda popatrzyła na nią poważnym wzrokiem. – Moim zdaniem wystraszyłaś się, że będziesz musiała sama podjąć decyzję, co zrobisz ze swoją przyszłością. Ze strachu podświadomie wykorzystałaś ciążę jako pretekst do ucieczki przed prawdziwą miłością, która trafiła ci się jak ślepej kurze ziarno.

Jagoda spuściła wzrok i przyglądała się podłodze, zastanawiając się, czy to możliwe, żeby Magda miała rację.

– Widziałam, jak na siebie patrzyliście, ty i Wiktor – ciągnęła przyjaciółka. – Oboje byliście tak cudownie zakochani, aż iskrzyło między wami. Chwilami, gdy na was patrzyłam, kiedy rozmawialiście, bałam się wtrącić, żeby nie spłoszyć tego, co się działo. Nie rozumiem, dlaczego tak łatwo z niego zrezygnowałaś. Przecież mogłaś z nim porozmawiać. Wiem, bałaś się, że nie zaakceptuje twojej ciąży, ale tak naprawdę nie wiesz, jak by zareagował. Uważam, że warto było zawalczyć o swoje szczęście i spróbować.

– Nie, to niemożliwe... to byłoby wobec niego nie fair – powiedziała Jagoda.

– A było fair zostawić go w ten sposób? A jeśli dla niego nie miałoby to żadnego znaczenia? Może on chciałby być z tobą i twoim dzieckiem – obstawała przy swoim Magda.

Jagoda milczała, nawijając na palec sznurek od bluzy. Było jej przykro i czuła się jak tchórz.

– Nie wiem, co by było, gdyby... – odparła. – Teraz już za późno, żeby wszystko odkręcać.

– Skąd wiesz? Tak naprawdę zbyt mało go znamy, żeby wiedzieć na pewno, jak by zareagował. Może odciąłby się od ciebie, ale możliwe, że nie. Nie dałaś sobie szansy, żeby to sprawdzić.

Jagoda rozpłakała się głośno. Pomyślała, że wszystko zepsuła. Za łatwo się poddała i za szybko wystraszyła. Źle się zachowała, a teraz nie potrafi się przemóc, żeby naprawić swój błąd. Magda objęła ją i próbując pocieszyć, zaczęła delikatnie klepać po plecach. Trwały tak przez dłuższą chwilę przytulone do siebie jak dwie kochające się siostry. W końcu Magda powiedziała łagodnym, pełnym ciepła i zrozumienia tonem:

– No już, przepraszam. Nie chciałam, żebyś tak się poczuła. Próbowałam ci tylko wytłumaczyć, że moim zdaniem zbyt łatwo się poddałaś, ale skoro uważasz, że postąpiłaś słusznie, to wszystko w porządku.

– Właśnie że nie w porządku – chlipała Jagoda. – Ja naprawdę pokochałam Wiktora, ale wszystko tak bardzo się skomplikowało, że nie wiedziałam, co zrobić. – Pociągnęła nosem. – Po prostu stchórzyłam... i wstydziłam się. Bałam się, że on się odwróci ode mnie. Ale jestem głupia!

– O Jezu! Zachowujesz się jak małe dziecko, kiedy ty wreszcie dorośniesz? – Magda westchnęła. – Musisz przestać bać się ludzi. – Odsunęła Jagodę na odległość ramienia i spojrzała jej w oczy. – Zapamiętaj raz na zawsze: lepiej zaryzykować i nawet dostać kosza, niż do końca życia żałować, że nic się nie zrobiło i być może przegapiło się najlepszą okazję w życiu.

– Tak, masz rację, jestem totalną kretynką.

– I co teraz?

– Chyba wrócę do Leszka – odrzekła z rezygnacją Jagoda i głośno wydmuchała nos w chusteczkę higieniczną.

– Masz babo placek. A Wiktor?!

– Przepadło... A Leszkowi bardzo zależy na dziecku. W końcu to Leszek jest jego ojcem, nie Wiktor.

– Posłuchaj mnie, nie popełniaj drugi raz tego samego błędu, porozmawiaj jeszcze z Wiktorem.

– Teraz już za późno – stwierdziła smutno Jagoda. – Teraz byłoby mi jeszcze trudniej niż przedtem. – Wciągnęła głośno powietrze. – Powiedz, dlaczego mi się to przytrafiło? Miałam poukładane życie, byłam szczęśliwa i w jednej chwili wszystko się rozpadło.

– Wydaje mi się, że raczej tkwiłaś w nieświadomości. Myślałaś, że masz wspaniałe życie, bo nie wiedziałaś, co się dzieje za twoimi plecami. – Magda westchnęła. – Może los daje ci szansę, żebyś wreszcie przejrzała na oczy. Może właśnie teraz jest odpowiedni moment na zmiany. Po co tkwisz w zapleśniałej przeszłości, która przyniosła ci tylko bolesne rozczarowanie, zamiast cieszyć się tym, co niesie nowe, lepsze i bardziej świadome życie? Przestań myśleć, że zginiesz bez pomocy faceta. Wydaje ci się, że zawsze musisz mieć obok siebie chłopa, pełniącego funkcję filaru, na którym w razie potrzeby niezawodnie możesz się oprzeć. Jakbyś była taką hubą, która zginie, kiedy jej pień zabiorą. Nie zapominaj, że masz jeszcze rodziców i przyjaciół. Zawsze możesz na nas liczyć... – Zamilkła na chwilę. – Poza tym jestem pewna, że gdy uwolnisz się od przeszłości, wtedy pojawi się ktoś, kto będzie zasługiwał na twoją miłość.

– A może ja nie zasługuję na nic lepszego i dlatego wszystko mi się tak gmatwa?

– Chyba oszalałaś! – oburzyła się Magda. – Każdy ma prawo do szczęścia, ty też.

– Łatwo ci mówić, ty masz Radka! Co ty wiesz o samotnym życiu?

– Teraz jesteś niesprawiedliwa – obruszyła się Magda. – Dobrze wiesz, że długo nie miałam nikogo, zanim pojawił się Radek. Podczas gdy moje koleżanki, łącznie z tobą, cieszyły się małżeństwem, ja prowadziłam życie typowego singla. Wiem, co to znaczy być samotną kobietą, chociaż przyznam szczerze, że było mi łatwiej, bo nie miałam dziecka.

– Proszę cię, nie dobijaj mnie! – jęknęła Jagoda i rzuciwszy się na łóżko, wtuliła twarz w poduszkę. – To niehumanitarne tak kogoś dręczyć!

– No dobra, jak chcesz, to już nie będę cię strofować, bo te twoje płacze mnie dobijają. Tak często płaczesz, że pewnego dnia chyba się utopisz. Jakby ktoś płacił za wylane łzy, to byłabyś miliarderką.

A zresztą... może to ty masz rację, a ja się mylę? Czas pokaże. – Magda się zadumała, dając za wygraną.

*

W dniu, kiedy Leszek miał zabrać Jagodę do domu, było ponuro i deszczowo. Wrzesień niczym nie przypominał upalnego niedawno lata ani złotej polskiej jesieni. Codzienna szaruga i przenikliwa wilgoć potęgowały uczucie chłodu i przygnębienia i nie sprzyjały wieczornym podróżom samochodem. Dlatego Leszek, mimo że przyjechał do Szczyrku w piątek po południu, postanowił przenocować u teściów, a w drogę powrotną wyruszyć dopiero w sobotę rano.

W oczekiwaniu, aż mąż zapakuje wszystkie torby do stojącego na podjeździe samochodu, Jagoda, ubrana w luźne bawełniane spodnie i kurtkę, stała w pokoju i z dezaprobatą przyglądała się swojemu odbiciu w lustrze. Widziała już wyraźne oznaki deformacji swojego ciała spowodowane ciążą. Przez ostatni miesiąc przytyła niemal w każdym miejscu i mimo że zaokrąglona buzia wyglądała całkiem dobrze, to jednak figura nie przypominała już tej drobnej, dziewczęcej sylwetki, którą szczyciła się do tej pory. Czuła się brzydka, niezgrabna, mniej atrakcyjna i niepewna, a to znowu wpływało na pogorszenie jej nastroju.

Gdyby nie przekonanie, że Leszkowi bardzo zależy na dziecku i może ono zmienić ich życie na lepsze, nie zdecydowałaby się do niego wrócić. Nie ufała mu, a przede wszystkim chyba już go nie kochała. Był jej bliski i czuła z nim więź z racji wspólnie przeżytych lat, która prawdopodobnie nigdy nie zniknie, ale to już nie było to, co dawniej. Uczucie, którym teraz go darzyła, przestało być tamtą ślepą miłością. Myślała o nim inaczej, jako o mężu i przede wszystkim ojcu przyszłego dziecka. Nie był już dla niej namiętnym kochankiem i przyjacielem, poza którym nie istniał świat. Miała wrażenie, że wspomnienia o nim są jej bliższe niż on sam. Nie wiedziała tylko, czy wystarczy jej tych wspomnień, żeby trwać u jego boku przez resztę życia, i czy dziecko wypełni pustkę, która przez te kilka miesięcy wytworzyła się między nimi. Do tej pory nie byli rodzicami, więc oboje nie wiedzieli, jaki wpływ na ich związek będzie miało pojawienie się w domu tego nowego człowieczka i czy takie maleństwo może uratować to, co oni tak dokładnie zniszczyli. Zdawała sobie sprawę, że tylko czas pokaże, czy jej dzisiejszy wybór był słuszny i czy na przykład za rok nie będzie go żałować. Ulegając sugestiom rodziców i Leszka, poszła za głosem rozsądku, zamiast zrobić to, co dyktowało jej serce.

Znów powróciła myślami do Wiktora. Zaczęła przypominać sobie jego twarz w świetle świec, gdy wieczorem siedzieli na ganku u Kozubków, a on uśmiechał się, patrząc jej głęboko w oczy. Wtedy czuła, jak bardzo ją kocha, i wiedziała, że sama odwzajemnia to uczucie. Był w niej tak cudownie zakochany, że miała wrażenie, iż pod jego wpływem staje się piękniejsza, mądrzejsza i pożądana, tak jakby jego wzrok miał cudowną moc przemiany. Teraz, po tym, jak go potraktowała, z pewnością ją znienawidził i już nigdy nie będzie miała okazji wyjaśnić mu, co skłoniło ją do takiego kroku, a właściwie, nazywając rzecz po imieniu, do ucieczki. Postąpiła z Wiktorem haniebnie, dokładnie tak, jak sama nigdy nie chciałaby zostać potraktowana. Czegoś takiego nie mogłaby nikomu wybaczyć, więc dlaczego miałaby oczekiwać wybaczenia od niego.

Ojciec Jagody, chociaż bardzo chciał, żeby wróciła do męża, rzadko wypowiadał się na temat ich związku. Dobrze znał córkę i nawet wtedy, gdy Jagoda ukrywała swoje kłopoty, zawsze potrafił dostrzec, że coś się dzieje. Teraz domyślał się, że Jagoda mogła się zakochać w owym tajemniczym Wiktorze, o którym wspomniała Magda. Uważał, że żona godząca się z mężem powinna promienieć szczęściem i cieszyć się z powrotu do domu, a Jagoda wręcz przeciwnie, była smutna i wyciszona. Dlatego przypuszczał, że właśnie z powodu nowej miłości jego córka jest taka zagubiona i nie do końca zadowolona. W gruncie rzeczy rozumiał, że stanęła przed trudnym wyborem między niewiernym mężem, którego dziecka właśnie oczekuje, a mężczyzną, którego kocha i który mógłby się okazać miłością jej życia. Przypuszczał, że na jej miejscu też miałby problem z podjęciem decyzji. Żałował nawet, że nie miał okazji osobiście poznać Wiktora i przekonać się, jaki jest. Może gdyby ten mężczyzna okazał się dobrym człowiekiem, wówczas pan Jan zmieniłby zdanie i nie naciskał na Jagodę, nakłaniając ją do ratowania zrujnowanego małżeństwa.

Ale nie znał Wiktora, a Jagoda unikała rozmów na jego temat, podobnie jak Magda. Dlatego trudno mu było powiedzieć, czy ta znajomość jest czymś wyjątkowym, czy tylko przelotnym romansem zranionej kobiety, szukającej pocieszenia w ramionach innego. Tak więc, mimo poważnych wątpliwości, ojciec Jagody ostatecznie uznał, że w jej położeniu najlepszym wyjściem będzie powrót do męża. Miał nadzieję, że Leszek zaopiekuje się żoną, zmieni swoje postępowanie i nie będzie już jej zdradzał, a Jagoda z czasem zapomni o tamtym mężczyźnie i znowu będzie szczęśliwa.

Natomiast pani Maria nie brała pod uwagę żadnej innej możliwości, jak tylko ponowne połączenie córki z mężem. Nie wiadomo, na ile zdawała sobie sprawę z tego, że Jagoda kogoś poznała, i czy w ogóle chciała dopuścić ten fakt do świadomości. Dla niej wszystko było oczywiste: cokolwiek by się stało, to mąż jest najważniejszy, bo w końcu on utrzymuje żonę i dzieci, a poza tym ślub bierze się raz na całe życie. Wprawdzie nie była aż do przesady konserwatywna, ale wizja uratowanego małżeństwa bardziej jej odpowiadała.

Niewątpliwie najlepsze rozeznanie w tej sprawie miała Magda. Wyszło jej, że w czasie trwania małżeństwa Leszek miał już przynajmniej trzy romanse, chociaż co do tego najwcześniejszego nie miała pewności. O dwóch zdradach wiedziała na pewno, bo kilkakrotnie widziała go w niedwuznacznej sytuacji z innymi kobietami, ale o tej pierwszej wiedziała tylko od Radka. Wtedy, nie mając niezbitych dowodów, nie mogła pojąć, że krótko po ślubie z Jagodą, gdy ta kończyła właśnie studia, jej mąż dopuścił się zdrady. Na początku, kiedy Radek opowiedział jej o owym romansie Leszka, nie chciała w to uwierzyć i miała nadzieję, że to pomyłka lub przelotna, nic nieznacząca przygoda, która szybko minie i nigdy więcej się nie powtórzy. Ale gdy cztery lata później zobaczyła go z inną kobietą, straciła wiarę w jego uczciwość. Po trzecim romansie, tym z Beatą, uznała, że małżeństwo Jagody jest bez sensu i to niemożliwe, żeby Leszek kiedykolwiek się zmienił. Doszła do wniosku, że prawdopodobnie jest on typem mężczyzny, który nigdy nie zostanie z jedną kobietą. Mimo to, wiedząc, jak bezgranicznie Jagoda kocha swojego męża, Magda nigdy wcześniej nie mówiła jej nic o jego zdradach, chociaż wielokrotnie miała na to ogromną ochotę. Nie chciała sprawiać bólu Jagodzie i burzyć jej poukładanego świata.

Kiedy ta poznała Wiktora, Magda miała nadzieję, że to już koniec tego chorego związku. Sądziła, że nowe uczucie wzmocni Jagodę na tyle, że pomoże jej uwolnić się od bezsensownej miłości do człowieka, który z pewnością na nią nie zasługiwał. Stało się jednak inaczej i wbrew jej oczekiwaniom Jagoda wróciła do Leszka. Teraz Magda znów się zamartwiała, co stanie się z przyjaciółką, która nie dość, że z natury prawie bezbronna, to na dodatek teraz szczególnie powinna być pod ochroną. Dlatego jeszcze bardziej wyrzucała sobie, że w porę nie powiedziała jej o wcześniejszych skokach w bok Leszka. Może gdyby Jagoda wiedziała o nim wszystko, przejrzałaby na oczy i nie zdecydowałaby się już na kolejny powrót.

*

Po przyjeździe Jagoda z zadowoleniem stwierdziła, że Leszek dbał o dom i nie ma potrzeby gruntownego sprzątania, tak jak po jej pierwszym powrocie.

Chociaż raz zauważył, że w domu się kurzy i ktoś musi to posprzątać, pomyślała, rozpakowując torby ze swoimi rzeczami. Pewnie się zdziwił, że na świecie jest tyle kurzu.

Niemniej ucieszyła się, że prawie natychmiast może się zająć nadrabianiem zaległości w pracy i napisać kilka zamówionych tydzień temu artykułów, zamiast zaczynać od wcielenia się w rolę sprzątaczki i służącej.

Powrót do domu zmusił Jagodę do znalezienia nowego ginekologa-położnika, który mógłby dalej prowadzić jej ciążę. Po kilku telefonach do różnych dzieciatych już koleżanek wybrała doktora Czartosza, będącego ordynatorem oddziału położniczego w miejscowym szpitalu. Ten lekarz miał opinię człowieka bardzo rzetelnego i sumiennego, więc umówiła się na wizytę. Nie chciała zwlekać, żeby na wszelki wypadek mieć już zapewnioną opiekę. Pojechała do jego gabinetu, gdzie usłyszała znowu, że ciąża przebiega prawidłowo, a dziecko ładnie się rozwija.

Właśnie to Jagoda chciała usłyszeć, dlatego wróciła do domu w radosnym nastroju, jakby w ciągu ostatniej godziny urosły jej skrzydła.

Czuła się tak doskonale, że zgrabiła pierwsze opadłe liście w ogrodzie, uznając, że ruch na świeżym powietrzu dobrze jej zrobi. Potem wzięła szybki prysznic, przygotowała sobie kanapki i zaparzyła ziołową herbatę. Owinięta w gruby płaszcz kąpielowy, z jedzeniem i kubkiem herbaty usiadła w salonie na kanapie i uruchomiła laptopa. Spojrzała na plik z hasłem „książka", zawahała się na moment i go otworzyła. Przeczytała tekst i stwierdziła, że ma ochotę pisać dalej. Pracowała już ponad godzinę, gdy zadzwonił telefon. Podniosła słuchawkę, jednocześnie drugą ręką wystukując koniec zdania.

– Jagoda? – usłyszała głos Magdy.

– Nie, Dziewica Orleańska – odparła.

– Ale ci się dowcip wyostrzył. Żadna z ciebie dziewica, a tym bardziej orleańska. Najwyżej wrocławska – odparła Magda, udając oburzenie, ale w jej głosie słychać było wesołość.

– Wiesz, byłam u lekarza i powiedział, że dzidzia rośnie zdrowo – oznajmiła radośnie Jagoda.

– To świetnie, pamiętaj, że teraz masz dbać o siebie.

– Jasne, przy tobie i Leszku nie mogę nie dbać. Oboje wydzwaniacie do mnie po cztery razy na dzień i zakazujecie mi cokolwiek robić. Jak tak dalej pójdzie, wpadnę w nałogowe lenistwo, które stanie się moją główną cechą charakteru.

– Znając ciebie, nie zdziwiłabym się, jakbyś właśnie przed chwilą grabiła liście w ogródku.

– Skąd wiesz, że grabiłam liście? – zdziwiła się Jagoda.

– Grabiłaś liście?!!! – wykrzyknęła w słuchawkę przerażona Magda. – Czyś ty oszalała?!!!

– No, grabiłam, ale tak ładnie świeciło słoneczko, a poza tym ja bardzo dobrze się czuję i wcale się nie przemęczałam... – tłumaczyła jej zawstydzona Jagoda.

– Wariatka, chyba to słoneczko główkę ci przypiekło – zdenerwowała się Magda. – Trzeba było Leszka zagonić do grabienia, to przynajmniej głupoty by mu ze łba wywietrzały.

– Magda, daj spokój, nie krzycz na mnie, bo się zatnę i już nic więcej ci nie powiem. Przecież nic mi się nie stało, a Leszek i tak jest w pracy.

– Masz na siebie uważać i tyle – spokojniejszym już tonem nakazała Magda. – Dobrze przynajmniej, że nie mieszkasz na wsi, bobyś jeszcze drew narąbała i zaorała pole, w charakterze wołu ciągnąc za sobą pług.

– Teraz na wsi wszystko zmechanizowane i wołu już się nie używa do orki.

– Fakt.

– No widzisz, nie jest tak źle.

– A co teraz robisz? – zainteresowała się Magda, przybierając już łagodniejszy ton.

– Siedzę w salonie z talerzem kanapek i piszę moją zaczętą powieść – odparła.

– No i bardzo dobrze, pisz, kochana, bo nie mogę się już doczekać, kiedy ją przeczytam.

– Oj, to jeszcze długo będziesz czekała – zaśmiała się Jagoda.

– Właśnie, przez to grabienie zapomniałam, po co do ciebie dzwonię, ale ładnie mi podrzuciłaś temat. Wyobraź sobie, że właśnie poznałam taką sympatyczną Kasię, która pracuje w wydawnictwie. Wspomniałam o tobie i przyrzekła, że osobiście przeczyta twoje dzieło, a jeśli będzie dobre, to może uda się je wydać. Fajnie, nie?

– No fajnie, ale ja nie wiem, czy to się nadaje do druku. Właściwie to myślałam, że raczej piszę do szuflady. Poza tym jestem jeszcze na początku pracy i nie wiem, czy dam sobie radę. Chyba trochę wyrwałaś się do przodu.

– Nieważne, taka znajomość zawsze może się przydać, zresztą Kasia to równa kobitka, więc i tak miło było ją poznać. Nawet zaprosiłam ją na mój następny wernisaż i obiecała, że na pewno przyjdzie.

– To świetnie.

– No pewnie, już się polubiłyśmy – powiedziała z dumą Magda.

– A kto by cię nie polubił? – roześmiała się Jagoda.

– Nie bierz mnie pod włos, bo i tak zadzwonię do Leszka i powiem, co dzisiaj robiłaś. Każę mu pochować wszystkie grabie, jakie tylko macie w domu, łopaty też, na wszelki wypadek, jakby wpadło ci do głowy skopać ogródek – zażartowała Magda. – Aha, dzwoniła do mnie Amelia i pytała, czy jesteś zdrowa. Słuchaj, czy ty mówiłaś jej o ciąży?

– Nie, a bo co?

– No właśnie, to skąd ona o tym wie?

– A wie? – zdziwiła się Jagoda.

– Tak, wyraźnie zapytała, jak się czujesz w ciąży.

– Nie mam pojęcia, kto mógł jej o tym powiedzieć.

– Hmm, pewnie to z tych swoich kart wyczytała – stwierdziła Magda. – A to czarownica!

– Przestań – roześmiała się Jagoda. – Czasy czarownic minęły kilkanaście wieków temu, teraz nawet stosów by nie ułożono, bo lasy pod ochroną i zieloni podnieśliby rwetes. Chociaż parę wrednych bab chętnie bym wysłała na jakiś mały stosik, żeby stópki im poprzypiekać.

– Oho, widzę, że robisz się bojowa, ale dobrze cię rozumiem i nawet wiem, które wysłałabyś na pierwszy rzut – zachichotała Magda. – Jagoda, muszę kończyć, bo spieszę się na spotkanie z moim Radkiem. Idziemy dziś do kina i muszę jeszcze zrobić się na bóstwo. Zadzwonię jutro, pa!

– Bawcie się dobrze!

– Dzięki.

Takich telefonów przez następne tygodnie Jagoda miała każdego dnia kilkanaście. Prawie co godzinę rozbrzmiewał denerwujący dzwonek aparatu. Bywało, że nie miała czasu, żeby cokolwiek zrobić, bo chodziła tylko wte i wewte, żeby odebrać. Chwilami tak ją to denerwowało, że specjalnie nie odbierała, czekając, aż dzwonek ucichnie. Powtarzanie w kółko tego samego „dobrze się czuję, wszystko w porządku" stało się już nudne. Najczęściej dzwonili Magda i Leszek albo rodzice, rzadziej siostra Leszka, Aneta, a raz nawet Amelia. Jagoda bardzo lubiła Amelię i czuła w stosunku do niej i Adama ogromną wdzięczność za pomoc i przyjaźń, jaką jej okazali. Dlatego wciąż próbowała się tłumaczyć Amelii, że jej zniknięcie nie miało nic wspólnego z nimi i że bardzo ich szanuje. Amelia niezmiennie kwitowała to krótkim „Daj spokój, rozumiem, nie ma o czym mówić", a mimo to i tak Jagoda nadal czuła się nieswojo.

*

Jagoda starała się skupić głównie na pisaniu, czasami tylko wykonywała jakieś lżejsze prace domowe. Leszek przejął większość obowiązków po reprymendzie, jaką dostał od Magdy w dniu, gdy Jagoda grabiła liście. Teraz zabronił jej wszelkich prac wymagających większego wysiłku. Jak nigdy dotąd, sam robił zakupy według listy, którą sporządzała dzień wcześniej żona. Sprzątał mieszkanie i porządkował ogród, nie pozwolił jej nawet robić prania, ale Jagoda oświadczyła, że to już nie czasy balii i tary, teraz pierze za nią pralka automatyczna. W obliczu takich argumentów ustąpił na tyle, że pozwolił jej wrzucać do bębna rzeczy, wsypywać proszek i ustawiać programator, ale nie zgodził się na wyciąganie i rozwieszanie prania w suszarni.

Była zaskoczona przemianą, jaka nastąpiła w Leszku od chwili, gdy się dowiedział o jej ciąży. Przez cały czas trwania ich małżeństwa nie widziała u niego aż takich przejawów opiekuńczości. Zaraz po ślubie prowadzeniem domu całkowicie obarczył ją, uznając, że to działka żony, i tak już zostało. Nawet do drobnych napraw musiała zawsze wzywać fachowców, bo Leszek nigdy nie miał czasu. Dlatego ta jego cecha dotąd była dla niej obca. Sama przed sobą uczciwie przyznawała, że taki czuły i troskliwy mąż podoba jej się bardziej niż ten, którego znała przez ostatnie lata. Miała nadzieję, że to objaw zwiastujący jego całkowitą pozytywną przemianę. Coraz bardziej wierzyła, że to, co było w nim najgorsze, czyli skłonność do innych kobiet i obojętność wobec żony, mają już za sobą, i Leszek nigdy więcej tak boleśnie jej nie skrzywdzi. Sądziła nawet, że jego teraźniejsze oblicze jest tym prawdziwym, dotąd skrzętnie ukrywanym z nieznanych jej bliżej przyczyn. Nie zastanawiała się, jakie mogłyby być te przyczyny. W tej chwili nie miało to większego znaczenia i szczerze mówiąc, było jej obojętne, czy wina leżała po jej, jego, czy jeszcze innej stronie. Nie chcąc rozdrapywać dawnych ran, uznała, że liczy się tu i teraz, które na razie absolutnie ją satysfakcjonuje.

Żeby do końca nie zidiocieć, postanowiła nie myśleć o gorzkich doświadczeniach, jeszcze niedawno przez nią przeżywanych. Z przyjemnością i całkowitą premedytacją w pełni poświęciła się temu, co od pewnego czasu stało się jej celem nadrzędnym – pisaniu książki. Pisząc godzinami, czuła się spokojna, zagłębiając się we własny świat przeżyć i emocji, o których poza nią nikt inny nie wiedział. Miała wrażenie, że w takich chwilach otacza się szczelnym ochronnym kokonem, kryjąc się w świecie, do którego dostęp ma tylko i wyłącznie ona. Dzięki temu stwarzała sobie poczucie izolacji i bezpieczeństwa, jakiego w ostatnich miesiącach jej brakowało.

Jedynymi przerwami w pracy nad tekstem były telefony od zatroskanych bliskich i szykowanie kanapek, które ostatnio pochłaniała w ogromnych ilościach. Zaczęła już nawet wyrzucać sobie łakomstwo, bo za każdym razem, kiedy tylko mijała lustro w korytarzu, widziała kolejne kilogramy, które przybywały jej bezlitośnie, i wcale nie czuła się z tym dobrze. Za każdym razem, gdy zauważyła większe zaokrąglenie swojej sylwetki, obiecywała sobie, że od jutra zacznie ograniczać jedzenie, ale następnego dnia znów głód zmuszał ją do szykowania talerza kanapek.

Właśnie siedziała w salonie z laptopem na kolanach, pochłonięta pracą, kiedy znowu zadzwonił telefon. Odruchowo podniosła słuchawkę i zawołała:

– Halo!

– To ja, kotku. Co u ciebie słychać, jak się czujesz? – usłyszała głos Leszka.

– Cześć. W porządku. Po co dzwonisz?

– Żeby usłyszeć głos mojej ciężarnej żony. Co robisz?

– Siedzę przed komputerem i piszę, a co?

– Nic, tylko chciałem wiedzieć, czy przypadkiem nie wpadłaś na pomysł, żeby grabić liście albo myć okna – zażartował.

– Możesz być spokojny, już tego nie zrobię.

– Po tym, jak Magda wsiadła na mnie, że nie potrafię ci pomóc w pracach domowych, wolę się upewnić.

– Zrobiła to z troski o mnie.

– Wiem. Zresztą miała rację. Kotku, skończyły mi się czyste koszule, czy mogłabyś wrzucić je do pralki? Tylko nie waż się rozwieszać, jak wrócę z pracy, to sam to zrobię – upomniał ją poważnym tonem.

– Nie ma sprawy. Jestem grzeczną dziewczynką i słucham swoich opiekunów.

– Cieszy mnie to. Może należałoby kupić jakąś suszarkę do ubrań – stwierdził. – Co o tym sądzisz?

– Bardzo dobry pomysł.

– W takim razie poszukam czegoś odpowiedniego. Zobaczymy się około osiemnastej. Pa!

– Do zobaczenia. Pa!

– I dbaj o siebie, kotku, i o naszego bobasa – dodał jeszcze, zanim się rozłączył.

Odłożyła słuchawkę i usłyszała, jak zaburczało jej w żołądku. Pomyślała o jedzeniu. Odłożyła laptopa i wstała. Przeciągnęła się, żeby rozprostować mięśnie, i poszła do kuchni. Postawiła czajnik z wodą na gazie, wyjęła z szafki kubek, wrzuciła do niego saszetkę z herbatą i przygotowała sobie furę kanapek z serem i pomidorem. Woda w czajniku jeszcze się nie zagotowała, więc Jagoda poszła do łazienki z zamiarem zrobienia małego prania. Otworzyła wieko pralki i pojedynczo zaczęła wrzucać do metalowego bębna Leszkowe ubrania. W pewnym momencie, gdy wyjęła z wiklinowego kosza niebieską koszulę, którą Leszek najbardziej lubił, coś ją ukłuło w palec. W pierwszej chwili pomyślała, że to guzik, ale natychmiast uświadomiła sobie, że taki guzik nie kłuje, więc musi to być szpilka albo gwóźdź. Skąd jednak wziąłby się tutaj gwóźdź? Sprawdziła dokładniej i wyczuła jakiś drobiazg o dziwnym kształcie w kieszonce. Zajrzała tam i wyjęła sporej wielkości plastikowy kolczyk z metalowym sztyftem. Przyglądała mu się przez chwilę zaskoczona, a stwierdziwszy, że ta pretensjonalna ozdoba nie jest jej własnością, poczuła rozgoryczenie i zawód.

– To nieprawdopodobne... i jakie trywialne – szepnęła, krzywiąc się z obrzydzenia, i usiadła na brzegu wanny, bo nogi zaczęły jej się trząść tak, że nie mogła na nich ustać.

Patrzyła na kolorowy kolczyk, a myśli przelatywały jej z szybkością ponaddźwiękową, aż ją zemdliło.

– To skurwiel! – wykrzyknęła, licząc, że to przyniesie jej ulgę i pozwoli się uspokoić. – Pierdolony drań!

Z wściekłością cisnęła koszulę na podłogę, po czym wstała, zaniosła kolczyk do kuchni i rzuciła go na stół, obok talerza z kanapkami. Huczało jej w głowie, a ręce trzęsły się tak, że nie mogła tego opanować.

Woda w czajniku już się zagotowała, więc automatycznie zaparzyła herbatę. Chwyciła kubek, chcąc przenieść go na stół, ale tak dygotała, że trochę wrzątku wylało jej się na dłoń. Odruchowo cofnęła poparzoną rękę i upuściła kubek na podłogę. Rozbił się w drobny mak, a gorąca herbata zachlapała podłogę, meble i łydki Jagody. Odskoczyła instynktownie, a wtedy uderzyła biodrem o kant stołu. Syknęła z bólu.

– Cholera jasna! – zaklęła, nie mogąc opanować narastającej złości.

Miała ochotę krzyczeć z bólu i rozpaczy. Pobiegła do łazienki, szybko podciągnęła nogawki dresowych spodni aż do kolan, zdjęła skarpetki, weszła do wanny i puściła na nogi zimną wodę z prysznica. Pod wpływem chłodu ból zaczął stopniowo ustępować. Nie mogła jednak opanować drżenia, trzęsła się cała jak osika, w ustach czuła kwaśny posmak. Pomyślała, że jak będzie jej się chciało wymiotować, to nie sięgnie do muszli klozetowej, a gdyby próbowała szybko wyjść z wanny, to mogłaby się poślizgnąć na terakocie i upaść. Zdecydowała, że w ostateczności zwymiotuje sobie na stopy. Spojrzała na swoje łydki i dostrzegła wyraźne zaczerwienienia, a nawet niewielkie bąble w miejscach, gdzie przez spodnie wrzątek dostał się do skóry. Na szczęście poparzenia nie były zbyt duże. Powoli zaczęła się uspokajać. Stała tak jeszcze dziesięć minut, wciąż polewając nogi zimną wodą, aż stopy i łydki zrobiły się sine. Znowu zaczęła się trząść, ale teraz nie wiedziała, czy ze zdenerwowania, czy może z zimna. Zakręciła kran i z zesztywniałymi stopami ostrożnie wyszła z wanny na chłodne płytki, sięgnęła po ręcznik i powoli, żeby nie urazić obolałych miejsc, zaczęła się wycierać.

Poczuła się bardzo słaba i zmęczona, więc odwiesiła ręcznik, włożyła skarpetki i poczłapała w kierunku sypialni, żeby na chwilę położyć się na łóżku. Popa-rzone łydki znów zaczynały ją piec.

Ostrożnie wspinała się po schodach, gdy nagle poczuła ból w okolicy podbrzusza. Położyła rękę na brzuchu i starała się miarowo i głęboko oddychać.

– Uspokój się, ty kretynko – powiedziała do sie-bie półgłosem. – Nic nie jest warte takich nerwów. Jeszcze jeden stopień i już prawie jesteś w sypialni. Wytrzymaj, jeszcze kawałek.

Postawiła stopę na ostatnim schodku i dostrzegła, że drzwi po drugiej stronie korytarza są niewyraźne i poruszają się, jakby wykonywały taniec brzucha. Wydawało jej się też, że nagle ktoś wyłączył światło.

Zachwiała się. Tracąc przytomność, próbowała jeszcze przytrzymać się poręczy, ale palce miała jak z gumy, kolana się pod nią ugięły i nic już nie mogła zrobić. Z całą bezwładnością swego ciała stoczyła się w dół schodów.

*

Natarczywy brzęczący dźwięk świdrował mózg i powodował pulsujący ból w skroniach. Chciała krzyknąć, żeby ktoś wyłączył ten dzwonek, ale nie miała siły. Potem wszystko ucichło i zrobiło się spo-kojnie, tylko coś szumiało jak w morskiej muszli. Wydawało jej się, że jest z Leszkiem nad morzem, gdzie spędzają razem urlop. Idą brzegiem plaży, a sło-na, zimna woda obmywa im stopy. Nagle ktoś za-czął ją szarpać za ramię i poczuła mocne uderzenie w policzek jeden, drugi, trzeci raz. Próbowała zasłonić twarz, ale ręce miała ciężkie jak z ołowiu. Stopniowo zaczął do niej docierać czyjś głos. Powoli wracała świadomość. Jagoda otworzyła oczy i zobaczyła nad sobą jakąś pochyloną zamazaną postać.

– Jagoda, obudź się! – usłyszała przerażony głos Magdy, która na zmianę potrząsała nią za ramiona i klepała po policzku. – Ojej, dzięki Bogu, ocknęłaś się! – ucieszyła się, widząc, że Jagoda otwiera oczy.

Leżała na podłodze i patrząc na Magdę półprzytomnym jeszcze wzrokiem, z trudem przypominała sobie ostatnie wydarzenia. Chciała się podnieść, ale tamta ją powstrzymała.

– Leż spokojnie.

– Co się dzieje? – zapytała z wysiłkiem i w tym samym momencie poczuła szarpnięcie w podbrzuszu.

– Spokojnie – powtórzyła Magda łagodnie, przytrzymując ją za ramiona. – Straciłaś przytomność i spadłaś ze schodów. Nie ruszaj się, zaraz będzie karetka.

– Chyba jestem mokra, gdzie ja byłam?

– To krew. – Przyjaciółka pogładziła ją po głowie. Na zewnątrz rozległ się sygnał nadjeżdżającego ambulansu. – Już są. Otworzę im drzwi, a ty leż tutaj i nie próbuj wstawać.

Dopiero teraz Jagoda zauważyła, że pod głową ma poduszkę, którą Magda zdążyła przynieść z salonu.

Widząc, co się dzieje, lekarz od razu zdecydował, że Jagodę natychmiast trzeba zabrać do szpitala.

239

Pakując ją na noszach do karetki, wysłuchiwał pospiesznej relacji Magdy o przebiegu wydarzeń.

Karetka gnała przez miasto, a za nią jechała swoim samochodem Magda. Miała nadzieję, że uda jej się przyjechać do szpitala zaraz za Jagodą, ale na którymś ze skrzyżowań nie zdążyła i zatrzymało ją czerwone światło. Bała się ryzykować, musiała poczekać na zielone i z żalem patrzyła za oddalającym się białym pojazdem.

Dotarła do szpitala ponad dwadzieścia minut po karetce. Kiedy wbiegła do izby przyjęć, nie zobaczyła już Jagody ani lekarza. Jakaś pielęgniarka poinformowała ją, że pacjentka jest już w sali zabiegowej, i poleciła Magdzie, żeby poczekała na korytarzu, aż będzie wiadomo, co z jej przyjaciółką. Kobieta nic więcej nie wiedziała albo nie chciała powiedzieć. Powtarzała tylko, że trzeba zaczekać, aż przyjdzie lekarz i udzieli informacji.

Zdenerwowana Magda usiadła na krzesełku w poczekalni. Drżącymi rękami wygrzebała z torebki komórkę i zadzwoniła do Leszka. Powiedział, że natychmiast wsiada do auta i najdalej za pół godziny będzie w szpitalu. Potem wystukała numer do Radka, żeby zrelacjonować mu ostatnie wydarzenia i przy okazji go powiadomić, że późno wróci do domu. Musiała komuś się wygadać, a najlepszą osobą do tego był mąż, który w każdej, nawet najgorszej sytuacji zawsze potrafił znaleźć odpowiednie słowa pocieszenia. Teraz potrzebowała jego wrażliwości i rozsądku, żeby chociaż trochę się uspokoić.

Wyłączyła komórkę i schowała ją do torebki. Pomyślała o rodzicach Jagody. Przez moment zastanawiała się, czy do nich też zadzwonić, bo przecież powinni wiedzieć, co się stało. Jednak po chwili zdecydowała, że na razie, dopóki się nie dowie, jaki jest stan Jagody, nie będzie ich niepokoić.

Po niespełna trzydziestu minutach pojawił się Leszek. Szybkim krokiem przemaszerował korytarz i dostrzegł w poczekalni zmartwioną i zniecierpliwioną oczekiwaniem Magdę.

– Co się dzieje?! – zawołał z daleka.

– Jeszcze nic nie wiem. Czekam na lekarza.

– A gdzie ona teraz jest? – Był wyraźnie przestraszony.

– Chyba cały czas na jakiejś sali zabiegowej – odparła ze łzami w oczach. – Leszek, boję się... że to znaczy... że coś się dzieje z dzieckiem.

Leszek poklepał ją uspokajająco po plecach.

– Ciiii – uciszał ją – nie mów tak. Nic nie mów. Wszystko będzie dobrze.

*

Gdy Jagoda otworzyła oczy, zobaczyła biały sufit szpitalnej sali. Rozejrzała się wokół. Obok, na drugim łóżku, siedziała jakaś kobieta i czytała gazetę. Słysząc, że Jagoda się poruszyła, spojrzała na nią i twarz jej się rozpromieniła.

– Dzień dobry – powiedziała. – Jak się pani czuje?

Jagoda uśmiechnęła się słabo. Przez chwilę próbowała zebrać myśli i zorientować się, gdzie jest i co

241

właściwie się stało. Czuła się trochę oszołomiona, słaba i potłuczona, bolała ją też głowa. Dotknęła ręką czoła i z prawej strony, tuż przy łuku brwiowym namacała spory opatrunek. Powoli wracały do niej wydarzenia z poprzedniego dnia, jak znalazła kolczyk obcej kobiety w koszuli Leszka, a potem chyba straciła przytomność i spadła ze schodów. Przypomniała sobie, że kiedy doszła do siebie, zobaczyła nad sobą twarz Magdy, później był przejazd karetką do szpitala i biały gabinet zabiegowy. Niczego więcej nie pamiętała.

– Kiepsko, co najmniej tak, jakbym wczoraj na imprezie po wypiciu pięciu bacardi tańczyła breakdance – odrzekła zrezygnowana.

– To znaczy, że nie najgorzej, skoro dopisuje pani humor, mimo sytuacji, w jakiej się pani znalazła – zaśmiała się jej rozmówczyni.

– Czy pani była tutaj, jak mnie przywieźli?

– Tak, była pani pod wpływem środków uspokajających i zaraz zasnęła – powiedziała kobieta. – Pielęgniarka uznała, że wszystko w porządku, więc nie chciała już pani budzić. Pewnie za chwilę przyniesie termometr.

– Nie wie pani, czy mój mąż tu był? – zapytała nieśmiało i z wysiłkiem.

– Chyba tak, z pani siostrą. Widziałam mężczyznę i kobietę, którzy na korytarzu długo rozmawiali z lekarzem. Czekali, aż pani się przebudzi, a potem chcieli tu wejść, ale doktor im nie pozwolił.

– Nie, ja nie mam rodzeństwa. To na pewno moja przyjaciółka... ale właściwie ona jest jak siostra. – Jagoda uśmiechnęła się na myśl o Magdzie.

Zastanawiała się, co z dzieckiem, czy za bardzo nie ucierpiało w tym wypadku. Zadrżała na samą myśl, że coś mogłoby mu się stać. Przerażona własnymi myślami zaczęła się modlić. Chociaż była katoliczką, do kościoła chodziła bardzo rzadko, a modliła się jeszcze rzadziej. W tej chwili jednak była świadoma tego, że sama nie ma już na nic wpływu i pozostaje jej tylko proszenie o cud. Nie, żeby głęboko wierzyła w cuda, ale dlatego, że o niczym innym nie mogła już myśleć.

Boże, nie pozwól, żeby coś się stało, błagała w duchu. Proszę, nie rób mi tego. Nie mogła się już doczekać chwili, gdy przyjdzie lekarz i będzie miała okazję dowiedzieć się, co z jej ciążą.

Tuż przed obchodem w drzwiach pojawił się lekarz, żeby z nią porozmawiać osobiście. Jagoda bała się tego, co miał jej do zakomunikowania. Przypomniała sobie, że w karetce jakiś inny lekarz, albo sanitariusz, uprzedzał ją, że istnieje ryzyko poronienia. Wtedy zaczęła płakać, ale zaraz dali jej zastrzyki ze środkami uspokajającymi.

Doktor wszedł, przywitał się i zapytał ją, jak się czuje. Jagoda natychmiast spytała:

– Co z moim dzieckiem?

– Proszę się nie martwić, wszystko w porządku – zapewnił ją. – Udało się uratować ciążę, niestety konieczne jest jej farmakologiczne podtrzymywanie. Od teraz pozostanie pani pod stałą kontrolą, bo ryzyko utraty płodu jest bardzo duże i poronienie może nastąpić w każdej chwili. Na razie przez jakiś czas poleży pani w szpitalu, aż się upewnimy, że nie ma już zagrożenia. A czoło – wskazał na pokaźny opatrunek – to tylko kilka szwów, szybko się zagoi i prawie nie będzie śladu.

– Dziękuję – szepnęła, czując ulgę i bezgraniczną wdzięczność.

– Chyba powinna pani podziękować temu na górze, bo my tutaj takie przypadki nazywamy cudami, mimo naszych racjonalnych poglądów – powiedział z uśmiechem lekarz. – Ale proszę być dobrej myśli i bardzo uważać na siebie. I proszę obiecać, że w przyszłości będzie pani ostrożniej chodzić po schodach.

*

Tego dnia przed południem do szpitala przyszła Magda. Koniecznie chciała jak najszybciej zobaczyć przyjaciółkę i przekonać się na własne oczy, że nic jej nie jest. Dzień wcześniej siedziała z Leszkiem w szpitalu do późna, ale gdy Jagoda po przewiezieniu na salę spała, lekarz nie zgodził się na odwiedziny, chcąc dać pacjentce czas na uspokojenie i odpoczynek. Poinformował ich tylko, że na razie sytuacja została opanowana i mogą bez obaw iść do domu. Nie pozostało im nic innego, jak tylko posłuchać jego rady. Jednak i tak całą noc Magda nie mogła spać i wciąż myślała o wypadku przyjaciółki. Krążyła po domu, nie wiedząc, co ze sobą zrobić. Najpierw włączyła telewizor, żeby się czymś zająć, ale stwierdziwszy, że

244

nocny program jest do bani, wyłączyła go. Próbowała czytać książkę, ale niespokojne myśli nie pozwalały jej skupić się na treści. Potem zrobiła sobie herbatę i usiadła w kuchni, zastanawiając się, co mogło się stać w domu Jagody, że doszło do takiego wypadku.

Około drugiej w nocy Radek przebudził się i zauważył, że żony nie ma w łóżku. Wstał i poszedł sprawdzić, co się dzieje. Zastał Magdę skuloną na kuchennym taborecie; siedziała z podwiniętymi nogami, brodą opartą na kolanach i kubkiem herbaty w ręku.

– Co się stało? – spytał zaniepokojony.

– Nic – odparła.

Radek dobrze znał swoją żonę i wiedział, że coś ją dręczy. Podszedł do lodówki, wyjął kartonik soku i nalał sobie do szklanki. Usiadł przy stole naprzeciw Magdy i patrząc jej prosto w oczy, powiedział:

– No mów, o co chodzi? Martwisz się Jagodą?

– Tak, czuję się winna – mruknęła.

– Dlaczego?

– Dlatego, że wtedy, kiedy Jagoda dowiedziała się o romansie Leszka z Beatą, nie powiedziałam jej o jego wcześniejszych wybrykach. Gdyby znała całą prawdę, może nie wróciłaby do niego i nic by się nie stało.

– Daj spokój, to była jej decyzja – odparł Radek. – Ty nie masz z tym nic wspólnego.

– Nieprawda – zaprzeczyła, energicznie kręcąc głową, aż bujna grzywka opadła jej na oczy. – Jagoda zakochała się w Wiktorze. Gdyby wtedy wiedziała wszystko o Leszku, nie wróciłaby do niego i nie zaszłaby w ciążę. Rozumiesz? Gdyby nie ciąża, nie zostawiłaby mężczyzny, którego bardzo pokochała. Po prostu wybrałaby Wiktora.

– Chcesz powiedzieć, że ona wróciła do Leszka tylko dlatego, że jest ojcem dziecka?

– Otóż to.

– A jesteś pewna, że ten Wiktor to nie przelotny romans? Może tylko się pocieszała, kiedy było jej ciężko?

– Typowo męskie rozumowanie. – Magda westchnęła i przewróciła oczami. – To faceci szukają pocieszenia w ramionach innej, zraniona kobieta cierpi i nie szuka przygód.

– Naprawdę? Nie wiedziałem.

– Każdy sądzi według siebie. Jesteś cyniczny – odparowała i pokazała mu język.

– Żartowałem – powiedział Radek, kładąc dłoń na jej ręce.

– Wiem – odparła Magda i się uśmiechnęła. – Jedno jest pewne, Jagoda zakochała się w Wiktorze po uszy, a on w niej, i teraz oboje są nieszczęśliwi, bo musieli się rozstać.

– W takim razie nie rozumiem, dlaczego mimo ciąży nie została z tym Wiktorem, skoro tak bardzo go kocha. Mało to facetów wychowuje nie swoje dzieci?

– Dlatego, że ona jest uczciwa aż do bólu i nie chciała stawiać go w sytuacji, w której wolałby się wycofać i czułby się z tym niezręcznie... no, krótko mówiąc, uznała, że nie ma prawa oczekiwać od niego, żeby się poświęcił i przyjął cudze dziecko.

– Wiesz co? Kiedy mężczyzna kocha kobietę, to przyjmuje ją razem z przychówkiem, nawet z teściową, a jeśli się wycofuje, to znaczy, że tak naprawdę jego uczucie było płytkie i niewarte złamanego grosza. Ja na jej miejscu powiedziałbym mu wszystko, żeby przynajmniej wiedzieć, czy jego miłość była prawdziwa.

– Ja chyba też bym tak zrobiła. Wolałabym zaryzykować wszystko, nawet odrzucenie, żeby się przekonać, czy rzeczywiście mu na mnie zależy.

– No właśnie, to dlaczego ona tak nie zrobiła?

– Bo Jagoda jest taka... niedzisiejsza – mruknęła bezradnie Magda.

– Co masz na myśli?

– To, że ona jest pełna zasad i skrupułów.

– Tu się z tobą zgadzam.

Na chwilę pogrążyli się w myślach. Magda powoli uniosła do ust kubek i upiła łyk herbaty.

– Słuchaj – Radek pochylił się nad stołem – pamiętasz, jak kilkanaście lat temu powiedziałem ci o pierwszym romansie Leszka?

Wtedy Magda mu nie uwierzyła. Nie mieściło jej się w głowie, że mąż mógłby zdradzać żonę już na początku małżeństwa. Wydawało jej się to niemożliwe. Była jeszcze młoda i niedoświadczona, wierzyła w idealny świat, tym bardziej że nie znała wcześniej tego typu przypadków, a Jagoda z Leszkiem wyglądali na takich zakochanych. Jakże się myliła. Jakże poczuła się rozczarowana, gdy do niej dotarło, że życie wcale nie jest takie idealne.

– Pamiętam.

– No właśnie, zwymyślałaś mnie wtedy. Powiedziałaś, że zajmuję się złośliwymi plotkami.

– Oj, nie bądź taki pamiętliwy – obruszyła się Magda. – Ale przyznaję, że miałeś rację.

– No, miałem, i teraz też chcę ci o czymś powiedzieć. Leszek znów ma romans.

– Bzdura. To niemożliwe – zaprzeczyła, energicznie kręcąc głową. – Przecież mówił, że Beata rzuciła go dla innego.

– Nie mówię o Beacie, tylko o Renacie, koleżance Jagody. Tej, która była w Szczyrku na obiedzie u Wierszyckich.

– Mówisz poważnie? – Zdumiona Magda wytrzeszczyła oczy.

– Jak najbardziej. Podobno Renata zawsze na niego leciała i nigdy nie miała żadnych skrupułów, więc właściwie można było się tego spodziewać.

– Skąd o tym wiesz?

– Jak zawsze, mamy wielu wspólnych znajomych. Na dłuższą metę takich rzeczy nie da się ukryć.

– Cholera jasna, pieprzony zdrajca! – Magda ze złością uderzyła pięścią w udo i sycząc z bólu, natychmiast zaczęła je rozcierać.

– Zdaje się, że to nieuleczalny nałóg. On już traktuje te romanse jak coś normalnego i chyba bez pomocy psychologicznej nie ma szans na to, że się zmieni. Moim zdaniem, to już jest odchył od normy.

– Kurczę, i co ja mam teraz zrobić? – jęknęła Magda.

– Nic. Jagoda musi mieć spokój. Trzeba było wcześniej wszystko jej powiedzieć, wtedy, kiedy była odpowiednia ku temu okazja. Teraz naraziłabyś ją na kolejny stres, a wiesz, że nie może się denerwować. Chyba nie chcesz mieć na sumieniu jej dziecka? Gdyby coś się stało, mogłaby kompletnie się rozsypać.

– O kurczę. – Magda podskoczyła na krześle, jakby ją coś oparzyło. – A może ona się domyśliła albo go przyłapała, zdenerwowała się i dlatego wydarzył się ten wypadek?

– Niewykluczone. To nawet bardzo prawdopodobne – przyznał Radek, kiwając głową. – Ale dopóki się nie zorientujesz, czy ona wie o Renacie, nic jej nie mów. To nie jest odpowiednia pora na szczerość. Tak będzie lepiej dla Jagody.

Magda w zamyśleniu spojrzała na męża i zmrużyła oczy.

– Radeczku, coś mi się wydaje, że będę musiała zacząć cię pilnować, żebyś i ty mi czegoś nie wywinął. Zaczynam się bać.

– Nie żartuj – obruszył się Radek. – Przecież mnie znasz.

– Znam, nie znam, co to za różnica. Jagoda też myślała, że zna Leszka, i widzisz, na co jej przyszło. Facet to facet. – Magda lekceważąco wzruszyła ramionami.

– Proszę cię, nawet tak nie mów, bo się zdenerwuję.

– No dobra – ustąpiła. – Ale ostrzegam, że jak mnie zdradzisz, to powyrywam wszystkie kudły i wydrapię ślepia tej zołzie, która odważy się na romans z tobą.

– Tak? A już się bałem, że to mnie się dostanie – ucieszył się Radek, bo wiedział, że ma żonę z ogromnym temperamentem i byłaby zdolna zrobić o wiele więcej.

– Ha! Kochany, ciebie to ja bym zamknęła w domu i już do końca życia nie miałbyś okazji widzieć bożego świata, bo przecież nie zrezygnowałabym z ciebie z powodu jakiejś głupiej baby. Trzymałabym cię w odosobnieniu i musiałbyś mi świadczyć usługi seksualne za kotleta schabowego albo talerz zupy – powiedziała, siadając mu na kolanach.

Radek objął ją w pasie, mocno przytulił i namiętnie pocałował w szyję. Pachniała świeżymi malinami, taki zapach miał balsam, którym smarowała się po kąpieli. Magda lubiła kosmetyki o zapachu świeżych owoców, on też.

– To mnie uspokoiłaś – mruknął, wtulając twarz w jej dekolt. – Taka słodka niewola to czysta przyjemność. Jak będziesz tak mówić, to specjalnie cię zdradzę, żebyś musiała dotrzymać słowa.

– Ani mi się waż! – zawołała rozbawiona i pacnęła go w ucho.

*

Kilka godzin później, idąc szpitalnym korytarzem, Magda przypominała sobie przestrogę męża, żeby nie mówić przyjaciółce o kolejnej zdradzie Leszka. Przynajmniej jeszcze nie teraz, gdy Jagoda leży w szpitalu i drży o zdrowie własnego dziecka. Żałowała, że nie

250

zrobiła tego wcześniej, ale teraz nie miała wyjścia, dla jej dobra musiała dalej milczeć. Minęła dwie stojące przy recepcji, dyskutujące o czymś pielęgniarki w białych sterylnych uniformach i jakąś bladą kobietę w szlafroku, spacerującą po korytarzu. Rozglądając się, odczytywała cyfry na drzwiach. W końcu dotarła do sali numer sześć, w której miała być Jagoda. Weszła do środka i na drugim łóżku pod oknem zobaczyła przyjaciółkę, bladą, z mocno podkrążonymi oczami. Jagoda leżała na wznak ze wzrokiem utkwionym w suficie.

– Dzień dobry – powiedziała cicho Magda, wślizgując się ostrożnie do środka.

Jagoda podniosła się i usiadła na łóżku, wyciągając do niej ręce niczym małe dziecko, kiedy chce, żeby mama je przytuliła.

– Miło cię widzieć, cieszę się, że przyszłaś – powiedziała uradowana, serdecznie ściskając Magdę.

– Jak się czujesz?

– Dobrze. Najważniejsze, że dziecku nic się nie stało.

Magda przysunęła krzesełko bliżej łóżka i usiadła.

– Dzięki Bogu. Wyglądasz jak partyzant po wysadzeniu pociągu – powiedziała, wskazując wielki opatrunek na czole Jagody – a nie jak ciężarna kobieta.

– To nic takiego, tylko kilka szwów, zagoi się, zanim dziecko mnie zobaczy – odparła przyjaciółka, ostrożnie dotykając gazy.

– Moja droga, czy ty wciąż musisz z czegoś spadać? – zapytała żartobliwie Magda.

– Bo co?

– Niedawno spadłaś z konia, teraz ze schodów, aż strach pomyśleć, z czego jeszcze mogłabyś zlecieć. Jak tak dalej pójdzie, twoje dziecko zostanie spadochroniarzem wojsk desantowych albo kaskaderem. Na wszelki wypadek zawczasu kup mu kask, niech się szczyl od małego przyzwyczaja.

– Jak tak dalej pójdzie, to jest szansa, że moje dziecko będzie zdrowo walnięte – zaśmiała się Jagoda.

– No cóż, na to zawsze miało szansę, nawet jakbyś nie zleciała z tych schodów. Przecież równie dobrze może to odziedziczyć w genach po stukniętej mamusi, która za wszelką cenę usiłuje być kobietą upadłą.

– Od dziś upadłość to moja specjalność – zachichotała Jagoda.

Magda przyglądała jej się ze wzruszeniem i czułością. Było jej żal przyjaciółki, która w ostatnim czasie tak wiele przeszła, mimo że z całą pewnością na to nie zasłużyła. Zupełnie jakby los nagle uwziął się na nią. Żałowała, że tak niewiele może jej pomóc. Nie zdawała sobie jednak sprawy z tego, że swoją obecnością i troską wspiera Jagodę w najlepszy możliwy sposób, co tamta doceniała.

– W każdym razie obiecaj mi, że już zawsze będziesz poruszać się po płaskim i nie będziesz na nic włazić. Żadnych koni, wielbłądów, drabin, stopni, taboretów i innych takich tam ruchomych i nieruchomych rzeczy, na które można się wdrapywać.

– Może w ogóle powinnam tylko się czołgać, tak na pewno będzie bezpieczniej.

– Fakt, wtedy nawet nie miałabyś szansy się potknąć, ale co mniej uważni ludzie mogliby cię podeptać, więc to też nie jest najlepszy pomysł.

– Przestań mnie rozśmieszać, bo mi się dziecko wykluje przed czasem. – Jagoda objęła ręką brzuch.

– Kochana, jak przetrzymało ten sztorm, który mu zafundowałaś wczoraj, to twoje chichoty na pewno już mu nie zaszkodzą.

Nagle Jagoda przestała się śmiać i spoważniała. Popatrzyła na Magdę z dziwnym wyrazem twarzy, a Magda odniosła wrażenie, że przyjaciółkę coś dręczy. Zaniepokoiła się. Poczuła, jak coś ściska jej gardło. Pomyślała, że Jagoda wie o wszystkim i za chwilę znów wybuchnie płaczem.

– Co ci jest? – spytała zdenerwowana.

– Nic takiego – odrzekła Jagoda i ściszając głos dodała: – Leszek znowu mnie zdradza.

Magda opuściła głowę. Poczuła, że robi jej się gorąco, i natychmiast spociła się na czole i pod pachami. Rozpięła guziki swetra, po czym mruknęła:

– Tak?

– Tak, w końcu to nie pierwszy raz, więc mam już jakieś doświadczenie. Nie ma sensu go wybielać, jest, jaki jest, i muszę się z tym pogodzić – powiedziała spokojnie.

– Jak się dowiedziałaś? – zaciekawiła się Magda.

– Wczoraj w kieszeni jego koszuli znalazłam kolczyk, który na pewno nie jest mój. Sklerozy to ja jeszcze nie mam, rozpoznaję własne rzeczy. Zresztą ten zupełnie nie jest w moim stylu. Pretensjonalne cacko.

– Może istnieje inne wytłumaczenie, rozmawiałaś z Leszkiem?

– Nie zamierzam z nim rozmawiać i słuchać jego, pożal się Boże, żałosnych, kłamliwych tłumaczeń. Zresztą nareszcie dotarło do mnie, że to oszust i szuja.

– Jagódko – Magda nerwowo podrapała się po uchu – czy ty jesteś spokojna, czy tylko tak mi się wydaje?

– Jestem absolutnie spokojna. Sama się sobie dziwię, ale już mnie to nie rusza – odpowiedziała ze smutnym uśmiechem, poprawiając poduszkę. – Wyobraź sobie, że przez ten wczorajszy upadek coś mi się przestawiło o sto osiemdziesiąt stopni i zmieniła mi się hierarchia wartości. Uświadomiłam sobie, że mało brakowało, a mogłam stracić nie tylko własne życie, ale i swoje dziecko, i tak naprawdę nic nie jest ważniejsze niż my dwoje. Zadałam sobie pytanie, co tak właściwie w naszym życiu liczy się najbardziej, i wiesz, do czego doszłam?

Magda pokręciła przecząco głową.

– Istnienie... to ono samo w sobie jest najwyższą wartością – powiedziała, kładąc dłoń na brzuchu. – Pomyślałam, że nic nie jest tak ważne, jak samo życie.

– Uff. Ulżyło mi. Bałam się, że znów będziesz się denerwować.

– Spokojnie, świetnie się czuję, poza tym, że wyglądam jak po zderzeniu z ciężarówką.

Magda poprawiła się na krzesełku.

– Wobec tego mogę ci powiedzieć.

Jagoda spojrzała na nią pytająco, a Magda głęboko wciągnęła powietrze w płuca, po czym powoli wypuściła je ze świstem. Uznała, że teraz jest odpowiedni moment, aby wyjawić wszystko, i musi zaryzykować. Z absolutną szczerością przeprosiła za swoje nierozsądne zachowanie i powiedziała, że właściwie już dawno powinna to zrobić, ale nie chciała jej denerwować. Dopiero teraz do niej dotarło, że milcząc, popełniła wielki błąd, i nie chce już tego błędu powtórzyć. Powiedziała Jagodzie, że przed Beatą Leszek miał jeszcze co najmniej dwa romanse, o których wie na pewno. Teraz kombinuje z Renatą, o czym dowiedziała się od Radka, który twierdził, że od czasu wizyty u rodziców Jagody w Szczyrku tamci dwoje spotykają się regularnie.

– A to żmija! – syknęła Jagoda, mrużąc oczy. – To był jej kolczyk. Teraz sobie przypominam, że miała takie w uszach wtedy w Szczyrku.

– No. – Magda twierdząco kiwnęła głową. – To żmija, a ty wpuściłaś ją do własnego życia, nawet zaprosiłaś do domu na obiad. Zresztą oboje są siebie warci.

– To prawda. Jednak gdybym jej wtedy nie zaprosiła, to on i tak za chwilę znalazłby sobie kogoś. Co za różnica – ta czy inna. Przecież nie mogę wiecznie go kontrolować i umierać ze strachu, że znowu coś mi wywinie, bo popadnę w paranoję.

– Oczywiście. Prędzej czy później kompletnie byś sfiksowała.

– Wiesz, wydaje mi się, że... gdy za pierwszym razem wyjechałam do Kozubków, zrobiłam krok w dobrym kierunku. Miałaś rację, że los dał mi szansę, żebym zmieniła swoje życie na lepsze, a ja ją zaprzepaściłam. Niepotrzebnie tak szybko wróciłam do Leszka. Teraz to zrozumiałam.

– Mówią, że nie wchodzi się dwa razy do tej samej rzeki – filozoficznie stwierdziła Magda.

– Mam wrażenie, że wtedy wróciłam do punktu wyjścia i wszystko zaczęło się od początku. Jakbym doznała *déjà vu*.

– Też tak uważam, ale wcześniej byłaś szczęśliwą mężatką, więc nic dziwnego, że chciałaś odzyskać dawne życie – usprawiedliwiła ją Magda, chociaż sama uważała, że przyjaciółka popełniła wielki błąd.

– Żałuję, że straciłam miłość Wiktora. – Westchnęła. – Byłam głupia i zbyt łatwo dałam się zwieść pozorom Leszka.

Spojrzała w okno i się zamyśliła. Magda przez chwilę obserwowała ją uważnie, mając nadzieję, że tym razem Jagoda się nie rozpłacze jak zwykle. I nie zrobiła tego. Może po tym upadku ze schodów rzeczywiście jej coś się przewartościowało.

Po chwili znów zwróciła się do Magdy:

– Mam do ciebie prośbę.

– No, jaką?

– Obiecaj mi, że nie powiesz Leszkowi, że wiemy o jego wszystkich romansach, a zwłaszcza o tym obecnym, i nie dasz nic po sobie poznać. Postaraj się, żeby w żadnym wypadku niczego nie podejrzewał.

– Obiecuję, ale możesz mi powiedzieć, co wymyśliłaś?

– Nic specjalnego. – Jagoda machnęła ręką i położyła głowę na poduszce. – Dowiesz się – powiedziała tajemniczo.

– Będziesz dalej ciągnąć tę farsę?

– Teraz nie mam wyboru. Dziecko musi mieć dom, a ja potrzebuję trochę czasu, żeby dobrze to rozegrać.

– Ale czujesz się dobrze?

– Jak najbardziej – zapewniła ją z uśmiechem Jagoda.

– A co planujesz?

– W tej chwili to nie ma znaczenia.

– W takim razie ja już pójdę, a ty sobie spokojnie odpoczywaj. – To mówiąc, Magda wstała, ucałowała ją w oba policzki i wyszła z sali.

*

Jagoda leżała w szpitalu ponad miesiąc. Lekarze doszli do wniosku, że trzeba się upewnić, czy nie ma zagrożenia dla ciąży, i dopiero gdy uznali, że wszystko wróciło do normy i pacjentka nie musi już leżeć, podjęli decyzję o wypisaniu jej do domu. Oczywiście jednocześnie otrzymała przestrogę, że ma o siebie dbać i absolutnie się nie przemęczać. Spokój i troskliwa opieka medyczna sprawiły, że Jagoda przez ostatnie tygodnie czuła się coraz lepiej, dzięki czemu stała się mniej nerwowa i nabrała sił, które teraz były jej bardzo potrzebne. Miała też czas na przemyślenie sytuacji, w której mimo woli się znalazła, a przy okazji ułożyła sobie plan na przyszłość.

Przez cały ten czas Leszek często ją odwiedzał. Przychodził prawie codziennie, zawsze z kwiatami, owocami, sokami i ciasteczkami. Patrząc na nich z boku, można by pomyśleć, że są wspaniałym, zgodnym małżeństwem. Jagoda nie zapomniała jednak o zdradach i przykrościach, jakich jej przysporzył. Natomiast Leszek nigdy ani słowem nie wspomniał o kolczyku, pozostawionym w dniu wypadku przez żonę na kuchennym stole. Możliwe, że w swej naiwności sądził, że nie domyśliła się niczego, i nadal czuł się bezkarny. A dla niej w tej chwili nie miało to najmniejszego znaczenia. Było jej wszystko jedno, co mu się wydaje. Z pełną premedytacją skupiła się tylko na sobie i dziecku, i na tym, co ją czeka w najbliższej przyszłości. Miała już swój plan i zamierzała się go trzymać.

Największą radość w czasie szpitalnej rekonwalescencji sprawiła jej wizyta rodziców. Państwo Wierszyccy, powiadomieni o wypadku przez Magdę, postanowili natychmiast przyjechać do szpitala, aby na własne oczy sprawdzić, jak też się czuje ich ukochana córka. Im również Jagoda nie wyjawiła prawdziwej przyczyny wypadku. Chciała, żeby na razie wierzyli, że wszystko w jej małżeństwie układa się świetnie, czyli po ich myśli.

Wróciła do domu w niezłej kondycji psychicznej i fizycznej. Czuła się na tyle dobrze, że zaczęła kompletować wyprawkę i szykować pokój dla dziecka. Zamówiła malarza do odświeżenia ścian w pokoiku, który do niedawna był przeznaczony dla gości, i panią do uprzątnięcia bałaganu pozostawionego przez fachowca. Zdecydowanie nie chciała robić tego wszystkiego sama, by nie ryzykować, że się przedźwignie i stanie się coś niedobrego. Potem stopniowo zaczęła przygotowywać całą resztę. Do porodu zostało już niewiele czasu, więc każdy punkt swego planu realizowała z rozwagą i bez zbędnego pośpiechu. Wybrała się z Magdą do sklepów z artykułami dla dzieci. Kupiła mebelki, wózek, wanienkę, a na końcu ubranka, butelki, smoczki i inne mogące przydać się rzeczy. Cały czas płaciła gotówką, wyciągnąwszy pieniądze z bankomatu lub wprost z banku. Magda dziwiła się, że przyjaciółka robi sobie tyle zachodu i nie płaci kartą, lecz tamta na jej pytania odpowiadała zdawkowo i wymijająco.

Tuż przed świętami Bożego Narodzenia Magda była prawie na każde zawołanie i towarzyszyła jej na zakupach i przy lekkich zajęciach domowych w trakcie przedświątecznych porządków. Do cięższych prac wzięły do pomocy panią Joasię, młodą studentkę psychologii z sąsiedztwa, która często dorabiała sobie w ten sposób do niewielkiego kieszonkowego, które otrzymywała od niezbyt zamożnych rodziców. Joasia była pracowita i bardzo kontaktowa i od razu obie ją polubiły.

Tydzień przed świętami przyjechali państwo Wierszyccy. Co roku Jagoda z Leszkiem jeździli do nich, do Szczyrku, aby spędzić kilka wolnych dni z rodzicami i poczuć świąteczny nastrój w zimowym, śnieżnym, górskim klimacie. Teraz pani

Maria zabroniła córce ruszać się z domu i zdecydowała, że sama przygotuje wszystko, co potrzebne, by miło spędzić święta. Uznała też, że skoro w tym roku dzieci (Jagoda z Leszkiem) zostają w domu, to mogą przy tej okazji zaprosić na Wigilię również ojca oraz siostrę Leszka, Anetę, i jej męża, żeby było bardziej rodzinnie. Jagoda się nie sprzeciwiła i przyjęła pomysł mamy bez zastrzeżeń, chociaż w rzeczywistości nie przepadała za mężem Anety. Uważała, że jest cyniczny i oschły, nigdy jednak nie mówiła o tym ani szwagierce, ani Leszkowi. Zresztą widywali się tak rzadko, że nie miało to większego znaczenia.

Ostatnie dni dla Jagody były bardzo trudne, gdyż ciąża już wyjątkowo mocno dawała jej się we znaki. Młoda kobieta miała spore problemy z poruszaniem się, a do tego męczyła się z byle powodu, często biegała do toalety i była nadpobudliwa.

Trzy dni przed Wigilią pani Maria w kuchni mieszała gotujący się w ogromnym garnku stojącym na palniku kuchenki bigos. Obok na blacie kuchennym czekały już pierwsze ulepione pierogi z grzybami i kapustą, a dalej leżała rozwałkowana następna porcja ciasta. Jagoda z Magdą siedziały przy stole z kubkami pełnymi świeżej herbaty.

– Jagódko, znasz już płeć waszego dziecka? – zapytała w pewnym momencie pani Maria.

– Nie. Prosiłam lekarza, żeby mi nie mówił – odparła spokojnie córka.

– Nie rozumiem dlaczego – zdziwiła się Magda.

– A bo pomyślałam sobie, że fajnie byłoby mieć niespodziankę. Przecież niezależnie od płci i tak je kocham. – Uśmiechnęła się i pogłaskała czule swój mocno zaokrąglony brzuch.

– A zdecydowaliście już, jak mu dacie na imię?

– Zastanawiałam się nad tym. Leszek chce, żeby chłopczyk nazywał się po jego dziadku, Tytus.

Magda spojrzała na Jagodę, a jej brwi w wyrazie zdziwienia powędrowały aż na czoło, ale widząc poważną minę przyjaciółki, powiedziała:

– Nieźle, w każdym razie mały ma szansę w szkole na ksywę „Tyfus" – i obie parsknęły śmiechem.

– Prawdę mówiąc, teraz są w modzie takie imiona. Zresztą Tytus brzmi ładnie – stwierdziła obiektywnie Jagoda. – A co ty proponujesz?

– Nie wiem, to twoja działka. – Magda wzruszyła ramionami. Sięgnęła do talerzyka ze słodyczami i wybrała pierniczek w czekoladzie w kształcie serduszka. – A ty masz jakiś pomysł?

– Sama nie wiem, podoba mi się dużo imion. Jeszcze się nie zdecydowałam.

– To może Maciej? – podsunęła Magda.

– Hmm... niezłe. – Jagoda się zamyśliła. – Maciej Topolski – powiedziała powoli, aby przekonać się, jak to brzmi.

– A dziewczynka na przykład Justyna.

– No, całkiem ładnie. Justyna, zdrobniale to by była Justysia. – Jagoda zastanawiała się nad propozycją. – W końcu będę musiała na coś się zdecydować.

– Już najwyższy czas, żebyście jakieś wybrali – wtrąciła pani Maria, nie przerywając mieszania bigosu.

– Wybrali? – Jagoda lekceważąco wzruszyła ramionami. – Sama podejmę decyzję, a Leszkowi nic do tego. Niech się cieszy, że jestem uczciwa i prawnie będzie ojcem, chociaż na to nie zasłużył.

Zaskoczona pani Maria przerwała lepienie pierogów i spojrzała ze zdziwieniem na córkę, która nie zważając na nią, dalej spokojnie popijała herbatę.

– Jagódko, co się dzieje? Ja ciebie nie poznaję! Jak możesz tak mówić!? – strofowała ją mama, z dezaprobatą kręcąc głową. – Przecież to twój mąż.

– Byłoby miło, gdyby on o tym nie zapominał – odparowała Jagoda.

– Racja – wtrąciła Magda. – W końcu to kobieta męczy się dziewięć miesięcy i cierpi przy porodzie, więc zdecydowanie ma większe prawo do dziecka, a tym samym do wybierania mu imienia – skwitowała, sięgając po następnego pierniczka.

– Och, dziewczyny, za moich czasów...

– Za twoich czasów, mamo – przerwała jej Jagoda – kobieta była spychana do roli podrzędnej kuchty, teraz tak nie jest, a przynajmniej większość kobiet już się na to nie godzi. Ja też kiedyś żyłam w cieniu męża, ale od chwili, gdy przejrzałam na oczy, postanowiłam się zmienić.

– I dzięki Bogu – poparła ją ochoczo Magda. – Od czasów sufrażystek wszystko się zmieniło i teraz myszka ma takie same prawa, co kotek – podsumowała z ustami pełnymi piernika.

– Co masz na myśli? – zapytała pani Maria.

– Nic. – Magda zrobiła niewinną minkę. – To tylko taka przenośnia.

Pani Maria machnęła ręką i energicznie zaczęła mieszać w garnku z bigosem.

– Córeczko, jak myślisz, może by zrobić jeszcze kutię na Wigilię?

– Jak uważasz, mamo. Nie chcę, żebyś się przemęczała.

– No to zrobię, bo na pewno wszyscy chętnie zjedzą.

– Ja uwielbiam kutię – podchwyciła Magda.

– No to jak przyjdziecie z Radkiem w święta, dostaniesz całą miseczkę. Specjalnie dla ciebie odłożę – zdecydowała pani Maria. – A przy okazji chciałam zapytać, córciu, czy nie będzie wam przeszkadzało, jeśli oboje z ojcem zostaniemy u was do sylwestra?

– Ależ, mamo, jak możesz o to pytać? – Jagoda podeszła do matki i uścisnęła ją. – Będzie nam bardzo miło, jeżeli pobędziecie u nas dłużej.

– To dobrze. – Pani Maria odetchnęła z ulgą, mieszając przy tym w garnku tak intensywnie, jakby chciała wydrapać dziurę w dnie. – Bo właściwie ojciec już zdecydował, że zostaniemy. Nie gniewasz się?

– Nie, mamo. – Jagoda się roześmiała. – Wręcz przeciwnie. Liczyłam na to.

*

Tydzień po Nowym Roku Jagoda trafiła do szpitala na porodówkę. Po wielu godzinach męczarni, parę minut po czwartej urodziła zdrowego chłopczyka. Magda nie posiadała się z radości, gdy o szóstej rano Leszek zadzwonił do niej z tą wiadomością. Był wniebowzięty i szczęśliwy do granic możliwości.

– Waży trzy kilo dwieście! – krzyczał w słuchawkę. – Podobno jest piękny i zdrowy i ma ciemne włosy. – Magda zapytała, czy rodzice Jagody już wiedzą, że urodziła. – Oczywiście, już do nich dzwoniłem, bo w domu z nerwów obgryzali paznokcie. Szaleją z radości – trajkotał podekscytowany. – Do mojej rodziny też dzwoniłem, wszyscy już wiedzą; Jagoda też czuje się dobrze – odpowiadał na pytania Magdy. – Mały ma na imię Kajetan Jan.

Magda zdziwiła się na moment, bo wcześniej o tym imieniu od Jagody nie słyszała, ale ostatecznie uznała, że to bardzo ładnie brzmi. Powiedziała to Leszkowi i ucieszyła się, że dopóki mały nie dorośnie, będą wołać na niego Kajtuś.

Kilka dni później Leszek przyjechał do szpitala po żonę i pierworodnego. Był zachwycony synkiem i obchodził się z nim jak z najdroższą porcelaną. Zapakował rodzinę do samochodu i przywiózł do domu, gdzie już na nich czekali zniecierpliwieni rodzice.

Jagoda gratulowała sobie, że wcześniej tak skrupulatnie przygotowała wszystko dla dziecka. Pokoik był odświeżony, umeblowany i wyposażony w rzeczy, które mogłyby się przydać do pielęgnacji i opieki nad noworodkiem. Dzięki temu mogła w pełni skupić się na macierzyństwie, zamiast rozpraszać sprawami organizacyjnymi.

Przez pewien czas Jagoda była jeszcze osłabiona porodem, co absolutnie zrozumiałe. Jednak powoli, acz systematycznie, wracały jej siły. Rodzice postanowili zostać jeszcze dwa tygodnie, ponieważ pani Maria uznała, że córce przyda się teraz pomoc, przynajmniej do czasu, gdy młoda mama poczuje się lepiej. Potem z kolei pomagała jej Magda, która wpadała tak często, jak tylko mogła. Twierdziła, że obowiązkiem ciotki jest dbać o takie cudo, jak nazywała Kajtka, a poza tym chce, żeby malec przyzwyczajał się do niej od początku. I chyba tylko dzięki niej Jagoda nie popadła w depresję, bo ciągłe przebywanie w domu i zajmowanie się w kółko dzieckiem męczyło ją swoją monotonią.

Na szczęście Kajtek był w miarę spokojnym maluchem. Co prawda w nocy budził się regularnie i domagał posiłku, co ją bardzo męczyło i powodowało, że często w dzień chodziła niewyspana, ale potem znów zasypiał i pozwalał swojej mamie zdrzemnąć się do szóstej nad ranem. Jak do tej pory poza kolką, która pewnego wieczora męczyła go przez prawie dwie godziny, co Kajtek głośno oznajmił płaczem obojgu rodzicom, obyło się bez większych kłopotów. Jagoda dziękowała Bogu, że malec rozwija się dobrze i jest silnym dzieckiem. Na początku trudno jej było poradzić sobie ze zwiększoną ilością obowiązków, które na nią spadły, lecz stopniowo przyzwyczajała się do zmiany trybu życia, teraz całkowicie podporządkowanego synkowi.

*

Pewnego dnia, gdy Leszek wyjechał służbowo na trzy dni do Zielonej Góry, zajrzała do niej Magda, aby zdać relację na temat nowych ekscesów Leszka i Renaty. Wcześniej Jagoda, całkowicie pochłonięta opieką nad Kajtkiem, nie zastanawiała się nawet, co właściwie kryło się za tym wyjazdem. Od czasu upadku ze schodów i pobytu w szpitalu przestała się interesować, co mąż robi poza domem. Nie chciała szperać w jego rzeczach ani go szpiegować, żeby się dowiedzieć, czy spotyka się z Renatą lub jakąkolwiek inną kobietą. Miała dość jego romansów. Uważała też, że nie powinna być obsesyjnie zazdrosną żoną. Dzięki takiemu nastawieniu jej czujność słabła wprost proporcjonalnie do wciąż rosnącej obojętności wobec niego.

Leszek nawet nie podejrzewał, że oziębłość żony jest efektem zanikającego uczucia. Sądził, że to skutek niedawno przebytej ciąży i porodu, więc taktownie nie naciskał i nie domagał się intymnych kontaktów. Jagoda nie wyprowadzała go z błędu, a nawet utwierdzała w tym przekonaniu, od czasu do czasu narzekając, że źle się czuje. Dlatego Leszek czekał cierpliwie na moment, gdy sama do niego wróci i jak dawniej będzie kochającą i czułą żoną. Mimo że było jej to na rękę, czasem nie mogła opędzić się od myśli, czy taka postawa Leszka jest wynikiem jego delikatności, czy też może nie zależy mu na zbliżeniach, skoro nadal spotyka się z Renatą.

W chwili, gdy Magda powiedziała jej, że Leszek nie wyjechał w delegację sam, lecz w towarzystwie tej żmii, czyli Renaty, Jagoda poczuła coś, co można by nazwać niesamowitą pustką. Jeszcze niedawno obawiała się nowych informacji na temat wybryków miłosnych męża, gdyż nie była pewna reakcji, jakie tego typu wiadomości mogą u niej wywołać. Nie była pewna, czy znów nie poczuje tego ogromnego bolesnego zawodu, jaki czuła w poprzednich wypadkach. Jednak teraz stwierdziła z radością, że jego postępowanie już jej nie rani. Słuchała tego, co mówiła Magda, i miała wrażenie, że tamta opowiada o kimś zupełnie obcym. Z jednej strony była zadowolona, że nie wpadła w rozpacz, nie płacze i się nie denerwuje, ale z drugiej było jej smutno na myśl, że Leszek, mimo pozorów i obietnic, nadal jest niepoprawny i wcześniejsze doświadczenia niczego go nie nauczyły. A może to jakiś problem psychopatologiczny, z którym on sam nie potrafi sobie poradzić, a który należałoby leczyć? To ciągłe rzucanie się w ramiona kolejnych kobiet jest jak nałóg, silniejsze od niego, a to by znaczyło, że jej mąż potrzebuje pomocy jakiegoś psychologa albo psychiatry. Na dłuższą metę żadna kobieta nie zaakceptowałaby takiego postępowania i wcześniej czy później sam się o tym przekona.

– Hej, co ci? – Magda chwyciła ją za ramię i potrząsnęła.

– Nic. – Jagoda spojrzała na nią obojętnie. – Zamyśliłam się.

– Wyglądasz, jakby w ogóle cię to nie obchodziło.

– Bo tak jest. – Jagoda wzruszyła ramionami.

– Przepraszam. Znowu zrobiłam ci przykrość, niepotrzebnie ci o tym powiedziałam.

– Wcale nie – zaprzeczyła Jagoda i jak gdyby nigdy nic zaczęła mieszać łyżeczką herbatę. – Jestem zupełnie spokojna.

– Jagoda, czy ty coś kombinujesz? – zapytała zaintrygowana Magda.

– Nie. – Roześmiała się. – Skąd ci to przyszło do głowy?

– Myślę o tym od czasu naszej rozmowy w szpitalu, kiedy leżałaś potłuczona.

– Spokojnie, potłuczona, to ja byłam przedtem, kiedy miałam klapki na oczach, teraz już wszystko widzę.

– Nie powiesz mi, o co tu chodzi? – błagała Magda.

– Nie bądź niecierpliwa. Dowiesz się wszystkiego w odpowiednim czasie.

– Nie ufasz mi?

– Co ci przyszło do głowy? Oczywiście, że ci ufam, ale... jeszcze nie całkiem jestem gotowa. Poza tym, skoro przedtem nie słuchałam dobrych rad życzliwych mi osób, to teraz powinnam sama sobie poradzić. Powiedzmy, że to taki rodzaj pokuty, jaki sobie zadałam za własną głupotę.

– Ależ ty zrobiłaś się tajemnicza.

– A ty ciekawska – skwitowała żartobliwie Jagoda.

– To mi się nie podoba. Mam wrażenie, że coś grubszego się kroi. Jak na mój gust, to ty jesteś zbyt spokojna. To do ciebie zupełnie niepodobne.

– Eee tam. Przesadzasz – zbagatelizowała jej uwagę Jagoda.

*

Kilka dni po tej rozmowie, kiedy Kajtuś miał już trzy miesiące, a pogoda nareszcie zaczęła zwiastować nadejście wiosny, Jagoda poczuła przypływ nowych sił życiowych. Czy to na skutek odbudowującej się równowagi fizycznej, czy też może z powodu dłuższych i coraz częściej ciepłych, słonecznych dni, poczuła potrzebę powrotu do pracy. Na początek umówiła się na kilka spotkań z interesującymi ludźmi, żeby zdobyć informacje niezbędne do napisania artykułów, co sprawiło, że samopoczucie jej się poprawiło i stała się weselsza. Potem zaczęła myśleć o swojej niedokończonej powieści, aż pewnego dnia przyszedł moment, gdy otworzyła laptopa i wróciła do pisania. Jej upór i wytrwałość zaowocowały imponującą ilością tekstu, przybywającego w błyskawicznym tempie.

Oczywiście Leszek o niczym nie wiedział i cały czas był przekonany, że Jagoda pisze tylko te swoje artykuły. Do tej pory nie zorientował się, że to coś więcej, gdyż skutecznie przed nim ten fakt ukrywała. Nadal pisała po kryjomu, głównie popołudniami, gdy była sama w domu, a synek odbywał codzienną drzemkę. Wprawdzie w ten sposób niewiele czasu mogła poświęcić na swoją książkę, ale chcąc ukryć przed Leszkiem, co robi, nie pisała wieczorami, mimo że Kajtek, wykąpany i najedzony, spał już spokojnie w łóżeczku. Miała nadzieję, że uda jej się zachować całą sprawę w tajemnicy do momentu, gdy powieść będzie już skończona.

W obliczu ostatnich wydarzeń nawet ci, którzy wiedzieli, że kilka miesięcy temu Jagoda zaczęła pisać swoją pierwszą książkę, zdążyli o tym zapomnieć. Nikt nie zdawał sobie sprawy, że mając malutkie dziecko, zechce wrócić do tak czasochłonnego zajęcia. Nawet Magda uznała, że przyjaciółka zarzuciła marzenia o powieści i dawno odłożyła je do lamusa. Jagoda z kolei nie wspominała jej o tym i nie przyznała się nikomu, że nie tylko postanowiła urzeczywistnić swoje marzenie, ale nawet jest już bliska jego realizacji.

Pisała tak intensywnie, że na początku maja skończyła cały tekst i pozostało jej tylko sprawdzenie go pod względem redakcyjnym. Właściwie to poza nieustanną opieką nad Kajtkiem nie miała zbyt dużo pracy, bo nadal dwa razy w tygodniu przychodziła sympatyczna Joasia, która nie tylko pomagała przy sprzątaniu, ale też chętnie od czasu do czasu zajmowała się maluchem.

Wkrótce Jagoda zabrała się do korekty książki. Zajęło jej to prawie miesiąc, ale po wprowadzeniu zmian i poprawieniu wszystkich błędów stwierdziła, że jest zadowolona ze swojego dzieła. Uznała, że warto było pisać, chociażby dlatego, by się przekonać o własnych możliwościach, o które przedtem nawet siebie nie podejrzewała, a które okazały się całkiem spore. Tak więc odkrywając swój potencjał, odkryła też siebie.

*

Któregoś dnia w końcu maja, zaraz po wyjściu Leszka do pracy, Jagoda zamówiła taksówkę zaopatrzoną w fotelik do przewożenia dzieci. Ubrała Kajtka i pojechała z nim do miasta. Była trochę zdenerwowana, ale wiedziała, że nie ma już odwrotu i teraz trzeba zrobić to, czego wcześniej nie miała odwagi doprowadzić do końca.

Po drodze kazała taksówkarzowi zatrzymać się przed okazałą secesyjną kamienicą w centrum. Poprosiła kierowcę, żeby na nią zaczekał, i weszła do bramy. Po dwudziestu minutach wyszła z dużą szarą kopertą w ręku. Schowała ją do torebki, wsiadła z powrotem do taksówki i kazała się zawieźć do kancelarii adwokackiej. Półtorej godziny później wracała do domu. Chciała zdążyć ze wszystkim, zanim Leszek wróci z pracy. Teraz siedziała w taksówce i myślała o tym, jak w ciągu ostatniego roku zakończył się pewien etap jej życia, które wskoczyło teraz na zupełnie inny, nowy tor. Spojrzała na synka, siedzącego w foteliku obok. Miał szeroko otwarte oczy i z zainteresowaniem przyglądał się wszystkiemu, co pojawiało się za oknem samochodu. Gdy byli u adwokata, przysnął, i teraz znów się ożywił. Jagoda wyjęła chusteczkę, by wytrzeć oślinioną buzię malca. Kajtek próbował się bronić, odwracając główkę, a gdy Jagoda nie dawała za wygraną, malec zaczął głośno protestować. Pocałowała go w policzek i przytuliła do twarzy jego ciepłą, zaciśniętą piąstkę.

Po powrocie do domu najpierw musiała zająć się Kajtkiem. Szybko nakarmiła synka i położyła go spać, po czym zadzwoniła do Magdy na komórkę.

– Hej! – usłyszała wesoły głos koleżanki. – Co u ciebie słychać? Jak mój ulubiony maluch?

– Najedzony śpi w łóżeczku.

– Jak się obudzi, powiedz mu, że ciocia dzisiaj nie może go odwiedzić, ale postara się wpaść jutro.

– Właśnie chciałam cię zapytać, kiedy będziesz miała więcej czasu.

– A czemu pytasz?

– Mam do ciebie ogromną prośbę...

– Nie męcz mnie, tylko gadaj, o co chodzi – ponagliła ją Magda.

– Trochę mi głupio... ale... ale nie mam do kogo się z tym zwrócić.

– Słuchaj, jak będziesz tak się jąkać, to zejdzie nam do jutra, a połączenia komórkowe słono kosztują.

– No dobra. Zamierzam jechać do Szczyrku, do rodziców, i nie chcę wozić Kajtka pociągiem, więc pomyślałam, że może ty byś nas zawiozła?

– A co cię tak nagle przypiliło? Leszek nie może was zawieźć?

– Wcale nie nagle, wszystko sobie przemyślałam. Nie chcę, żeby Leszek o tym wiedział. Po prostu wyjeżdżam tylko z Kajtkiem

– Powiesz mi coś więcej, czy mam umrzeć z ciekawości?

– Wszystko ci wyjaśnię, jak się spotkamy – odrzekła Jagoda. – To co, zawieziesz nas?

– Jasne. Wiesz, że Kajtusiowi niczego nie mogłabym odmówić. Kiedy chcesz jechać?

– Najprędzej, jak to tylko możliwe.

– Hmmm... – Magda zastanowiła się przez chwilę. – Dziś jest środa, jutro nie mam tyle wolnego... A może w piątek? Zostanę z wami przez weekend, więc będziemy miały dużo czasu na pogaduszki. Chyba że już nie możesz wytrzymać.

– Może być – stwierdziła Jagoda. – Jeden dzień nie robi mi różnicy, poza tym dzięki temu będę mogła się przygotować.

– W takim razie przyjadę po was o dziewiątej. Może być?

– Bardzo dobrze, o tej porze Leszka nie będzie już w domu – ucieszyła się Jagoda. – Aha! I... jeśli to nie kłopot, załóż bagażnik na dach, dobrze?

– A masz fotelik dla dziecka?

– Mam. Leży w domu, bo Leszek nie lubi z nim jeździć.

– Ciekawe dlaczego.

– Może dlatego, że laski od razu wiedziałyby, że mają do czynienia z tatusiem? – zażartowała Jagoda.

– To on jest głupi. Nie wie, że na tatusia najlepiej się podrywa?

– Cóż, widać on ma własną metodę, a patrząc na ilość jego podbojów, trzeba przyznać, że skuteczną.

Obie zachichotały.

– Tylko proszę cię – odezwała się po chwili Jagoda – nie mów nikomu o naszym wyjeździe.

– Cholerka, jeszcze bardziej mnie intrygujesz – stwierdziła Magda, po czym dodała: – Okej, wytrzymam do piątku, najwyżej pęknę z ciekawości. Ucałuj Kajtka.

– Dziękuję – powiedziała Jagoda. – Mówiłam ci, że jesteś najlepszą przyjaciółką na świecie?

– Nie mówiłaś, ale i tak wiem o tym! – roześmiała się Magda, kończąc rozmowę.

*

Zgodnie z umową w piątek o dziewiątej rano Magda zjawiła się w domu Jagody. Gdy weszła do holu, zobaczyła pośrodku zapakowane po brzegi trzy imponujących rozmiarów torby podróżne i kilka niewielkich foliowych reklamówek.

– O matko! – zawołała. – Wybierasz się do rodziców czy w podróż dookoła świata?!

– Magda?! – Z pokoju na piętrze usłyszała głos przyjaciółki. – Poczekaj, już do ciebie idziemy!

Skończywszy ubierać dziecko, Jagoda wzięła je na ręce, zarzuciła torebkę na ramię i zeszła na parter, gdzie czekała Magda. Ucałowała ją na powitanie, natomiast Magda ucałowała Kajtka.

– Trzeba jeszcze zabrać spacerówkę Kajtusia – powiedziała Jagoda. – Ale nie martw się, pomogę ci zapakować ją na bagażnik.

– A co z Kajtkiem? Zostawisz go samego?

– Wpakuję go do kojca i nic mu się nie stanie.

– Daj spokój! – Magda machnęła ręką. – Sama ją zapakuję, a ty zostań z małym w domu i sprawdź

274

przy okazji, czy czegoś nie zapomniałaś zabrać. No, gdzie masz ten wózek?

– W korytarzu, w schowku – odparła Jagoda, idąc w tamtym kierunku. – Rano go złożyłam i związałam linką.

– Świetnie. – Magda stęknęła, wyciągając wózek z szafy. – Mówiłam ci, że mam z tobą siedem światów?

– Nie mówiłaś, ale wiem o tym. Poza tym mówi się trzy światy – odparowała Jagoda.

– Kochana, trzy to standard, a z tobą to jest już siedem światów.

Wyjechały po dziesiątej. Jagoda miała nadzieję, że Kajtek prześpi większość drogi i nie będzie z nim kłopotu. Okazało się, że owszem, malec pospał, ale tylko trochę. Potem na zmianę obserwował otoczenie i marudził. Widocznie nie podobało mu się, że musiał siedzieć w foteliku z tyłu auta, mimo że obok miał mamę. Jagoda próbowała go zabawiać, a potem pokazywała mu, co się dzieje za oknem, ale malec szybko się tym nudził. Ze względu na zniecierpliwionego Kajtusia musiały robić więcej postojów, niż początkowo zakładały, co zdecydowanie opóźniło ich przyjazd do Szczyrku.

Gdy stanęły na podjeździe koło domu państwa Wierszyckich, zdziwiły się, że nikt nie wyszedł im na spotkanie. Początkowo Jagoda przypuszczała, że rodzice wyjechali na zakupy i niedługo wrócą, ale gdy otworzyła frontowe drzwi własnym kluczem, okazało się, że oboje właśnie siedzą w kuchni przy obiedzie.

– Jezus Maria! Janku, ktoś nam wlazł do domu! – zawołała przestraszona pani Maria.

– To ja, mamo! – uspokoiła ją Jagoda, wchodząc z Kajtkiem na rękach do kuchni.

– Wszelki duch Pana Boga chwali! – wykrzyknęła matka. – Skąd się tu wzięłaś, dziecko?

– Ja ich przywiozłam! – wyjaśniła zasapana Magda, zrzucając z ramienia wielką torbę w korytarzu.

Pani Maria i pan Jan najpierw zaczęli ściskać córkę, w drugiej kolejności wnuczka, a na końcu przywitali Magdę, która z imponującymi wypiekami na twarzy weszła do kuchni.

– Czemu nie zadzwoniłaś, że przyjeżdżacie? Czy coś się stało, Jagódko? – Pani Maria podejrzliwie przyglądała się córce.

– Nic specjalnego – odparła ta wymijająco.

– A gdzie Leszek?

– Leszek nie przyjechał, bo ma dużo pracy.

– Magdusiu, ty mi powiedz, o co chodzi – Mama nie dawała za wygraną.

– Ja nic nie wiem! – Magda z rezygnacją machnęła ręką i usiadła ciężko na krześle. – Ona coś knuje, ale wszystko trzyma w tajemnicy i nawet najwierniejszej przyjaciółce, mówię o sobie, słowa nie pisnęła. Nie mam pojęcia, co jej znowu odbiło.

– Mamo, pogadamy później – powiedziała Jagoda. – Teraz muszę się zająć Kajtusiem i odświeżyć. Magda też.

– Odświeżyć, odświeżyć – jak echo powtórzyła za nią Magda.

– No to idźcie wziąć prysznic, a my z tatą zajmiemy się wnusiem – oświadczyła pani Maria, biorąc niemowlaka na ręce. – A może zjecie obiad?

Matka Jagody miała obyczaj gotowania na zapas. Mąż naśmiewał się z niej, że musiała praktykować w wojsku (naturalnie nigdy nie była w wojsku), bo zawsze gotowała tyle, że cały pułk można by wykarmić. Nawet dla nich dwojga przygotowywała tyle jedzenia, że spokojnie mogły się najeść przynajmniej cztery osoby.

– Nie, dziękuję, mamo, jadłyśmy po drodze – odmówiła Jagoda. Po czym zwracając się do Magdy, powiedziała: – Chodź, moja droga przyjaciółko, idziemy na górę pod prysznic.

– Ale z tobą się nie kąpię – odparła Magda, pokazując przy tym zabawnie wymowny grymas.

– Znowu głupoty ci w głowie. – Jagoda ze śmiechem wzięła ją za rękę i pociągnęła za sobą.

– Zostawcie, dziewczyny, te torby, sam je zaniosę na górę – zaproponował pan Jan i wymijając żonę, poszedł po bagaże.

Gdy już odświeżone i przebrane w wygodne ubrania zeszły na dół, ojciec Jagody właśnie składał w holu łóżeczko dla Kajtka. Okazało się, że pożyczył je od sąsiadów, których sześcioletnie dziecko już dawno zdążyło z niego wyrosnąć, więc mebel przez ostatnie lata bezużytecznie zalegał na strychu. Tymczasem Kajtek, ze świeżą już pieluchą i w czystym ubranku, spał w salonie na dwóch zsuniętych fotelach, gdzie Maria zrobiła mu tymczasowe posłanie. Z kuchni słychać było krzątającą się w pośpiechu gospodynię, dochodził stamtąd cudowny zapach świeżo zaparzonej kawy z ekspresu i drożdżowego placka z wiśniami.

Maria nalała parujący, aromatyczny napój do filiżanek stojących na stole.

– Chodźcie już, bo kawa wystygnie – zawołała. – Janku, ty też zostaw już to łóżeczko i chodź tu.

– Za chwilę – odparł jej mąż, który właśnie przykręcał ostatnią śrubę. – Już kończę, moja duszko.

We trzy zasiadły do poczęstunku przy kuchennym stole, a w tym czasie pan Jan skończył montować łóżeczko dla wnuczka i zaniósł je na piętro do pokoju Jagody. Po chwili dołączył do pań i z apetytem zaczął jeść ciasto, które troskliwa żona nałożyła mu na talerzyk.

– Umm... Pycha – zachwyciła się Magda, wpychając sobie kolejny kęs słodkości do ust. – Że też ja takiego nie potrafię upiec.

– Jak to nie potrafisz? – zdziwiła się pani Maria. – Przecież ty dobrze pieczesz.

– Takiego nie umiem.

– A co to za problem? Jak chcesz, to dam ci mój przepis i cię nauczę.

– Cudownie. Upiekę taki placek mojemu Radeczkowi, to jeszcze bardziej będzie mnie kochał. – Magda ze smakiem oblizała wszystkie palce.

– Nie oblizuj paluchów, tylko weź następny kawałek – poradził Jan, podtykając jej tacę z ciastem.

– Słusznie – zgodziła się Magda i sięgnęła po następny kawałek.

– No dobra – odezwała się Jagoda, skończywszy swoją porcję. Otrzepała z dłoni okruszynki na talerzyk. – Muszę wam coś powiedzieć...

– No nareszcie – mruknęła Magda. – Myślałam, że już się nie doczekam i w końcu umrę w nieświadomości.

– Wiedziałam, że coś się dzieje – stwierdziła pani Maria, grożąc córce palcem.

– Uspokójcie się i dajcie jej mówić – uciszył je Jan. – Mów, córcia, o co chodzi?

Jagoda popatrzyła na siedzących przy stole, westchnęła głęboko i odchrząknęła. Widząc, że wszyscy przestali jeść i przyglądają jej się zaciekawieni, oświadczyła:

– Otóż... postanowiłam zdecydowanie i nieodwołalnie rozwieść się z Leszkiem. To jest moja decyzja i uprzedzam, że już nikt nie odwiedzie mnie od tego zamiaru – wyrzuciła z siebie jednym tchem.

Nastało milczenie. Widać było, że przez chwilę wszyscy musieli oswoić się z tą informacją. Magda zerknęła ukradkiem na państwa Wierszyckich, którzy z kolei patrzyli na Jagodę trochę zasmuceni. Niewątpliwie sądzili, że pojawienie się dziecka scementuje małżeństwo córki i powstrzyma ją przed takim drastycznym krokiem. Zresztą nawet się nie domyślali, że kochany zięć znowu zaczął ją zdradzać, jako że nie mieli najmniejszych powodów podejrzewać, że dzieje się coś złego.

– Ty znowu swoje – mruknął z wyrzutem ojciec.

– Jagódko, o co chodzi? – wydusiła w końcu mama. – Myślałam, że to rozwodzenie już na dobre wywietrzało ci z głowy.

– Rzeczywiście na chwilę mi wywietrzało, ale wobec nowych okoliczności, a raczej nowych starych, zmieniłam zdanie.

– Czy jesteś pewna, że dobrze to przemyślałaś? – zapytał pan Jan.

– Jestem pewna, tato, tym razem już nie mam żadnych wątpliwości ani złudzeń.

– Jednak wydaje mi się, że nie do końca wiesz, co robisz – odparł. – Masz małe dziecko, a to zobowiązuje do rozsądnego postępowania. Jesteś odpowiedzialna za losy tego malca.

– Właśnie dlatego że jestem odpowiedzialna za Kajtka, nie chcę, żeby wychowywał się w kłamstwie i obłudzie.

Pani Maria zdenerwowała się, i na jej twarz wystąpiły rumieńce.

– Co ty za bzdury opowiadasz, Jagódko?! – ofuknęła córkę.

– To nie są żadne bzdury! – wykrzyknęła Jagoda, wstała i wybiegła z kuchni.

Pozostali siedzieli w milczeniu, smutno przyglądając się talerzykom na stole. Magda grzebała w cieście, usiłując wydłubać z niego dorodną wisienkę. Po chwili zdecydowała się przerwać ciszę, by stanąć w obronie przyjaciółki. Uznała, że w tej sytuacji rodzice powinni wiedzieć wszystko.

– Leszek znowu ją zdradza – powiedziała i zaczęła zbierać palcem okruszynki z blatu stołu. – Tym razem z Renatą.

– Jaką znowu Renatą? – zdziwił się pan Jan.

– Z tą małą blondi, która latem była u was na obiedzie – wyjaśniła Magda. – Dla tej małpy nie ma żadnej świętości, a zresztą on też nie lepszy.

– Jesteś tego pewna?

– Niestety, najpewniejsza. Przykro mi, ale Leszek to skończony drań.

W tej chwili do kuchni weszła Jagoda, trzymając w ręku dużą szarą kopertę. Usiadła przy stole i wyjęła z niej sporego formatu odbitki.

– Proszę bardzo. Zobaczcie na własne oczy, do czego jest zdolny mój szanowny małżonek – powiedziała, rzucając zdjęcia na stół.

– Co to? – zapytała Magda, chociaż na pierwszy rzut oka widać było, że niepotrzebnie.

– Dowód winy Lesia, a może powinnam raczej powiedzieć „Judasza", chociaż nie wiem, czy w tym wypadku nie obraziłabym samego Judasza – wycedziła Jagoda. – Sami zobaczcie.

Wszyscy rzucili się, żeby obejrzeć fotografie. Na zdjęciach był Leszek z Renatą, objęci, trzymający się za ręce, przytuleni w pocałunku i w tym podobnych niedwuznacznych sytuacjach. Wierszyccy i Magda podawali sobie zdjęcia z rąk do rąk, cmokając przy tym, sapiąc i kręcąc głowami z dezaprobatą i oburzeniem. Pani Maria uroniła kilka łez smutku, wyjęła z kieszeni fartuszka chusteczkę, by otrzeć policzki, i wydmuchała nos. Potem westchnęła ciężko i znieruchomiała jak słup soli, wpatrując się w łyżeczkę leżącą obok filiżanki z kawą.

– Skąd to masz? – zapytał rzeczowo ojciec.

– Wynajęłam prywatnego detektywa i kazałam mu śledzić Lesia, a przy okazji udokumentować jego wyskoki. No i proszę, całkiem tego sporo, czyż nie?

Magda z niedowierzaniem przyglądała się Jagodzie. Nie mogła uwierzyć własnym oczom i uszom.

– Kiedy na to wpadłaś?

– We wrześniu, jak tylko wróciłam do domu. Na początku jeszcze się wahałam, bo Leszek był taki opiekuńczy i czuły, że miałam wyrzuty sumienia. Wydawało mi się, że jestem wobec niego nie fair. Poza tym miałam wrażenie, że się zmienił, ale potem, kiedy w dniu wypadku znalazłam ten kolczyk, przekonałam się, że on wciąż jest taki sam. Wtedy wyzbyłam się wszelkich skrupułów. Po powrocie ze szpitala wiedziałam już, co powinnam zrobić. Znalazłam w książce telefonicznej biuro detektywistyczne i dałam im zlecenie. Nawet nie mieli trudnego zadania. Wystarczyło kilka telefonów do detektywa, w czasie gdy Leszek miał podejrzane wyjazdy i spotkania służbowe. – Popukała paznokciem w leżące na stole odbitki. – Większość tych zdjęć zrobiono w Zielonej Górze, dokąd podobno wyjechał w delegację. Uważa się za spryciarza, ale tak naprawdę jest bardzo naiwny i głupio wierzy w swoje szczęście. – Jagoda zamyśliła się na chwilę. – Chociaż... może on myśli, że jestem taka durna i tak bardzo od niego zależna, że cokolwiek by się stało, nie odważę się odejść od niego na dobre. – Tu z wyrzutem spojrzała na rodziców. – On kieruje się takimi samymi zasadami jak wy. Kobieta taka jak ja, zwłaszcza z dzieckiem, nie może być bez męża, bo nie da sobie rady, prawda?

– My tak nie myślimy o tobie – zaoponował Jan. – Tylko jesteśmy świadomi, że we dwójkę jest lżej. Niełatwo jest być samotną matką. Sama też o tym wiesz.

– Masz rację, tato – przyznała Jagoda. – Wiem, że nie będzie mi łatwo, ale wolę samotnie borykać się z brakiem pieniędzy, niż żyć w dobrobycie i być zdradzaną. Takie traktowanie powoduje, że czuję się gorsza, beznadziejna, upokorzona i nieszczęśliwa, a ja chcę być szczęśliwa. Do tej pory Leszek tylko romansował, ale patrząc na jego ciągoty, kto mi zagwarantuje, czy pewnego dnia nie uzna, że warto mnie zamienić na lepszy model? – Popatrzyła na siedzących, ale nikt nie odpowiedział, więc mówiła dalej: – Nie chcę w wieku czterdziestu pięciu czy pięćdziesięciu lat usłyszeć: „Moja droga, przykro mi, ale zakochałem się w innej i odchodzę od ciebie". Im dłużej będę zwlekać, tym trudniej będzie mi podjąć taką decyzję i się usamodzielnić. A ja nie chcę żyć w strachu o to, co będzie za kilka dni, za pół roku czy za pięć lat. Chcę ułożyć sobie życie, nawet gdybym w tym życiu miała być samotną matką i nigdy nie znaleźć sobie partnera. Trudno, przynajmniej nie będę kobietą porzuconą, a co za tym idzie – zgorzkniałą. Będę miała świadomość, że jestem sama z własnego wyboru, a nie dlatego, że zostałam odtrącona. Teraz czuję, że mam dość siły, żeby sobie poradzić, za kilka lat mogę już nie mieć tyle optymizmu.

– Dobrze – powiedział Jan, patrząc na rozrzucone zdjęcia. – Rozumiem cię i nie będę się sprzeciwiał twoim decyzjom. Nie chcę, żebyś cierpiała, możesz zamieszkać u nas. Razem jakoś sobie poradzimy.

– Nie chcę u was mieszkać – odparła Jagoda. – Przynajmniej nie na stałe.

– A jak sobie wyobrażasz swoje dalsze życie? Gdzie ty i Kajtek się podziejecie i z czego będziecie żyli?

– Na razie tutaj, jeśli się zgodzicie, ale tylko przez jakiś czas. Potem coś wynajmę.

– Za co? Nie masz pracy – drążył dalej ojciec.

– Mam pracę. Przecież pracuję w redakcji.

– I zarabiasz tyle, co kot napłakał.

– Poszukam jeszcze innej redakcji i wezmę dodatkowe zlecenia, a może jakieś wydawnictwo przyjmie mnie na etat albo pół etatu. Muszę się rozejrzeć, dlatego teraz potrzebuję waszej pomocy, dopóki czegoś nie znajdę.

W tym momencie usłyszeli dochodzący z salonu płacz Kajtka. Pochłonięci rozmową nie zauważyli, że malec śpi już ponad godzinę. Widać obudził się jakiś czas temu i stwierdziwszy, że nikt się nim nie zajmuje, płaczem zaczął się dopominać uwagi. Pani Maria natychmiast zerwała się z krzesła i wybiegła z kuchni, ręką dając znak córce, że sama sobie poradzi z wnukiem.

Koło dwudziestej zadzwonił Leszek i chciał porozmawiać z Jagodą. Początkowo nie miała ochoty z nim dyskutować, ale ojciec oświadczył, że skoro zdecydowała się wziąć życie we własne ręce, to musi też się zmierzyć z konsekwencjami, jakie za tym idą. Dlatego powinna teraz rozmówić się z mężem. Niechętnie, ale bez sprzeciwu Jagoda podeszła do telefonu.

– Halo! – odezwała się do słuchawki.

– Jagoda, co to ma znaczyć? Dlaczego wyjechałaś bez mojej wiedzy? – zaczął Leszek bez wcześniejszego powitania.

– Po pierwsze, od dziś nie muszę ci się spowiadać, gdzie jestem i co zamierzam, a po drugie, wszystko wyjaśniłam w liście, który zostawiłam w sypialni na łóżku. Nie znalazłeś listu?

– Znalazłem i przeczytałem, ale to niczego nie wyjaśnia.

– To wszystko wyjaśnia. Napisałam ci, że wyjeżdżamy z Kajtkiem do moich rodziców i nigdy już do ciebie nie wrócimy.

– No tak, ale dlaczego?

– Bo nie mam zamiaru dłużej tolerować twoich romansów.

W słuchawce na chwilę zapanowała cisza.

– Jagoda, o czym ty mówisz? – zapytał Leszek, odzyskawszy zwykły rezon.

Najwyraźniej postanowił grać niewinnego i udawać, że nic się nie stało.

– Mówię o Renacie, a wcześniej o Beacie, a jeszcze wcześniej o dwóch innych kobietach, które były twoimi kochankami. Mam dość twoich romansów i postanowiłam zacząć życie z dala od ciebie.

– A co z Kajtkiem? Przecież to mój syn, ja go kocham – powiedział niepewnym głosem.

– Ja też go kocham i dlatego będzie ze mną, ale nie będę ci zabraniać widywać się z nim. Możesz go odwiedzać, kiedy tylko zechcesz – wyjaśniła spokojnie.

– Jak ty to sobie wyobrażasz? Przecież ja pracuję, a do Szczyrku jest kawał drogi, więc nie dam rady często przyjeżdżać.

– To twój problem, jak sobie zorganizujesz czas. Mówią, że dla chcącego nic trudnego.

Leszek znów zamilkł na chwilę, jakby zastanawiając się, co zrobić w obliczu tak zdecydowanego oporu.

– Wiesz co, Jagoda, myślę, że może lepiej byłoby, jakby Kajtek został ze mną i...

– Jak to, został z tobą? – weszła mu w słowo.

– No tak. Ja lepiej zarabiam, mam duży dom, u mnie będzie miał lepiej niż u ciebie. Przecież ty prawie nic nie zarabiasz i mieszkasz u rodziców, bo nie masz gdzie. Dlatego uważam, że Kajtek powinien być ze mną.

– Posłuchaj, Leszek – powiedziała ostrym tonem. – Na razie jesteśmy u moich rodziców i chyba nie zaprzeczysz, że dziecko tutaj ma doskonałe warunki, i do czasu, zanim sobie czegoś odpowiedniego nie znajdę, tak będzie. A co do moich zarobków, to najwyższa pora, żebyś się dowiedział, o ile wcześniej tego nie zauważyłeś, że mam tylko jedną lewą rękę, a nie dwie, oraz zrobiłam dyplom magistra, co wskazuje, że nie jestem ostatnią kretynką, więc nie martw się o mnie, bo sobie bez ciebie poradzę – wyrzuciła jednym tchem, po czym sapnęła, nabrała powietrza i mówiła dalej, nie dopuszczając go do głosu: – Tak więc nie licz na to, że uda ci się dostać opiekę nad Kajtkiem, bo nie masz żadnych szans. Ściślej mówiąc, zamierzam ograniczyć twoje prawa, a co do twojego, jak mówisz, domu, to nie zapominaj, że budowaliśmy go wspólnie. Jeśli pamięć ci jeszcze nie szwankuje, to wiesz, że pomagali nam też moi rodzice, a poza tym, kiedy ty biegałeś do pracy zarabiać pieniądze, ja załatwiałam fachowców, doglądałam budowy, pisałam artykuły, robiłam zakupy, gotowałam ci obiadki, szykowałam kolacyjki, prałam i sprzątałam. To też była praca, więc nie mów mi, że ty masz dom, bo ten dom jest nasz, wspólny, i zamierzam tego dowieść w sądzie.

– Ale to ty się wyprowadziłaś, więc tym samym zrezygnowałaś z prawa do domu.

– Chyba cię pogięło, kochanie, ja zrezygnowałam z męża, a nie z domu.

– Jednak, jakkolwiek na to patrzeć, to ty mnie porzuciłaś – próbował niezręcznie argumentować.

– Zgadza się, ale to ty zdradzałeś mnie przez cały czas naszego małżeństwa, więc jak widzisz, dałeś mi wyraźny powód.

– Ciekawe, jak to udowodnisz w sądzie.

– Możesz być pewien, że z tym też sobie poradzę – odpowiedziała pewnym głosem.

– Nawet nie stać cię na adwokata, a ja ostrzegam, że nie odpuszczę.

– Nie szkodzi. Ja też nie odpuszczę i nie musisz się o mnie martwić. Dam sobie radę.

– Słuchaj, a może jeszcze się dogadamy? – zapytał łagodniej.

– Proszę bardzo, ale i tak do ciebie nie wrócę. Możemy jedynie rozwieść się bez kłótni i sprawiedliwie podzielić majątek. Szczerze mówiąc, tak byłoby lepiej dla Kajtka.

– Przemyślę twoją propozycję...

– Powinieneś.

– Zadzwonię, gdy już podejmę jakąś decyzję – powiedział. – Myślę, że jednak powinniśmy się spotkać i porozmawiać o tym na spokojnie.

– W porządku, spotkajmy się. Zadzwoń, jak będziesz gotów.

Tego dnia nie było już czasu na poważną rozmowę. Jagoda z Magdą poczuły się bardzo zmęczone po podróży, więc chciały wcześniej się położyć, ale wyspany i wypoczęty Kajtek radośnie baraszkował do dwudziestej pierwszej. Nawet kąpiel i kolacja nie zmęczyły go na tyle, żeby zechciał pójść do łóżeczka i zasnąć. Dopiero babcia Maria uśpiła niezmordowanego wnuka, śpiewając mu kołysankę.

*

W sobotę Jagoda z Magdą pojechały do marketu na zakupy ze sporządzoną przez panią Marię listą produktów potrzebnych na niedzielny obiad. Jagoda cieszyła się, że może przy okazji dokupić kilka niezbędnych rzeczy dla siebie i Kajtka, a poza tym wreszcie miała okazję wyrwać się z domu bez malca. Od kiedy się urodził, prawie nigdzie bez niego się nie ruszała, i szczerze mówiąc, była już tym bardzo zmęczona. Dzisiaj Kajtuś został z dziadkami, którzy z radością się nim zajmowali, dzięki czemu mogła złapać trochę oddechu. Dopiero teraz uświadomiła sobie, jak bardzo potrzebowała tych kilku godzin wolności. Po zakupach wpadły na chwilę do kafejki na filiżankę cappuccino.

– Brakowało mi tej kawy – stwierdziła Magda, zlizując z ust mleczną piankę.

– Mnie też – zgodziła się Jagoda.

– Słuchaj, jeśli potrzebujesz jakichś pieniędzy, to chętnie ci pożyczę – ni z gruszki, ni z pietruszki zaproponowała Magda.

– Nie trzeba. – Jagoda pokręciła głową.

– Jagoda, nie krępuj się. Teraz, zanim staniesz na nogi, będziesz potrzebowała pieniędzy. Kiedy już znajdziesz jakąś pracę, to mi oddasz.

– Ale ja naprawdę nie potrzebuję pieniędzy.

– Chcesz brać od rodziców? – zapytała Magda, krzywiąc się. – Oni też nie są tacy bogaci, żeby móc utrzymywać dodatkowe dwie osoby. Chociaż kto wie, może mają coś uciułane w skarpecie albo pod materacem.

– Z tego, co wiem, nie korzystają ze skarpety – roześmiała się Jagoda – ale na pewno mają coś na koncie na tak zwaną czarną godzinę. Tylko że ja nie zamierzam od nich nic brać. Wystarczy, że u nich mieszkam.

– No to z czego będziesz żyła?

Jagoda odstawiła filiżankę z kawą na spodek, pochyliła się nad stołem i ściszonym, konspiracyjnym głosem powiedziała:

– Mam prawie piętnaście tysięcy.

Magda zrobiła wielkie oczy ze zdziwienia.

– Coś ty? Skąd masz tyle kasy? – spytała takim samym szeptem.

– Uzbierałam – wyjaśniła, uśmiechając się Jagoda. – Większość to moje honoraria, które od roku odkładałam. Szarpałam się jak idiotka, żeby jak najwięcej zarobić i pogodzić pracę z obowiązkami w domu i przy dziecku. Reszta to pieniądze z naszego małżeńskiego konta, a ściślej mówiąc, zaoszczędzone z zakupów na Kajtka.

– Ale przecież Leszek zorientuje się, że brakuje mu kasy.

– Nie sądzę – odrzekła Jagoda, szelmowsko mrużąc oczy. – Honoraria odbierałam w gotówce, więc nie ma bladego pojęcia, ile tego było. Zresztą nigdy się nie interesował moją pracą i nie kontrolował, ile piszę i ile zarabiam. Uważał, że dostaję jakieś nędzne grosze. Wiem, że to nie są imponujące dochody, ale w mojej sytuacji trudno było poświęcić więcej czasu na pracę. A jeśli chodzi o kasę z konta, to pamiętasz, że ostatnio wszystko kupowałam za gotówkę, którą wypłacałam z banku albo z bankomatu? – Magda pokiwała potakująco głową, a Jagoda wyprostowała się dumnie. – Otóż to. Cała wyprawka Kajtka, remont pokoju, umeblowanie, wszystko to było płacone żywym pieniądzem, a faktury zniszczyłam. Po co komu paragony, skoro i tak nie może niczego odpisać od podatku?

– Rozumiem. On nie wie, ile rzeczywiście wydałaś, bo nie wie, ile co kosztowało. – Magda z uznaniem pokiwała głową. – Nie przypuszczałam, że z ciebie taka przebiegła lisica.

– Nauczyłam się od swojego męża – wycedziła Jagoda.

– Nie masz skrupułów?

– Kiedyś bym miała, teraz nie. Ten podlec zrobił ze mnie głupią babę i bezczelnie grał mi na nosie. On mnie oszukiwał przez wiele lat, ja jego tylko przez rok. Należało mu się. Poza tym muszę myśleć o dziecku, to ono jest najważniejsze. Zresztą w świetle prawa mam do tych pieniędzy takie samo prawo jak on, więc nie widzę w tym nic złego.

– Skoro nie widzisz nic złego, to po co to przed nim ukrywałaś? Przecież nadal możesz korzystać ze wspólnego konta.

– Teoretycznie tak, ale jeśli on zablokuje konto albo założy nowe, tylko na siebie, i przeleje na nie całą gotówkę? Może na przykład zacząć się mścić i nie zważając na dziecko, odciąć mnie od kasy. Wolałam nie ryzykować. Nie ufam mu.

– Fakt – zgodziła się Magda. – To znaczy, że trochę rozumku ci zostało, a zwłaszcza ta odrobina zdrowego egoizmu.

– Sądzisz, że jak dojdzie do rozwodu i podziału majątku, to Lesio będzie honorowy i łagodny jak baranek?

– Tego nie wiem.

– Ja też nie wiem i dlatego nie chcę się obudzić z ręką w nocniku, kiedy już będzie za późno na jakiekolwiek działanie. Pomyśl, dzięki tym pieniądzom mogę żyć do czasu, aż znajdę jakąś pracę. Przecież zanim odbędzie się rozprawa i sąd ustali alimenty, minie kilka miesięcy – zakończyła Jagoda i dopiła resztę kawy. – Chodź już, wracajmy do domu, bo zatęskniłam za moim synkiem.

– Zaczekaj. – Magda powstrzymała ją ruchem ręki.

– Co takiego?

– Ja za bardzo się na tym nie znam, ale jeśli masz te pieniądze na koncie, to nie obawiasz się, że Leszek albo sąd je znajdzie? Wtedy też będą podlegały podziałowi.

– Nie mam konta. Wszystko zgromadziłam w gotówce.

– Coś ty? – zdziwiła się Magda. – To gdzie je trzymasz? Zamurowałaś w ścianie czy wpakowałaś Kajtkowi do pieluchy?

Jagoda roześmiała się serdecznie. Potem rozejrzała się wokół, chcąc sprawdzić, czy ktoś ich nie podsłuchuje. Dwa stoliki dalej siedziała jakaś młoda para, ale tamci nie zwracali na nie uwagi, patrzyli sobie głęboko w oczy i najwyraźniej byli zajęci tylko sobą. Jagoda przysunęła się do Magdy i znów ściszając głos, powiedziała beztroskim szeptem:

– Mam je przy sobie, schowane w walizce. – Roześmiała się zadowolona.

– Jesteś szalona – oświadczyła Magda. – I ja wiozłam taką gotówkę? Szczęście, że nie powiedziałaś mi o tym przed wyjazdem, bo nerwy by mnie zeżarły po drodze.

– W poniedziałek wyciągnę do banku tatusia, który otworzy sobie nowe konto, a ja dostanę upoważnienie do korzystania z niego. Wpłacimy całą gotówkę i oficjalnie właścicielem pieniędzy będzie mój ojciec, a ja za jego zgodą będę mogła je wypłacać. Przecież to naturalne, że rodzice wspierają córkę finansowo. Nikt się nie domyśli, jak jest naprawdę, a nawet gdyby się domyślił, to nie będzie w stanie tego udowodnić.

Magda cicho gwizdnęła. Pomyślała, że Jagoda staje się coraz bardziej przebojowa i zdecydowana. Przez chwilę miała mieszane uczucia i zastanawiała się, którą przyjaciółkę woli: dawną niezaradną czy tę teraz. Przyzwyczaiła się do niesamodzielnej, uległej Jagody, która do tej pory niczym jej nie zaskakiwała i była prawie całkowicie przewidywalna. Z drugiej strony jednak sama ją namawiała do zmiany podejścia do życia. Wciąż suszyła jej głowę, żeby nie dawała sobą pomiatać. Właściwie po tym, co przeszła Jagoda, nie należy się dziwić, że chce być niezależna.

– No, no, sprytne – pochwaliła ją. – Zaczynam wierzyć, że rzeczywiście dasz sobie radę. Od tej chwili jestem o ciebie spokojna. Brawo!

– To prawda, możesz być spokojna. Zwłaszcza o to, że bez walki się nie poddam – potwierdziła Jagoda, rozbawiona i mile połechtana uznaniem przyjaciółki. – Jestem matką, więc teraz mam o kogo dbać. Dziecko zmienia perspektywę.

– A kiedy masz zamiar wnieść pozew o rozwód?

– Wniosłam tego samego dnia, kiedy odebrałam zdjęcia od detektywa, a właściwie zrobił to adwokat, któremu dałam pełnomocnictwo. Na pierwszej rozprawie zostaną ustalone alimenty na Kajtka i rozdzielność majątkowa. Wszystko, co ja lub on potem zarobimy, nie będzie już podlegało podziałowi, ale adwokat powiedział, że do tego czasu mogą upłynąć dwa, trzy miesiące albo nawet więcej, dlatego nie chciałam już dłużej zwlekać. Niestety, nie wiem, jak długo potrwa podział majątku z okresu małżeństwa, głównie podział domu. O samochód nie będę się dopominała, niech go sobie weźmie... Za pierwszym razem wycofałam sprawę i wszystko schrzaniłam, teraz już tak nie zrobię. Muszę to jak najszybciej załatwić, zamknąć ten rozdział i zacząć wszystko od nowa.

– Dobrze to sobie obmyśliłaś.

– Nie wszystko jest moją zasługą. Nie znam się na tych procedurach prawnych – odrzekła Jagoda. – Nigdy nie miałam do czynienia z sądem, dlatego na wszelki wypadek wolałam skorzystać z pomocy prawnika. Sama nie dałabym sobie rady i prawdopodobnie Leszek puściłby mnie z torbami.

– Nie bądź taka skromna. Jeśli uda ci się dostać połowę wartości domu, to całkiem dobrze na tym wyjdziesz.

– Tak, i dzięki temu będę miała dach nad głową. Jak dobrze pójdzie, starczy mi na kawalerkę, a może na jakieś nieduże dwupokojowe mieszkanko do remontu. Jak to się mówi, ciasne, ale własne

– uśmiechnęła się blado. – Wreszcie będę niezależna. Chociaż tyle mi się należy. Problem w tym, że nie wiem, kiedy otrzymam te pieniądze. To może bardzo długo potrwać.

– Uff! – Magda pokiwała głową. – No to tym razem dostanie się Lesiowi za swoje.

– I mam nadzieję, że będzie to dla niego dobra nauczka na przyszłość. W końcu ktoś powinien utrzeć mu nosa – powiedziała Jagoda, krzywiąc się wymownie, aż oczy jej się zwęziły, przypominając dwie ciemne linie. Wyjęła z torebki lusterko i pomadkę, żeby poprawić makijaż. – Takie są skutki nieszanowania żony.

– Zmieniłaś się.

– Tak, trochę. Mimo to cały czas jestem sobą. Tyle że wcześniej nie musiałam walczyć o swoje. Nie byłam też matką, więc nie musiałam o nikogo się troszczyć, bo za nikogo nie byłam odpowiedzialna. Pojawienie się dziecka wszystko zmieniło. Właściwie nawet nie zabiegam o to dla siebie, tylko dla Kajtka, któremu muszę zapewnić w miarę dobre warunki życia. Okoliczności zmusiły mnie do sięgnięcia po to, co we mnie tkwi, i dopiero teraz tak naprawdę mogę się przekonać, jaki jest mój rzeczywisty potencjał. Może to prawda, że kiedy kobieta zostanie matką, staje się lwicą.

– A poza tym ostatnie perturbacje małżeńskie skutecznie cię zahartowały. Dzięki temu jesteś bardziej doświadczona i silniejsza.

– I dojrzalsza – dodała dumnie Jagoda, wrzucając lusterko do torebki.

– Ciekawe, czy Lesio potrafi wyciągnąć właściwe wnioski z takiej lekcji. Sądząc po jego ostatnich wyczynach, to on chyba jest nie za bardzo „wyuczalny". – Magda dopiła resztę kawy, wysączając ją do ostatniej kropelki. – Przyznam, że mi ulżyło. Już myślałam, że będziesz tak w kółko odchodzić od męża i wracać, niczym jakiś cholerny bumerang. Już mi się to znudziło.

– Tym razem miarka się przebrała. To już koniec. – Jagoda zamyśliła się i spojrzała ze smutkiem na przyjaciółkę. – Zresztą ostatnim razem wróciłam wyłącznie ze względu na Kajtka. Chciałam naszej trójce dać jeszcze jedną szansę na normalną rodzinę, żeby postąpić uczciwie, ale nie za bardzo liczyłam na poprawę Leszka. Teraz przynajmniej mam czyste sumienie.

Nagle Magda zachichotała, prawie dławiąc się własnym śmiechem.

– Z czego tak rechoczesz?

– Nie wiesz, ile bym dała, żeby zobaczyć minę Lesia, kiedy się okaże, że musi sprzedać dom, bo jest niewypłacalny.

*

Tak jak wcześniej sobie zaplanowała, Jagoda nakłoniła ojca, żeby otworzył nowy rachunek w banku, dzięki czemu miała bezpiecznie ulokowane pieniądze na początek swojego nowego życia. Wprawdzie pan Jan zdenerwował się, że córka była zmuszona w tajemnicy przed mężem wywieźć z domu pieniądze, ale rozumiał też skomplikowaną, szczególną sytuację, w jakiej się znalazła. Dlatego nie robił jej trudności i zgodził się pomóc.

Jagoda uznała, że już czas zacząć realizację następnego etapu planu. Przygotowała pięć egzemplarzy wydruku swojej powieści, zaopatrzyła je w streszczenie i notkę o autorce i zapakowawszy w pięć dużych szarych kopert, rozesłała je do większych wydawnictw w kraju.

Tego samego dnia napisała swoje CV i list motywacyjny. Następnie siedząc pół dnia przed komputerem, szukała redakcji i wydawnictw, w których ewentualnie mogłaby znaleźć pracę. W kolejnych tygodniach sporo czasu pochłonęło jej jeżdżenie do potencjalnych pracodawców na rozmowy. Okazało się, że to nie takie proste. Większość firm miała komplet pracowników, a widoki na jakieś wakaty w najbliższym czasie były praktycznie żadne. W końcu udało jej się zdobyć zlecenie na próbny artykuł do jednej z lokalnych gazet. Niewiele. Jagoda była zła i rozczarowana, bo zdawała sobie sprawę, że to żaden sukces. Za jeden artykuł zarobi grosze, i to pod warunkiem że w ogóle puszczą go do druku. Miała jednak nadzieję, że będzie to początek przyszłej współpracy. Nadal starała się coś znaleźć w bliskiej okolicy, stopniowo zwiększając jednak obszar poszukiwań. Była na tyle zdeterminowana, że brała nawet pod uwagę dojeżdżanie do któregoś z sąsiednich miast.

I tak uważała, że ma szczęście, bo współpraca z poprzednim wydawnictwem nadal trwała, chociaż z racji odległości, już nie była tak intensywna. Niezmiennie pisywała artykuły i wysyłała je do pani Krystyny, niestety to, co zarabiała, nie wystarczało nawet na bieżące potrzeby. Pieniądze z konta powoli znikały. Starała się żyć oszczędnie, żeby starczyły najdłużej, jak to możliwe, zwłaszcza że czekało ją opłacenie prawnika. Rodzice Jagody oświadczyli, że nie chcą od niej ani grosza, gdyż pomaganie córce i wnukowi to ich obowiązek i rodzicielska potrzeba. Jagoda uparła się jednak, że chociaż w niewielkim stopniu będzie partycypować w kosztach utrzymania, bo nie chce być dla nikogo ciężarem.

Jej pierwszy artykuł w lokalnej gazecie pojawił się po niespełna dwóch tygodniach, a potem znów nastała cisza i nie było nic, co mogłoby stać się punktem zaczepienia. Jednak w połowie lata ta sama redakcja zaproponowała jej prowadzenie kącika porad dla czytelników. Poprzednia redaktorka tego działu, młoda kobieta, wyjechała za swoim narzeczonym do Holandii, w wyniku czego potrzebna od zaraz była nowa osoba. Dla Jagody było to jak dar niebios, bo chociaż to zajęcie radykalnie nie zwiększało jej dochodów, ale dawało jakąś perspektywę na przyszłość. Miała nadzieję, że jeszcze wszystko się ułoży, i nadal nie traciła wiary, że w końcu stanie na nogi.

Coraz częściej jednak martwiła się brakiem wiadomości z wydawnictw, do których wysłała swoją powieść. Wiedziała, że to musi potrwać, i tymczasem zaczęła szukać na różnych forach internetowych informacji na temat rynku literackiego w Polsce. Im więcej czytała wypowiedzi debiutantów o tym, jak trudno się przebić i jak trudno wydać pierwszą książkę oraz jak wydawnictwa, zwłaszcza te duże, traktują początkujących autorów, tym bardziej dochodziła do wniosku, że ma bardzo nikłe szanse, ażeby urzeczywistnić swoje marzenia. Z internetu dowiedziała się też, że niektóre wydawnictwa proponują wydanie książki, jeśli autor sam ją zasponsoruje, i spora rzesza debiutujących pisarzy godzi się na takie warunki, gdyż często jest to jedyny sposób, aby ich dzieło ujrzało światło dzienne, trafiając na rynek czytelniczy. Problem w tym, że koszty takiego przedsięwzięcia były tak duże, że Jagoda nie mogła sobie na to pozwolić. Z upływem czasu zaczęła tracić nadzieję.

*

Jak się spodziewała, pod koniec wakacji przyszło wezwanie do sądu na rozprawę. Termin wyznaczono na drugą połowę września. Jagoda liczyła na to, że wtedy zostaną ustalone alimenty na Kajtka, bo obrażony Leszek do tej pory, jak wcześniej się obawiała, nie dał jej ani złotówki. Prawdę mówiąc, była tym troszkę rozczarowana, gdyż mimo wszystko miała nadzieję, że jako kochający ojciec nie odwróci się od własnego syna. A jednak zachował się bezwzględnie. Uznawszy, że to Jagoda postąpiła źle, zabierając mu dziecko, postanowił ją ukarać i przestał troszczyć się tak o nią, jak i o syna. Nawet nie doszło między nimi do spotkania, na które wcześniej się umawiali, gdyż Leszek, jak twierdził, cały czas był bardzo zajęty swoją pracą. Miała wrażenie, że mąż próbuje taktyki starej jak świat i chce wziąć ją na przetrzymanie, uważając, że za jakiś czas buntowniczka zmięknie.

– Zachowuje się niczym wyrocznia, myślała Jagoda, zła na Leszka, który po raz kolejny okazał się inny, niż jej się do tej pory wydawało. Doszła do wniosku, że nikt nie jest w stanie dobrze poznać drugiego człowieka. Dopiero w szczególnych okolicznościach spada zasłona pozorów i partner ukazuje swój nowy, prawdziwy wizerunek w pełnej okazałości. Podobno już wieki temu znany rzymski poeta Horacy powiedział: „jesteśmy okłamywani pozorami prawdy".

W chwili, gdy Jagoda otrzymała wezwanie z sądu, przyszedł jej do głowy pewien pomysł. Zadzwoniła do Magdy i zaprosiła ją na kilka dni do Szczyrku. Oczywiście Magda chętnie zgodziłaby się na odwiedziny, ale w związku z planowanym wyjazdem, wraz z Radkiem, na urlop, musiała przełożyć termin spotkania z przyjaciółką na drugą połowę września. Wtedy Jagoda przypomniała sobie, że przecież w tym czasie musi stawić się w sądzie.

– Wiesz co? – powiedziała do Magdy. – Właściwie to się dobrze składa, bo dwudziestego muszę przyjechać do sądu na rozprawę, więc potem możemy się spotkać u ciebie albo gdzieś w kawiarni.

– Już masz termin? – zdziwiła się Magda.

– Chciałaś powiedzieć „dopiero". Już nie mogłam się doczekać, ale w końcu taka jest nasza polska rzeczywistość. Czekanie tyle miesięcy na rozprawę to podobno norma, tym bardziej że teraz jest okres wakacyjny – wyjaśniła rzeczowo Jagoda.

– Słuchaj, to ty przyjedź dzień wcześniej i przenocuj u nas, a następnego dnia wypoczęta i zrelaksowana pójdziesz sobie na rozprawę. Przynajmniej nie będziesz musiała wprost z pociągu, zmęczona i nieświeża, z wywieszonym do pasa jęzorem lecieć do sądu. Po co Lesio ma cię widzieć w takim stanie? Jeszcze mu przyjdzie do głowy, że źle ci bez niego i ryczysz po kątach.

– Słusznie mówisz. To bardzo dobra myśl – przyznała Jagoda po chwili zastanowienia. – Ale Kajtka będę musiała zostawić pod opieką rodziców – dodała zmartwiona.

– Wprawdzie bardzo tęsknię za Kajtusiem i chciałabym go zobaczyć – przyznała Magda – jednak dla niego taka wyprawa mogłaby być zbyt męcząca. Lepiej niech zostanie z dziadkami.

– Będzie mi jakoś dziwnie, nigdy nie rozstawałam się z nim na dłużej niż kilka godzin.

– Kiedyś musi przyjść ten pierwszy raz. Twoja mama świetnie sobie z nim radzi. Nic mu nie będzie, a ty trochę się wyrwiesz z domu i zrelaksujesz.

– No dobrze, to przyjadę, ale powiedz mi, czy masz jeszcze kontakt z tą Kasią z wydawnictwa?

– Jasne, a co, chcesz się z nią spotkać?

– Tak, liczyłam na to.

– Okej, zaraz zadzwonię do niej i spytam, czy znajdzie dla nas trochę czasu. A jaką masz do niej sprawę?

– Pogadamy o tym, kiedy się zobaczymy. Dzięki, jak zwykle jesteś wspaniała.

– Wiem – powiedziała rozbawiona Magda. – Jak zwykle możesz na mnie liczyć.

*

Dzień przed rozprawą wysiadła o czternastej z pociągu i na peronie dostrzegła Magdę, która czekała na nią od pół godziny. Pomachała do niej i podbiegła, żeby się przywitać. Padły sobie w ramiona, jakby nie widziały się co najmniej trzy lata. Potem na parkingu zapakowały się do niezawodnej Toti i ruszyły w kierunku centrum miasta. Pokonawszy korki, mniej więcej po półgodzinie zaparkowały pod okazałą, świeżo odnowioną secesyjną kamienicą, w której mieszkała Magda.

– Jesteś bardzo zmęczona? – zapytała z troską Jagodę.

– Nie bardzo, a dlaczego pytasz?

– Bo na szesnastą zaprosiłam do nas Kasię. Pomyślałam, że najlepiej będzie pogadać z nią u nas w domu.

– To świetnie, bardzo ci dziękuję.

– Ale musisz pomóc mi przy obiedzie i nakryć do stołu – powiedziała Magda, wyciągając z tylnego siedzenia torby z zakupami.

– Nie ma sprawy, masz to jak w banku – ochoczo zaoferowała pomoc Jagoda. – A Radek jest w pracy?

– Tak, niedługo wróci. Po drodze kazałam mu kupić wino do obiadu. No to lecimy do góry, myjemy rączki i do boju, bo nie mamy za wiele czasu.

302

We dwie szybko uwinęły się z obiadem i na szesnastą wszystko było już gotowe do podawania na stół. Na wszelki wypadek, żeby jedzenie za szybko nie wystygło, niektóre potrawy wstawiły do nagrzanego piekarnika. Radek przyszedł w ostatniej chwili, tuż przed szesnastą, i ledwie zdążył się przebrać, nim pojawiła się Kasia.

Znajoma Magdy bardzo się spodobała Jagodzie, która od razu poczuła do niej sympatię. Kasia, na oko chyba koło trzydziestki, była bardzo zgrabną szatynką o krótko, wręcz chłopięco przystrzyżonych włosach. Emanowała z niej wyjątkowo pozytywna energia i nieprzeciętna ekspresja. Nic dziwnego, że kiedy poznały się z Magdą, od razu przypadły sobie do gustu. Jej miłe usposobienie i poczucie humoru, spory dystans, tak do siebie, jak i innych, oraz szczery uśmiech podziałały pozytywnie również na Jagodę.

Magda podała wspaniały posiłek. Dwa rodzaje mięs, pieczone ziemniaki i cztery rodzaje przystawek prezentowały się bogato, a smakowały wyśmienicie. Odświętna zastawa i dekoracja stołu w postaci świeżych kwiatów w kolorowym szklanym wazonie i oryginalnie ułożonych serwetek dopełniały całości. Już na pierwszy rzut oka widać było, że gospodyni bardzo się starała, aby godnie przyjąć gości. Atmosfera natychmiast stała się przyjacielska i swobodna.

– Jagoda, Magda mówiła mi, że masz do mnie jakąś sprawę, czy tak? – zagadnęła ją w pewnej chwili Kasia.

– Tak, to prawda. Trochę mi niezręcznie, ale nie znam nikogo innego w tej branży, dlatego zdecydowałam się zwrócić do ciebie.

– Domyśliłam się, że chodzi o twoją książkę, prawda?

– Dobrze się domyślasz – potwierdziła. – Bardzo mi zależy, żeby Kasia ją przeczytała.

– A napisałaś jeszcze coś od tamtej pory? – znów zapytała Magda.

– Napisałam i nawet ją skończyłam. Mam cały tekst na płycie.

– Żartujesz? – ucieszyła się szczerze zaskoczona Magda i aż podskoczyła na krześle. – Kiedy to zrobiłaś?

– Nie żartuję – zapewniła ją ze śmiechem Jagoda, mile połechtana podziwem. – Pisałam, jak tylko czas mi na to pozwalał, jeszcze będąc z Leszkiem. Później, w Szczyrku, dopisałam tylko epilog. Mam ją przy sobie. – To powiedziawszy, wyszła do przedpokoju, gdzie zostawiła torebkę, i po chwili wróciła z nagraną płytą. Podała ją Kasi. – Proszę. Chciałam cię prosić, żebyś przeczytała i wyraziła swoją opinię. Liczę na szczerą ocenę i krytykę.

Kasia wzięła płytę w papierowej kopercie i przyjrzała się jej uważnie, jakby od razu chciała zobaczyć wszystko, co było na niej zapisane. Następnie w milczeniu obróciła płytę w dłoni, co trochę zbiło z tropu Jagodę, która z zażenowaniem pomyślała, że tamta poczuła się wykorzystywana. Już chciała zacząć się tłumaczyć i przepraszać, gdy Kasia nagle podniosła głowę.

– Rzeczywiście napisałaś już całość? – spytała. – Pomimo tych wszystkich problemów, jakie miałaś w ostatnim czasie, i opieki nad małym dzieckiem? No, no, podziwiam cię.

Jagoda poczuła, jak spływa z niej napięcie, a w jego miejsce pojawiła się niesamowita ulga. Już myślała, że nic nie wyjdzie z pomocy Kasi, a tymczasem redaktorka była po prostu zaskoczona tym, że pomimo tylu obowiązków ona, Jagoda, skończyła swoją książkę.

– Przyznam, że nie było łatwo, ale jak widzisz, udało się – odparła i na jej twarzy pojawił się promienny uśmiech dumy. – Jest cała powieść.

– A ja? – nagle zapytała Magda.

– Mam tylko jedną płytę. – Jagoda zrobiła smutną minę. – Przykro mi, ale nie sądziłam, że też będziesz chciała to przeczytać.

– Głupie gadanie, jasne, że chcę. Radek, bierz płytę i leć ją przegrać w naszym kompie.

– Już się robi. – Zasalutował i zabrawszy Kasi płytę, ruszył do komputera.

– Zaraz, zaraz, chwileczkę – powstrzymała go. – Szczerze mówiąc, ja bym wolała mieć wydruk. Tak byłoby mi wygodniej czytać, a w razie czego mogłabym dać to do przejrzenia w wydawnictwie. Poza tym na marginesach łatwiej zanotować ewentualne uwagi czy poprawki.

– Nie ma sprawy, Kasiu, mogę ci wydrukować – odparł Radek i włączył komputer.

– Ja też wolę wydruk, to drukuj podwójnie – poleciła mu Magda. – A płytkę Jagoda może sobie zabrać z powrotem.

– Nie trzeba, ja mam oryginał na pendrivie. Zostawię płytę u was – zdecydowała Jagoda. – Tak na wszelki wypadek.

– Jagoda – zaczęła Kasia z poważną miną – tylko muszę cię od razu uprzedzić, że ja niczego nie obiecuję. Dopiero kiedy to przeczytam, będę mogła podjąć jakąś decyzję. Poza tym sama nie decyduję, wiesz o tym?

– W porządku, rozumiem – zgodziła się Jagoda, jako że i tak na razie więcej się nie spodziewała. W tej chwili chciała tylko, aby ktoś, kto zna się na literaturze, przeczytał jej tekst i wyraził swoją opinię. – Znam obowiązujące zasady.

Radek włożył płytę do komputera i zaprogramował drukowanie. Po chwili drukarka ruszyła i Jagoda zobaczyła pierwszą stronę swojego tekstu w formacie A4. Zrozumiała, że przekraczanie barier, które człowiek niepotrzebnie sam sobie stawia, jest bardzo przyjemne.

*

Pierwsza sprawa rozwodowa kosztowała Jagodę sporo nerwów, mimo że cały czas powtarzała sobie, że powinna zachować spokój. Na szczęście sama niewiele musiała mówić, bo na ogół w jej imieniu występował mecenas Korzycki. Energiczny, zabiegany adwokat z dużym doświadczeniem zawodowym widząc, jak Jagoda rozkleja się w trakcie rozmów na temat swojego małżeństwa i męża, starał się przejąć większość odpowiedzi. Nie chciał dopuścić do publicznego załamania się klientki. Jej zdenerwowanie i płacz utrudniłyby przebieg procesu, a poza tym mogłyby wpłynąć na wizerunek powódki i pokazać ją jako osobę chwiejną emocjonalnie. Ponadto, jak tylko mógł, starał się przed rozprawą wspierać swoją klientkę i podnosić ją na duchu, między innymi zapewniając, że wszystko będzie dobrze.

Ku zadowoleniu Jagody w tym dniu zostały ustanowione rozdzielność majątkowa i alimenty na Kajtka, co oznaczało, że od tej pory jej sytuacja materialna trochę się poprawi. Teraz, mając swoją rubrykę w gazecie, dochody za artykuły i alimenty, zyskała szansę życia na skromnym, acz nie najgorszym poziomie. Niestety, nie zapadł jeszcze wyrok co do podziału majątku, ponieważ, o czym nie miała pojęcia, musiał go wycenić rzeczoznawca.

Leszek okazał totalny chłód. Przed rozprawą przywitał się z Jagodą i jej adwokatem, podając im rękę, zamienił kilka kurtuazyjnych zdań, po czym powiedział:

– Mam nadzieję, że nie będziesz zabraniała mi spotkań z Kajetanem.

– Też coś – odparła, wzruszając ramionami. – Przecież mówiłam ci, że w każdej chwili możesz się z nim widzieć. Jestem świadoma, że Kajtek ma ojca, i nie mam zamiaru go ciebie pozbawiać. Niestety będziesz musiał do niego przyjeżdżać.

– Wywiozłaś go tak daleko, że to nie takie proste, zwłaszcza gdy musi się pracować na utrzymanie rodziny – odparł z przekąsem.

– Pracujesz tylko na siebie i swojego syna, bo na mnie już nie, więc teraz powinno ci być dużo lżej. Nie musisz już robić nadgodzin.

– Jesteś pewna, że twoi rodzice nie będą mieć nic przeciwko temu, żebym do nich przyjeżdżał?

– Dla uściślenia, będziesz przyjeżdżał do Kajtka, a nie do nich – sprostowała Jagoda. – Nie spodziewaj się, że będą ci się rzucali na szyję, ale na pewno nie odmówią ci gościny. To kulturalni ludzie. Zresztą znasz ich.

– Rozbiłaś naszą rodzinę – powiedział oschle.

– Nie ja. Dwukrotnie dawałam ci szansę, ale jej nie wykorzystałeś. Zrobiłeś wszystko, żeby zniszczyć nasze małżeństwo – oświadczyła szorstko. – Teraz postaraj się, aby nasze dziecko jak najmniej cierpiało z tego powodu.

– Wina zawsze leży po obu stronach, więc nie rób z siebie ofiary – atakował złośliwie.

– Nie bądź śmieszny. Jeśli robiłam coś źle, trzeba było mi o tym powiedzieć. Cywilizowani ludzie tak robią, komunikują się za pomocą słów.

– Nie wybielaj się.

– Leszek, oboje wiemy, jak było. Nie chcę wałkować tego, co się stało, bo nie ma sensu. Rozwodzimy się i nic już tego nie zmieni, więc wciąganie mnie w taką dyskusję nic ci nie da. Jednak mamy dziecko, za które oboje jesteśmy odpowiedzialni, i naszym obowiązkiem jest zrobić wszystko, co tylko możliwe, żeby stworzyć mu dobre, stabilne warunki życia. Dla jego dobra powinniśmy się dogadać.

Instynktownie czuła, że emocje utrudniają jej panowanie nad sobą, a rozmowa wchodzi na niebezpieczne tory i oboje są o krok od sprzeczki. Za wszelką cenę pragnęła tego uniknąć. Zwłaszcza tu, w sądzie. Próbowała opanować zdenerwowanie i zniżyć głos. Stojący obok mecenas Korzycki, chcąc ją uspokoić, chwycił ją za łokieć. Miała ochotę odtrącić jego rękę, ale się powstrzymała. Na szczęście na tym przerwali rozmowę, gdyż drzwi, obok których stali, otworzyły się, na korytarz wyszła urzędniczka i poprosiła ich do sali. Jagoda przymknęła oczy z ulgą i w duchu podziękowała Bogu. Adwokat delikatnie wziął ją pod rękę i poprowadził do sali, wskazując miejsce, gdzie ma usiąść.

Po rozprawie Jagoda nie rozmawiała już z Leszkiem. Rozzłoszczony na nią i na wyrok sądu wyszedł, nawet się nie pożegnawszy.

Przed budynkiem czekała na nią Magda, która przyjechała wprost z galerii. Miała nadzieję, że jeszcze wyciągnie Jagodę na kawę przed podróżą, by posłuchać relacji z przebiegu rozprawy. Była oburzona postawą Leszka, który widząc ją z daleka, odwrócił głowę w drugą stronę i nie podszedł, żeby się przywitać, tylko pospiesznie wsiadł do samochodu i odjechał. Widać było, że jest obrażony na cały świat. Gdy Jagoda powtórzyła jej, co mówił przed rozprawą, głośno wyraziła swoje rozczarowanie jego zachowaniem.

– Wiesz co? Nie gniewaj się na mnie za to, co teraz powiem, ale kiedyś miałam Leszka za dżentelmena. Zawsze mi się wydawało, że on ma więcej klasy, a teraz się okazuje, że to miernota – stwierdziła Magda, pełna obawy, czy nie wyraziła się zbyt ostro.

– Nie masz mnie za co przepraszać, nie gniewam się, bo ja też tak myślałam.

– A swoją drogą, nie rozumiem tego faceta. Najpierw szaleje na punkcie syna, demonstruje ojcowską miłość, nawet się dopomina spotkań, a teraz odwraca się do niego plecami i ma problem, bo musi przejechać te dwieście kilometrów, żeby zobaczyć dziecko. Rozumiem, że to dalej niż rzut beretem, ale bez przesady. Szczyrk to nie koniec świata. Ma samochód, stać go na paliwo, więc w czym problem?

– Też o tym myślałam. Chyba jedynym wytłumaczeniem jest to, że on jest nieprzeciętnym pozorantem i próbował odegrać przed adwokatem skrzywdzonego męża.

– Prawdę mówiąc, myślałam, że dostaniesz rozwód już na pierwszej rozprawie. Przecież miałaś te zdjęcia.

– Sąd uznał, że ze względu na dziecko musi się odbyć rozprawa dająca nam szansę na pogodzenie. Dopiero gdy nie dojdzie do pojednania, będzie druga, w której weźmie pod uwagę trwały rozpad małżeństwa. Nie znam się za bardzo na tych procedurach, ale adwokat twierdzi, że przy takich dowodach druga sprawa powinna być tylko formalnością.

– A przy okazji, czy Leszek już wie o tym, że napisałaś książkę? – zaciekawiła się Magda.

– Nie i niech tak zostanie. Na razie będzie lepiej, jeśli się o tym nie dowie. I nawet gdybym mogła, nie wydam jej przed uzyskaniem rozwodu, żeby w żaden sposób nie mógł jej wykorzystać przeciwko mnie w sądzie. Potem już będzie za późno na jakiekolwiek protesty.

– Ale nie wybaczę ci, że nic mi nie powiedziałaś – oświadczyła Magda z wyrzutem, udając, że jest śmiertelnie obrażona.

Jagoda spojrzała na nią czule i uśmiechnęła się. Chociaż dobrze znała Magdę i wiedziała, że jest bardzo dyskretna, postanowiła, że nikomu, bez wyjątku, nie powie o swoich planach. Liczyła, że ona i tak się nie obrazi za ten sekret.

– Nie obrażaj się. Kiedy pisałam, wszystko było postawione na głowie, za to teraz jesteście z Radkiem pierwszymi osobami wtajemniczonymi w tę sprawę.

– I Kasia – sprostowała Magda.

– Zgadza się – przytaknęła Jagoda.

– A rodzice?

– Jeszcze nie wiedzą. Gdy już będę miała pewność, że książka zostanie wydana, to wtedy im powiem. Będzie większa niespodzianka. – Jagoda uśmiechnęła się tajemniczo, ale Magda dałaby głowę, że w jej oczach dostrzegła obawę.

– No dobra, nie pisnę ani pół słówka i powiem Radkowi, żeby przypadkiem nie puścił pary z dzioba.

Gdy Jagoda po rozprawie wróciła do domu, okazało się, że Kajtek od rana był bardzo marudny. Państwo Wierszyccy byli już zmęczeni ciągłym uspokajaniem i bawieniem wnuka, więc od razu musiała ich zmienić i zająć się synkiem. Malec wciąż kaprysił, piszczał, nie chciał jeść ani spać. Protestował nawet przy kąpieli, którą uwielbiał. Jagoda zmierzyła mu temperaturę, ale termometr pokazał tylko lekki stan podgorączkowy. Po jakimś czasie kolejny raz zmierzyła; niebieska kreska na termometrze wydłużyła się. Zaczęła robić Kajtkowi zimne okłady, ale to nie pomagało. Choć pani Maria prawie natychmiast zawyrokowała, że to z całą pewnością skutek wyrzynających się ząbków, Jagoda jednak zdecydowała się wezwać pediatrę. Ufała matce i wierzyła jej doświadczeniu, ale bała się, żeby czegoś istotnego nie zbagatelizować.

Oczekiwanie na lekarza dłużyło się niemiłosiernie, a Kajtek zachowywał się, jak nigdy dotąd. Jego twarzyczka była lśniąco czerwona i wykrzywiona bólem. Stawał się coraz bardziej niespokojny, a wszystkie te objawy przestraszyły Jagodę. Chwilami czuła się tak bezsilna, że miała ochotę płakać razem z synkiem. Ani na chwilę nie wypuszczając go z ramion, chodziła po domu od okna do okna, sprawdzając, czy nie widać samochodu lekarza. Czuła, że ogarnia ją panika.

Pani Maria zaparzyła herbatkę z melisy, wlała ją do butelki i ostudziła.

– Co to jest? – zapytała Jagoda.

– Melisa. Powinna go uspokoić – odparła pani Maria.

– Mamo, ja nie będę już dłużej czekać na lekarza, pojadę do szpitala. Niech sprawdzą, co mu jest.

– Jak uważasz, ale moim zdaniem to ząbkowanie.

– Ale wolę się upewnić, że wszystko jest w porządku. Poza tym gorączka wzrasta. Boję się, mamo.

Słysząc to, pan Jan natychmiast włożył buty, wziął kluczyki i poszedł wyprowadzić samochód z garażu.

Pojechali do szpitala. Nie spodziewali się, że na nocnym dyżurze w poczekalni będzie tylu pacjentów, ale pielęgniarka, widząc niemowlę, wpuściła ich do gabinetu poza kolejką. Jagoda była jej za to wdzięczna, gdyż Kajtek nie chciał się uspokoić i robił dużo hałasu, denerwując przy tym już nie tylko ją, ale i wszystkich wokół.

Lekarz potwierdził przypuszczenia pani Marii, że malec tak poważnie przechodzi ząbkowanie. Podał czopek na zbicie temperatury i wypisał receptę, dał kilka wskazówek i przy okazji poparł pomysł z herbatką z melisy, działa bowiem uspokajająco i pozwoli dziecku przespać noc. Krótko mówiąc, uznał, że babcine sposoby często są bardzo skuteczne i w większości przypadków warto je stosować. Jagodę ogarnęła tak wielka ulga, że poczuła niemal uwielbienie do tego lekarza.

Gdy przyjechali, był już środek nocy, a pani Maria krążyła przed domem, bo nie mogła się doczekać ich powrotu. Widząc wnuka smacznie śpiącego w ramionach córki, uspokoiła się wreszcie. Po całym dniu płaczu sen dziecka był błogosławieństwem. Pani Maria była też dumna, usłyszawszy, że jej diagnoza się potwierdziła, a lekarz pochwalił doświadczenie i mądrość babci Kajtka. Nie skomentowała tej informacji, ale po cichu odczuwała z tego powodu niemałą satysfakcję.

Chociaż malec przespał resztę nocy spokojnie i rano z apetytem zjadł śniadanie, jednak koło południa znów pojawiła się gorączka, zaczął marudzić i nie było już wyjścia, jak tylko podać mu kolejną dawkę leku na obniżenie temperatury. Przez większość czasu wszyscy w domu odczuwali skutki złego samopoczucia chłopca. Mogli odpocząć jedynie w chwilach, gdy zasypiał. Stan Kajtka poprawił się dopiero po kilku dniach wraz z pojawieniem się dwóch pierwszych ząbków – maleńkich białych kreseczek pośrodku dolnego dziąsła. Dopiero wtedy zaczął odzyskiwać wigor i wesołe usposobienie, a w domu wszystko wróciło do normy.

*

Trzy tygodnie później do Jagody zadzwoniła Magda z wiadomością, że Kasia przeczytała jej tekst i chce się z nią spotkać.

– Ale co powiedziała o książce? Podobała jej się czy nie? – pytała podekscytowana Jagoda.

– Nie wiem, nic mi nie powiedziała – odparła Magda.

– Jak to nic nie powiedziała, musiała coś mówić – niecierpliwiła się Jagoda.

– Zadzwoniła do mnie i poprosiła, żebym was umówiła na spotkanie i tyle.

– Magda, jak mogłaś jej nie zapytać? Gdzie twoja przebojowość?

– Pytałam, ale powiedziała tylko, że chce porozmawiać z tobą i musi kończyć, bo dzwoni z samochodu. Za to nam się podobało, mnie i Radkowi. Oboje uważamy, że to świetna powieść, i jak przyjedziesz,

314

będziemy bić czołem pokłony przed tobą. No, ale my nie pracujemy w wydawnictwie. Poza tym nasza opinia może nie być dość obiektywna z racji samego uwielbienia dla ciebie.

– Jestem wam wdzięczna za życzliwe słowa, ale i tak nie rozumiem, jak mogłaś nic nie wyciągnąć od Kasi, nawet najmniejszego słówka – upierała się zawiedziona Jagoda.

– Przestań narzekać, tylko zastanów się, kiedy możesz przyjechać, żeby się z nią spotkać.

– Może być w przyszłym tygodniu? – Jagoda zajrzała do kalendarza. – A nie, przepraszam, to będzie za dwa tygodnie. Mam wezwanie do sądu na drugą rozprawę, to mogłabym załatwić dwie rzeczy za jednym zamachem.

– A dokładniej kiedy? – zapytała Magda, chcąc uściślić termin.

– Rozprawę mam we wtorek o jedenastej.

– Dobra, to wstępnie umówię was na trzynastą, już po rozprawie.

– Świetnie.

– Jakby coś się zmieniło albo Kasia miałaby inne plany, to do ciebie zadzwonię... A właściwie, to dlaczego ja pośredniczę w umawianiu was na spotkania, co ja jestem, skrzynka kontaktowa?

Jagoda roześmiała się i pomyślała, że bardzo jej brakuje Magdy. Stęskniła się za jej poczuciem humoru i ich szczerymi rozmowami przy kawie.

– Magduniu, już nie mogę się doczekać, kiedy znów się zobaczymy.

– Ja też.

– Tylko błagam cię, umów mnie z Kasią tak, żebyś mogła być przy naszej rozmowie – poprosiła Jagoda.

– A po co? Będę wam tylko przeszkadzać – opierała się Magda.

– Nie będziesz przeszkadzać. Jestem pewna, że Kasia też chętnie się z tobą zobaczy. Przyjedź, proszę, sprawisz mi ogromną radość. A poza tym będziesz musiała mnie pocieszać, jeśli się okaże, że ta książka to dno.

– Okej! Postaram się być – zgodziła się w końcu Magda i nagle zmieniła temat. – Jagoda, a był u was Leszek?

– Tak, a dlaczego pytasz?

– Bo Radek spotkał go jakiś czas temu i Leszek mówił, że się do was wybiera.

– I przyjechał – potwierdziła – ale... był jakiś nieswój.

W pierwszy weekend po rozprawie Leszek zjawił się już o dziesiątej rano. Musiał bardzo wcześnie wstać, żeby dotrzeć tu o tej porze. Tłumaczył, że chce spędzić więcej czasu z synem. Mimo że teściowie proponowali mu, żeby u nich przenocował, nie chciał zostać i wieczorem pojechał z powrotem do domu. Jagoda rozumiała jego dystans wobec niej, zauważyła jednak także, że był bardziej chłodny w stosunku do Kajtka i rodziców, co się jej nie podobało i napawało ją smutkiem. Jakby tego było mało, nie obeszło się bez drobnych przytyków i prowokacji z jego strony, na co musiała reagować powściągliwością i milczeniem, żeby nie doszło do kłótni w domu rodziców.

– Z pewnością czuł się niezręcznie wobec twoich rodziców i dlatego nie przenocował – stwierdziła Magda. – Na jego miejscu też bym się tak czuła.

– Ja też tak myślę, ale to nie moja wina, że ułożyło się w ten sposób. Rodzice byli uprzejmi, zaprosili go na obiad i nie wspominali o rozwodzie, ale i tak widać było, że Leszek jest spięty.

– Jagódko! Ja wiem, że jesteś dobrym człowiekiem i masz wielkie serce, ale przypomnij sobie, on zawsze żałował, a potem znów robił swoje i nie przejmował się wami, więc niech się buja – upomniała ją Magda.

– Wiem, wiem, ale nic nie poradzę, że jestem taka miękka. Jakoś tak mi przykro i...

– Tylko nie zaczynaj od początku. – Przyjaciółka weszła jej w słowo. – Przykro, nie przykro, faktem jest, że ten człowiek nie nadaje się do resocjalizacji. Jasne? Pamiętaj, że oprócz serca masz jeszcze mózg.

Jagoda westchnęła ciężko.

– Słyszałaś? – ponownie zapytała Magda

– Nie martw się, już nie będzie powtórki – zapewniła ją ze smutkiem w głosie.

– Na pewno?

– Na pewno – powiedziała zdecydowanym tonem Jagoda. – Mówiłam ci, że już nie ma odwrotu.

*

Adwokat Jagody spisał się doskonale i na drugiej rozprawie bez przeszkód uzyskała rozwód. Wina Leszka została udowodniona ponad wszelkie wątpliwości, zdjęcia z Renatą, w niedwuznacznych okolicznościach i pozach, mówiły same za siebie i stanowiły mocny dowód w sprawie. Reszta była już tylko formalnością. Sąd uznał trwały rozpad małżeństwa i winę Leszka.

Pomimo pomyślnego rozstrzygnięcia Jagoda była poruszona tym, że coś, jak jej się wcześniej zdawało, trwałego, skończyło się bezpowrotnie. Jakby nagle umarł ktoś jej bliski. Małżeństwo było dla niej zawsze czymś, co miało ponadczasowy wymiar. Teraz zostało to zburzone i zakończone. Ogarnęło ją gorzkie poczucie zachwiania istotnych wartości. Z drugiej strony miała wrażenie, że mimo wszystko odzyskała godność i szacunek do samej siebie.

Szła szybko ulicą i nie mogła powstrzymać łez cisnących się do oczu. Była zdenerwowana i chciała jak najszybciej spotkać się z Magdą, żeby przed przyjaciółką dać upust swoim emocjom. Musiała jej powiedzieć, jak strasznie się teraz czuje, mimo że perturbacje małżeńskie nareszcie się skończyły. Pragnęła tego wyroku i od dawna nie mogła się go doczekać. Przez ostatnie miesiące sądziła, że gdy uzyska rozwód, poczuje ulgę i że będzie to dla niej radosny dzień.

Tymczasem w jej sercu powstała pustka, która domagała się wypełnienia, a Jagoda nie mogła uczynić nic, żeby zmienić to uczucie. Nie potrafiła pozbyć się myśli, że straciła coś bezpowrotnie, i chociaż ostatnie lata były dla niej trudne i gorzkie, to jednak koniec czegoś, co było jej udziałem przez większość dorosłego życia, okazał się bolesny. Przyzwyczajenie?

Może każdy „koniec" kojarzy się z nieuchronnością przemijającego czasu? Uświadamia nam, że nie ma powrotu i nic, co było, już się nie powtórzy, tak jak nie można przeżyć życia jeszcze raz, od nowa. Teraz wszystko będzie inne, podobnie jak od tej chwili stał się inny jej stan cywilny.

A jednak gdyby mogła zmienić los, odstąpić od rozwodu i wrócić do Leszka i życia w ciągłym niepokoju, upokorzeniu i wyobcowaniu, nie zrobiłaby tego. Już nie. Sięgnęła pamięcią do momentu, gdy spotkała w kawiarni Leszka w towarzystwie Beaty, a potem odkryła kolejny jego romans, znajdując w jego koszuli kolczyk Renaty. Postąpiłaby tak samo. Nawet gdyby ktoś jej zagwarantował, że Leszek już nigdy nie dopuści się zdrady, też nie zmieniłaby zdania. Uczucie do męża wypaliło się wraz z kolejnymi ranami, które jej zadawał. Ten ostateczny krok podyktowany był dokładną analizą wszystkich za i przeciw. Rozważyła, czy jest jeszcze o co walczyć. Podjęła decyzję z rozwagą, po wcześniejszym wykorzystaniu wszystkich dostępnych sposobów, żeby nie dopuścić do przerwania tego związku. Nie udało się. Nie widząc innej możliwości, uznała, że nadszedł czas, by to zakończyć. Pocieszała się myślą, że kiedyś uczucie, które teraz ją ogarnęło, minie, i wtedy, bez emocji i obiektywnie, będzie mogła ocenić to, co dzisiaj się wydarzyło.

Po wyjściu z sądu, słysząc za sobą kroki Leszka, odruchowo przyspieszyła. Nie chciała z nim rozmawiać, nie chciała, żeby widział jej łzy. Dostrzegła na postoju taksówkę. Wsiadła i podała kierowcy adres Magdy, która powinna teraz czekać na nią w domu, tak jak wczoraj się umawiały przez telefon.

Jagoda nawet nie spojrzała za siebie. Wyjęła z torebki chusteczkę higieniczną i puderniczkę, wytarła mokre policzki i przypudrowała twarz. Mocno wciągnęła powietrze przez nos i powoli wypuściła je ustami. Poczuła się trochę lepiej. Zauważyła, że taksówkarz zerknął w lusterko, ale nic nie powiedział. Może widział ją wcześniej, jak wychodziła z budynku sądu, i domyślił się wszystkiego. Była mu wdzięczna, że okazał się taktowny i nie próbował wciągnąć jej w rozmowę, jak to mają w zwyczaju taksówkarze.

Magda czekała niecierpliwie z dzbankiem świeżo zaparzonej kawy. Gdy usłyszała dzwonek, natychmiast zerwała się z fotela i pobiegła otworzyć drzwi.

– Co tak długo? Już myślałam, że nie wytrzymam – zawołała, na powitanie całując przyjaciółkę w oba policzki.

– Ja też – odparła Jagoda.

– Już podaję kawę, siadaj i opowiadaj, jak było.

– Teoretycznie od dziś jestem rozwódką, praktycznie muszę poczekać na uprawomocnienie się wyroku, o ile dobrze usłyszałam, to chyba trwa dwa tygodnie. – Westchnęła.

– To znaczy, że musimy to opić.

– A masz coś?

– Jasne. – Magda podeszła do lodówki. – Specjalnie na tą okazję kupiłam białe bacardi.

– Będzie z coca-colą i sokiem z cytrynki? – zapytała z ożywieniem Jagoda.

– Jasne.

Magda przygotowała drinki, wrzuciła do kryształowych szklanek po kilka kostek lodu i postawiła na stole. Usiadła naprzeciw Jagody i podnosząc szklankę, powiedziała:

– Pij, kochana, niech ci się uspokoją skołatane nerwy. Za twoją odzyskaną wolność! – Upiła łyk schłodzonego alkoholu i mruknęła: – Pycha.

Idąc za jej przykładem, Jagoda też upiła łyk.

– I jak? – zapytała Magda, przyglądając się przyjaciółce.

– Rzeczywiście pycha. Chwała ci, Don Facundo, za ten szlachetny trunek – dodała z uznaniem, kiwając głową, i obie się roześmiały.

– Jak się czujesz?

– Zważywszy na niecodzienną sytuację, nie najgorzej – odparła Jagoda, biorąc do ust kolejny spory łyk.

– Żałujesz, że się rozwiodłaś?

– Nie. Jestem świadoma, że tak musiało się stać. Dalsze trwanie w tym związku doszczętnie zrujnowałoby mi życie.

– Jestem pewna, że jeszcze będziesz szczęśliwa – pocieszała ją Magda. – Przynajmniej teraz możesz robić to, co sama uznasz za najlepsze dla ciebie i Kajtka.

Jagoda milczała zamyślona.

– Masz już jakieś plany na najbliższą przyszłość? – zapytała ponownie Magda.

– Tak, mam pewne plany, ale muszę opracować strategię.

– Coś ty się zrobiła taka tajemnicza? – zniecierpliwiła się Magda. – Co to za strategia?

Jagoda spojrzała na zegar wiszący na ścianie i z przerażeniem uświadomiła sobie, która godzina.

– O rany! Już trzynasta! Kasia czeka! – krzyknęła, zrywając się z krzesła.

– Spokojnie. – Magda powstrzymała ją ręką. – Przewidziałam, że możemy mieć kłopot z dostaniem się do knajpy z powodu wcześniejszego spożycia – tu wskazała na drinki – więc zadzwoniłam do niej i poprosiłam, żeby przyjechała tutaj.

Jagoda z ulgą klapnęła z powrotem na krzesełko, po czym chwyciła szklankę, wychyliła do dna i głośno odstawiła na stół.

– Całe szczęście. Jak by to wyglądało, gdybyśmy się spóźniły na spotkanie. W takim razie polej jeszcze.

– Kasia przyjedzie najszybciej, jak tylko będzie mogła, a my w tym czasie przygotujemy coś na ząb – oświadczyła Magda, sięgając po siatkę z ziemniakami. – Ty obieraj, a ja zrobię następnego drinka. Zraziki już są gotowe i stoją w brytfance w piekarniku. Ale nie zmieniaj tematu. Pytałam, jakie masz dalsze plany.

– Mam zamiar pracować i wychowywać Kajtka.

– Co ty mi tu za farmazony wciskasz? Przestań kombinować jak klacz pod górę, pytam o sprawy sercowe – upomniała ją Magda.

322

– Koń.

– Co koń? – spytała zdziwiona.

– Mówi się: kombinować jak koń pod górę.

– Aha... Co mnie zbijasz z pantałyku?! – zniecierpliwiła się Magda. – Nie zmieniaj tematu i odpowiadaj, jak pytam.

– No dobra, wiem, o co ci chodzi – zgodziła się Jagoda. – Nie mam zamiaru nic robić w sprawach sercowych i na razie nie mam żadnych planów na przyszłość.

– A Wiktor? Jesteś wolna, teraz możesz do niego wrócić. Byliście tacy w sobie zakochani.

– Nie odważę się po tym, co wywinęłam.

– Nie zrobiłaś nic takiego, czego rozsądny, zakochany facet nie mógłby wybaczyć.

W tym momencie usłyszały dzwonek do drzwi.

– To na pewno Kasia, bo Radek wróci dopiero za pół godziny – powiedziała Magda, idąc otworzyć.

Kasia weszła zasapana, bo jak stwierdziła, czwarte piętro dla niej, kobiety biurowej, która przynajmniej połowę dnia spędza przed komputerem w pozycji siedzącej, to za wysoko i brak jej kondycji fizycznej.

Jagoda nie mogła się doczekać, aż Kasia ujawni swoją opinię na temat rękopisu. Kręciła się na kresełku, podczas gdy Kasia z Magdą rozprawiały o błahych sprawach, takich jak pogoda i korki w mieście. W końcu nie wytrzymała.

– Kasiu, co sądzisz o tym, co napisałam?

Obie, Magda i Kasia, zamilkły i spojrzały na nią zdumione. Po czym Kasia jakby się ocknęła, i szybko sięgnęła do swojej wielkiej skórzanej czerwonej torby. Wyjęła z niej czteropak piwa i grubą teczkę z plikiem zadrukowanych kartek.

– Dzisiaj jest tak gorąco, że po drodze kupiłam zimne piwo, ale widzę, że macie coś lepszego. Może na razie lepiej schować to do lodówki – zwróciła się do Magdy, podając jej opakowanie z butelkami. – Mam nadzieję, że nie poczytacie mi tego za brak profesjonalizmu? – Mówiąc to, zerknęła na Jagodę.

– Kasiu, nie jesteśmy w twoim biurze, tylko w moim domu. To spotkanie prywatne – szybko powiedziała Magda. – Nawet nie waż się tak myśleć – dodała i śmiejąc się, pogroziła jej palcem.

– A książka? – jęknęła błagalnym tonem Jagoda.

– A książka? – Kasia spojrzała na nią z uznaniem. – Świetna!

– Żartujesz? – Jagoda nie dowierzała własnym uszom.

– W sprawach zawodowych nigdy nie żartuję – powiedziała stanowczo tamta. – Już przekazałam wydruk redaktorowi i wstępnie rozmawiałam z prezesem. Ogólnie wiem, że tekst się podoba, ale – palcem wskazującym postukała w teczkę – tu masz naniesione uwagi. Na razie to tylko moje sugestie, ale jak znam życie, redaktor też wtrąci swoje trzy grosze, więc musisz się przygotować na dalszą pracę.

– Uwagi? Jakie uwagi? – prawie oburzyła się Magda. – Chyba nie chcesz powiedzieć, że próbujecie ją przerobić?

– Ależ skąd. Jak mówiłam, to tylko kilka moich sugestii – podkreśliła Kasia. – Piszesz bardzo dobrze, masz, jak to się u nas mówi, lekkie pióro, historia też jest bardzo ciekawa, ale zawsze są drobne poprawki. Teraz musisz przejrzeć tekst i sprawdzić, czy twoim zdaniem zmiany są w porządku. Pamiętaj, że nie tylko tobie zależy na sukcesie, nam też. Mamy w tym wspólny interes, gramy do jednej bramki.

– Czy to znaczy, że wydacie tę książkę? – Magda znowu weszła jej w słowo.

– Bardzo byśmy chcieli. Oczywiście pod warunkiem, że Jagoda będzie skłonna do współpracy. No i najpierw musimy podpisać umowę wydawniczą – odparła Kasia. – Tylko nie mogę jeszcze ci powiedzieć, kiedy twoja powieść miałaby się ukazać. W tej chwili mamy zamknięty grafik na ten rok, a opracowanie też potrwa, ale jak dobrze pójdzie, to może w pierwszym kwartale przyszłego roku książka pojawi się w księgarniach.

– Hura!!! Wiedziałam, że się uda, wiedziałam, wiedziałam! – ucieszyła się Magda zadowolona z siebie i chwyciła szklankę z drinkiem. – No to wypijmy za sukces!

Podniosły szklanki do góry, a Kasia wzniosła toast:

– Za debiut literacki początkującej autorki!

– Za debiut! – powtórzyła jak echo Jagoda i wypiła spory łyk alkoholu.

Kasia odstawiła szklankę i zapytała:

– Jagoda, wiem, że to trochę niedyskretne pytanie, ale... czy ta historia, którą opisałaś, to twoje życie?

Jagoda spojrzała na nią, a potem na Magdę, która milczała, spuściwszy wzrok, i najwyraźniej nie chciała zabierać głosu w tej kwestii. Czuła, że na jej twarzy rozkwita imponujący rumieniec. W końcu widząc, że przyjaciółka nie da jej żadnych wskazówek, co należałoby w tej chwili odpowiedzieć, sama podjęła decyzję.

– Tylko częściowo są to moje doświadczenia, reszta to fikcja literacka – wyjaśniła zmieszana.

Miała wrażenie, że Kasia nie do końca jej uwierzyła. Sporo wiedziała na temat jej perypetii życiowych i z pewnością potrafiła logicznie myśleć i łączyć fakty.

*

Pierwsze urodziny Kajtka Jagoda urządziła skromnie w domu rodziców. Przyjechali Magda z Radkiem, ale Leszek z ojcem i siostrą wykręcili się brakiem czasu. Jagoda się nie spodziewała, że teść pofatyguje się w taką podróż, tym bardziej że zawsze miała z nim raczej ograniczony kontakt. Teść z natury był człowiekiem dość chłodnym i zamkniętym, a śmierć żony jeszcze spotęgowała te cechy charakteru. Jednak na przyjazd Leszka liczyła. Wcześniej, gdy była w ciąży, sądziła, że bardzo pragnął dziecka i cieszył się z powodu jego narodzin, a teraz odwiedzał Kajtka sporadycznie, a mówiąc ściślej, coraz rzadziej. Odstępy między kolejnymi wizytami stawały się coraz dłuższe i wszystko wskazywało na to, że odwiedziny z czasem całkowicie ustaną. To, co kiedyś myślała na temat Leszka, okazywało się złudzeniem spowodowanym grą pozorów. Siłą rzeczy stopniowo wydawał jej się coraz bardziej obcy i odległy.

Przełamując dumę i niechęć, dzwoniła do niego kilkakrotnie, żeby go nakłonić do częstszego widywania się z synem, jednak prośby i dobra wola nic nie zmieniły. Zawsze wymawiał się nadmiarem pracy, przy tym był oziębły i nie mógł się powstrzymać od uszczypliwości. Ten stan rzeczy nasilił się, kiedy się okazało, że Leszek nie jest w stanie jej spłacić, co miało nastąpić po podziale majątku, i będzie musiał wystawić dom na sprzedaż. Niestety Jagoda, mimo że miała miękkie serce i było jej żal eksmęża, ostatecznie nie ulitowała się nad nim i nadal oczekiwała pieniędzy. Wprawdzie miała już taki moment, gdy chciała mu darować, ale wtedy wkroczył pan Jan i kategorycznie się sprzeciwił. Wytłumaczył córce, że w końcu on też łożył na budowę tego domu, więc teraz życzy sobie, żeby te pieniądze wróciły do jego córki i poprawiły warunki życiowe jego jedynego wnuka. Wobec takich argumentów Jagoda spasowała. Uznała, że tata ma rację, i ona jako matka ma przede wszystkim obowiązek walczyć o dobro swojego dziecka.

Mimo rozczarowań, jakich od dłuższego czasu doznawała ze strony byłego męża, początek nowego roku okazał się dla niej bardzo pomyślny. Pod koniec stycznia otrzymała pocztą dziesięć pierwszych, pachnących świeżym drukiem egzemplarzy swojej powieści wraz z gratulacjami od Kasi. Książka miała tytuł *Kameleon*. Jagoda była niesamowicie dumna.

Miała miłe uczucie, że dopiero teraz poznaje ukrytą, lepszą stronę samej siebie. Nawet zaczęła się zastanawiać, czy jest może coś, na co jeszcze ją stać, a ona o tym nie wie.

Z początku obawiała się reakcji rodziców, na wszelki wypadek powiedziała im wcześniej, że napisała powieść, która wkrótce zostanie wydana, ale przezornie nie dała im do przeczytania maszynopisu. Skłamała, że jedyny egzemplarz jest w wydawnictwie, a ona zapomniała zrobić kopię dla siebie. Doszła do wniosku, że będzie lepiej, jeśli zostaną postawieni przed faktem dokonanym. Gdyby namawiali ją na wycofanie się z zamiaru opublikowania powieści, będzie już na to za późno. Okazało się jednak, że rodzice, czego absolutnie się po nich nie spodziewała, przyjęli jej debiut literacki z radością i nieukrywaną dumą. Przeczytali książkę jednym tchem i dopiero wtedy tak naprawdę dowiedzieli się, co Jagoda przeszła w ostatnich latach, będąc żoną Leszka. Poznali wszystkie okoliczności, jakie towarzyszyły jej rozwodowi, i zrozumieli, dlaczego do niego musiało dojść. Pani Maria co chwila szlochała, wyrzucała sobie krótkowzroczność i brak empatii wobec własnej córki, a ojciec nie mógł sobie wybaczyć, że naciskał na nią, żeby wróciła do męża, i odwodził ją od ostatecznego kroku. Przedtem sądził, że Jagoda jest nierozsądna i kapryśna, teraz przekonał się, jak ciężko było jej przez cały ten czas, i żałował, że zachowywał się w tej całej sprawie zbyt surowo. Miał poczucie, że ją krzywdził. Jednocześnie wzbierała w nim złość na zięcia, który tak zranił jego ukochaną, jedyną córkę. Chwilami był tak zły na Leszka, że chciałby złapać go w swoje ręce i ukręcić mu głowę jak kurczakowi. Oczywiście wcale się nie zastanawiał, czy mógłby to zrobić. Późną nocą, w sypialni, po skończeniu lektury pani Maria z rozpaczą padła w ramiona męża i długo nie mogła się uspokoić, aż w końcu i on uronił kilka łez, chociaż bardzo się starał powstrzymywać emocje.

Następnego dnia ojciec z całą powagą pogratulował Jagodzie sukcesu i odwagi, a mama jak zwykle rozpłakała się ze szczęścia, ściskając ją czule.

Fakt wydania książki sprawił, że Jagoda miała ochotę zrobić coś więcej dla siebie i Kajtka. Wiedziała, że jeszcze musi poczekać na pieniądze od Leszka, należące jej się w wyniku podziału majątku, nie miała więc na razie możliwości kupienia nawet najmniejszego mieszkania. Ale uznała, że chociaż nie ma wpływu na te sprawy, to jednak może coś zmienić w innej dziedzinie życia. Na początek postanowiła kupić jakiś nieduży, używany samochód, który umożliwiłby jej samodzielne poruszanie się bez absorbowania ojca czy też znajomych. Po rzetelnej analizie okazało się, że nawet w jej sytuacji, skoro pracuje głównie w domu, taksówki są nieopłacalne, a autobusy nie dają jej swobody poruszania się.

Z pomocą ojca wybrała kilka interesujących ogłoszeń i wyruszyła na umówione spotkania ze sprzedającymi. Wprawdzie parę ofert okazało się niezgodnych z rzeczywistością, a ściślej mówiąc, stan samochodów nie odpowiadał opisowi, jaki zamieszczono w internecie, ale w końcu udało jej się znaleźć małą przyzwoitą yariskę. W pierwszej chwili odrzuciła to ogłoszenie z uwagi na cenę auta, ale pan Jan oświadczył, że może pożyczyć brakujące pieniądze, a ona zwróci je, gdy tylko Leszek ją spłaci. Jagoda uznała, że taka opcja jest rozsądna, bo kupno bardzo starego auta, na które ewentualnie byłoby ją stać, podwyższyłoby koszty utrzymania samochodu.

Gdy już została szczęśliwą posiadaczką toyoty yaris, dla odświeżenia swojej wiedzy zaczęła studiować kodeks drogowy i wykupiła kilka jazd pod nadzorem instruktora. Dopiero teraz uświadomiła sobie, jak wiele zapomniała przez te wszystkie lata, kiedy nie jeździła samochodem. Na początku czuła się niepewnie za kierownicą i było jej bardzo trudno, ale nie zamierzała rezygnować. Gdyby teraz się poddała, musiałaby przyznać, że właściwie nic się w niej nie zmieniło i nadal jest tą samą strachliwą Jagodą. Zbyt wiele kosztowało ją odrzucenie dawnych nawyków i wyrwanie się z podporządkowanego mężowi życia, żeby teraz to wszystko zaprzepaścić. Dlatego wieczorami zawzięcie ślęczała nad kodeksem, a w każdej wolnej chwili ćwiczyła jazdę samochodem. Instruktor, pan Wiesio, śmiał się, że jeszcze nigdy nie spotkał bardziej zawziętej baby, która uczyłaby się tak pilnie, chociaż już posiada prawko. Ale Jagoda dobrze wiedziała, że pan Wiesio z niej nie żartuje, tylko jest pełen uznania dla jej wysiłku i sumienności. W końcu udało jej się dobrze opanować umiejętności kierowcy i wkrótce zaczęła jeździć swobodnie po całej okolicy.

W tym czasie książka Jagody pojawiła się niemal we wszystkich większych i mniejszych księgarniach w kraju. Promocja ruszyła ostro w mediach, prasie, jak również w internecie. Wydawnictwo zaczęło już planować pierwsze spotkania autorskie, z których Jagoda mimo swojej skromności i niechęci do publicznych wystąpień nie mogła się wykręcić. Zostało to ustalone w umowie wydawniczej. Ponieważ *Kameleon* był książką głównie dla kobiet, opowiadającą dramatyczną historię zdradzanej żony, pierwsze spotkanie z autorką zorganizowano w marcu, aby symbolicznie nawiązać do dnia, a może raczej miesiąca kobiet. Wprawdzie Jagoda nie rozumiała, co ma wspólnego jedno z drugim, ale głośno nie próbowała tego komentować. Postanowiła, że skoro taka promocja ma pomóc w sprzedaży powieści, to nie powinna odmawiać współpracy. W końcu w wydawnictwie pracują ludzie, którzy lepiej od niej znają się na rzeczy i doskonale wiedzą, co trzeba zrobić, żeby jej książka się rozeszła.

*

Szykując się na spotkanie z czytelnikami, Jagoda wspominała swoje dawne życie, jakże różne od obecnego. Zrozumiała, że to, co dzieje się w jej życiu, w dużej mierze zależy od niej samej. Podejmując takie, a nie inne decyzje, sprowokowała pewne

331

zdarzenia, które z kolei zapoczątkowały inne sprawy. Poniosła już konsekwencje popełnionych błędów i teraz zaczynała wszystko od początku i ten początek bardzo jej się podobał.

Z zadowoleniem spojrzała w lustro. Jej włosy ponownie nabrały połysku, a cera zdrowego kolorytu. Przez ostatnie miesiące zdołała także zrzucić kilkanaście kilogramów pozostałych po ciąży.

Wzięła torebkę i wyszła z pokoju. Schodząc na dół, zobaczyła mamę i ojca, którzy siedzieli w salonie i oglądali telewizję. Kajtek, mówiąc do siebie, bawił się na dywanie u stóp babci, niezgrabnie próbując ustawić plastikowe klocki jeden na drugim. Jagoda ucałowała synka i rodziców, po czym zarzuciła płaszcz na ramiona i ruszyła na podbój świata. Wychodząc, usłyszała, jak tata życzył jej powodzenia.

Podjechała na mały parking przylegający do domu kultury i zaparkowała blisko głównego wejścia. W pobliżu schodów zauważyła pojedyncze grupki rozmawiających ze sobą ludzi, ale nie rozpoznała nikogo znajomego.

Weszła do holu i zatrzymała się zaskoczona. Przy szatni, żywo o czymś rozprawiając, stali Kasia, Magda i Radek. Nagle Kasia odwróciła się i natychmiast dostrzegła Jagodę.

– Jesteś! – zawołała radośnie na jej widok i pomachała do niej. – Nareszcie przyszłaś.

Jagoda podeszła i przywitała się ze znajomymi.

– Skąd się tu wzięliście? – zapytała uradowana.

– Przylecieliśmy odrzutowcem – zażartowała Magda.

– Prywatnym, wczoraj kupiliśmy – chichocząc, zawtórował jej Radek. – Nieźle wchodzi w zakręty – dodał.

– Przestańcie sobie żartować – zawołała ze śmiechem Jagoda.

– Musieliśmy przyjechać, przecież to twój pierwszy występ – wyjaśniła Magda.

– Udała wam się niespodzianka. Cieszę się, że jesteście. Bardzo się denerwuję i przyda mi się wsparcie kilku życzliwych dusz.

– Spokojnie, to nie takie straszne – pocieszyła ją Kasia. – O! Jest już pan dyrektor.

Spojrzeli tam, gdzie patrzyła. Mężczyzna, który właśnie skończył rozmawiać z jakąś starszą panią, odwrócił się w ich stronę i spostrzegłszy Jagodę, podszedł, żeby się przywitać.

– Witam naszą uroczą autorkę! Witam również pani przyjaciół. – Z galanterią ucałował wszystkie kobiece dłonie.

Dyrektor domu kultury, pan Karaś, był miłym, wesołym człowiekiem w średnim wieku, cieszącym się dużą sympatią współpracowników, jak również wszystkich w okolicy. Niezwykle aktywny, rozmiłowany w sztuce, wyjątkowo łatwo nawiązywał kontakty z otoczeniem i uwielbiał bywać w towarzystwie. Pod jego kierunkiem dom kultury działał prężnie jak nigdy wcześniej. Z zapałem organizował wszelkiego typu imprezy, w tym również spotkania z ciekawymi osobistościami. Miał nawet pewne zasługi na rzecz promowania młodych i nie tylko młodych, ale wschodzących talentów w dziedzinie pisarstwa, poezji, malarstwa, bo często urządzał różnego rodzaju konkursy, warsztaty i plenery. Ponadto zawsze był na bieżąco we wszystkich nowinkach ze świata kultury i sztuki, a przy tym swoją pasją zarażał innych, w szczególności młodzież. Był jak najbardziej odpowiednim człowiekiem na właściwym miejscu.

– To dla mnie zaszczyt, że pan zaprosił mnie tutaj – powiedziała Jagoda.

– A jakże mógłbym nie zaprosić? Jest pani objawieniem na rynku literackim – odparł z uśmiechem.

– Muszę zdobyć pani autograf, córka mi kazała. Jest pani fanką, ale sama nie mogła przyjść, bo grypa ją zmogła. Po spotkaniu podpisze mi pani książkę?

– Z przyjemnością. I proszę pozdrowić córkę – zgodziła się Jagoda.

– Dziękuję pani. Ale już dochodzi osiemnasta – stwierdził, patrząc na zegarek. – Musimy wejść do środka, bo tłumy wielbicieli czekają.

Zaprowadził ich do czytelni, przylegającej do pomieszczeń bibliotecznych. Magda z Kasią i Radkiem usiedli w głębi, wśród tłumu czytelników, a Jagodę pan Karaś poprowadził na miejsce przy stoliku u szczytu sali.

Dyrektor zabrał głos pierwszy. Dopełniwszy oficjalnego powitania w imieniu wszystkich, powiedział kilka słów na temat zawodowych poczynań Jagody oraz jej debiutanckiej powieści *Kameleon*. Zaraz potem ktoś podał mu bukiet kwiatów, który on z kolei wręczył jej w imieniu organizatorów spotkania.

Następnie zaproszona aktorka teatralna przeczytała wybrany fragment z jej książki, mówiący o głównej bohaterce, która nie mogąc dłużej znosić zachowania męża, chłodnego, egoistycznego mężczyzny, decyduje się zaprzestać walki o ich związek. Słuchając, Jagoda przypominała sobie, jak będąc w szpitalu po nieszczęśliwym upadku ze schodów, każdego dnia, niemal w każdej chwili, drżała ze strachu o swoją ciążę. To wtedy straciła resztę nadziei, że Leszek zmieni swoje postępowanie i uda się uratować ich małżeństwo.

Na koniec czytelnicy zadawali pytania autorce.

W pewnym momencie do sali wszedł młody chłopak. Podszedł do Jagody i wręczył jej okazałą, piękną czerwoną różę zapakowaną w eleganckie, przezroczyste plastikowe pudełko przewiązane złotą wstążką.

– Przesyłka dla pani. Proszę – powiedział z uśmiechem, ukłonił się i wyszedł.

Nie zdążyła mu podziękować, bo na chwilę zapomniała języka w gębie, ale spojrzała na dyrektora. Ten uśmiechnął się i zrobił minę, która miała oznaczać „ja nic o tym nie wiem".

W tym momencie jakiś młody mężczyzna z sali zapytał:

– Skąd pani czerpała inspirację do swojej książki?

Jagoda zerknęła na bilecik przyczepiony do róży, na którym widniało tylko jedno słowo napisane nieznanym jej charakterem: *GRATULACJE*. Pomyślała, że ten ktoś mógłby się przynajmniej podpisać. Odłożyła różę na stół i odpowiedziała na zadane pytanie:

– Tak jak większość pisarzy, czerpię inspirację z życia i wykorzystuję zdobyte wcześniej doświadczenia.

– Doświadczenia z własnego życia? – uściśliła pytanie jakaś atrakcyjna brunetka mniej więcej w wieku Jagody.

– Rozumiem, że chciała pani zapytać, czy w tej książce opisałam własne przeżycia i... – Zamilkła, gdyż kątem oka dostrzegła stojącego w głębi, nieopodal drzwi, Leszka. Spojrzała na kwiat leżący przed nią na stole.

Czyżby ta róża była od niego? Powinien być na mnie wściekły. Ciekawe, o co mu chodzi, przemknęło jej przez myśl.

Po chwili wróciła do odpowiedzi na zadane pytanie.

– Oczywiście każdy zachowuje wszystkie wiadomości, jakie do niego docierają, zarówno z własnego życia, jak również z życia bliskich, znajomych, czy nawet przypadkowo zasłyszane. Te informacje są segregowane w pamięci, niczym dane w komputerze, a potem przetwarzane i odpowiednio wykorzystywane w razie potrzeby. Pisząc książkę, korzystałam z całej swojej wiedzy o życiu i stworzyłam miks faktów połączonych z fikcją literacką.

– Jak bardzo Monika, bohaterka książki, jest do pani podobna? – drążyła brunetka.

– Sporo cech charakteru ma podobnych do mnie, co niewątpliwie ułatwiało mi tworzenie jej portretu psychologicznego. W wielu sytuacjach, które opisywałam, zastanawiałam się, jak sama bym postąpiła lub jak ja postrzegam dany problem. Jednak Monika to nie jestem do końca ja. Ona postępuje troszkę odważniej ode mnie i jest bardziej przebojowa. Mogę szczerze powiedzieć, że posiada też takie cechy, które sama chciałabym mieć i których jej zazdroszczę – odpowiedziała Jagoda, spoglądając ukradkiem na Leszka. Zauważyła dziwny grymas na jego twarzy. Oboje dobrze wiedzieli, ile prawdy z ich życia jest w tej książce.

Na sali rozległ się pomruk rozbawienia. Ten moment wykorzystał dyrektor Karaś, który wstał i podziękował Jagodzie za spotkanie, kończąc tym samym część oficjalną.

– A teraz nasza wspaniała autorka złoży autografy na egzemplarzach swojej książki, więc jeśli ktoś z państwa jest zainteresowany, proszę ustawić się w kolejce. Dziękuję wszystkim za przybycie. Dobranoc państwu!

Jeszcze dyrektor nie skończył swojej wypowiedzi, a już Kasia, Magda i Radek, wyprzedzając pozostałych, ruszyli do Jagody, aby jej pogratulować występu i wręczyć kwiaty. Każdy swój bukiet. Tymczasem Leszek cały czas trzymał się z tyłu, najwyraźniej czekając, aż skończy się to całe zamieszanie wokół niej. Wyglądało na to, że chce porozmawiać.

Podpisywała książki jeszcze przez dwadzieścia minut, po czym dyrektor, aktorka i pozostali pracownicy domu kultury, widząc już koniec kolejki, pożegnali się i zaczęli się rozchodzić. Przy czym dyrektor i aktorka udali się zapewne do domów, a pracownicy zaczęli porządkować salę, aby móc ją zamknąć. Jagoda wyszła w towarzystwie trojga przyjaciół na zewnątrz, gdzie przed budynkiem czekał na nich Leszek. Podszedł i przywitał się ze wszystkimi grzecznie, ale z odrobiną chłodu.

– Czy moglibyśmy porozmawiać na osobności? – zwrócił się do Jagody.

– Sądziłam, że wszystko już sobie wyjaśniliśmy, więc nie widzę powodu – odparła.

– Proszę tylko o chwilę rozmowy, chyba możesz mi tyle poświęcić?

– Dobrze – zgodziła się niechętnie i z pewną obawą, po czym odwracając się do pozostałych, powiedziała: – Proszę, jedźcie już do moich rodziców, mama przygotowała kolację. Z pewnością ucieszą się na wasz widok. Ja będę za chwilę.

– Odwiozę cię – zaproponował Leszek. – Przyjechałem samochodem.

– Nie trzeba, mam tu własny – odparła z satysfakcją i dostrzegła na jego twarzy wyraz niedowierzania i zaskoczenia. – Nie stójmy pod drzwiami, przejdźmy się – zasugerowała.

Ruszyli chodnikiem w kierunku ratusza.

– Cóż za zmiana, nigdy nie chciałaś sama jeździć samochodem – zauważył z przekąsem.

– Bo nigdy mi nie proponowałeś, żebym prowadziła – odcięła się szybko. – Poza tym nigdy nie miałam własnego auta. O czym chciałeś ze mną rozmawiać i po co przyjechałeś?

– Zaskoczyła mnie wiadomość o twojej książce. Nic nie mówiłaś, że piszesz.

– Szczerze mówiąc, mało się interesowałeś tym, co robię.

Leszek westchnął i spojrzał na nią z ukosa.

– Przeczytałem.

– No i...? Przyjechałeś, żeby mi to powiedzieć?

– Przyjechałem powiedzieć ci, że nie podoba mi się to. Opisałaś nasze prywatne życie. To nie są rzeczy, które można wywlekać na forum publiczne. Wiesz, jak ja się teraz czuję wobec znajomych? Jak mogłaś mi to zrobić? – zakończył z nieukrywanym wyrzutem.

– Cóż, jeśli czujesz wstyd, to znaczy, że masz coś na sumieniu – odparła cynicznie. – Jeśli o mnie chodzi, nie mam się czego wstydzić.

– Nieźle mnie obsmarowałaś. Zrobiłaś ze mnie seksoholika i zimnego drania pozbawionego uczuć, więc jak mogę się teraz czuć? Nie masz sumienia, czy co?! – zdenerwował się.

– Nie przesadzaj, moim zdaniem i tak obeszłam się z tobą dość łagodnie. Nie wiesz, do czego są zdolne skrzywdzone byłe żony. Zresztą napisałam to, co czułam w ostatnich latach naszego małżeństwa, i nie są to rzeczy wyssane z palca, tylko szczera prawda – powiedziała. Zatrzymała się i stojąc naprzeciwko Leszka, odważnie spojrzała mu w oczy. – A w ogóle, to czy wtedy, gdy mnie zdradzałeś, z kim popadło, zastanawiałeś się, jak ja się czuję i czy nie jest mi przypadkiem wstyd przed znajomymi?

Leszek otworzył usta, chcąc jej coś odpowiedzieć, ale powstrzymała go ruchem ręki i mówiła dalej:

– Guzik mnie obchodzi, co teraz czujesz, skoro ciebie nie obchodziło, co ja wtedy czułam. Po drugie, jak zauważyłeś, książka została wydana pod moim panieńskim nazwiskiem, więc jeśli tak bardzo się wstydzisz, zawsze możesz się odciąć i udać, że mnie nie znasz. I po trzecie, trzeba było wcześniej pomyśleć o ewentualnych konsekwencjach, a skoro już nawarzyłeś piwa, to nie pozostaje ci nic innego, jak tylko je wypić. Twoja sprawa, jak sobie teraz z tym poradzisz.

– A pomyślałaś o dziecku, co ono będzie czuło, kiedy dorośnie?

– Kajtek nie ma z tym nic wspólnego. Zresztą on zrozumie, że lepiej żyć w prawdzie niż w obłudzie.

Leszek stał zdumiony jej stanowczą postawą. Widać było, że nie spodziewał się tego. Chyba dopiero teraz do niego dotarło, że Jagoda nie jest już tą samą uległą żoną, jaką była kiedyś, i z całą pewnością nie będzie się liczyła z jego zdaniem. Przemknęło mu przez myśl, że właściwie wcale nie znał swojej żony.

Natomiast Jagoda, nie czekając, aż jego szok minie, odwróciła się na pięcie i ruszyła w kierunku parkingu.

– Poczekaj! – zawołał Leszek, idąc za nią.

Nie zaczekała i nie spojrzała za siebie. Leszek przyspieszył kroku i doganiając ją, chwycił rękaw jej płaszcza. Wyszarpnęła się i nie zwalniając, rzuciła:

– Czego jeszcze chcesz?

– Zapytać o syna. Co u niego? Jest zdrowy?

– Tak, wszystko w porządku. Jak chcesz, możesz do nas wpaść. Co prawda o tej porze na pewno już śpi, ale i tak możesz go zobaczyć.

– Nie, dziękuję – odparł. – Nie będę wam przeszkadzał w uroczystości. Masz swoich gości... Przyjadę innym razem... Zadzwonię – dodał wyraźnie zmieszany.

Jagoda zatrzymała się przy swojej yarisce i odwróciła do niego.

– Leszek, pamiętaj, że Kajetan jest twoim synem i jak każde dziecko ma prawo i powinien znać oboje rodziców. Nie odbieraj mu tej możliwości. On nie ma nic wspólnego z tym, że nam się nie udało.

Leszek patrzył na nią w milczeniu smutnym wzrokiem.

– Jak chcesz – powiedziała, otwierając drzwi samochodu. – Pamiętaj, że zawsze możesz się z nim widzieć i nigdy nie będę ci utrudniać kontaktów z Kajtkiem.

– Wiem.

Wsiadła do auta i włożyła kluczyk do stacyjki.

– Gratuluję debiutu – powiedział Leszek i lekko się do niej uśmiechnął.

– Dziękuję za różę. Do widzenia! – pożegnała się i uruchomiła auto.

Zatrzasnęła drzwi i ostatni raz zerknąwszy na byłego męża, ruszyła w kierunku domu. Była pewna, że po raz pierwszy w życiu widziała w jego oczach szacunek i podziw dla niej.

– Szkoda, że dopiero teraz, ty głąbie – mruknęła do siebie, włączając kierunkowskaz.

*

Dwa tygodnie później Jagoda miała następne spotkanie autorskie. Tym razem odbywało się w Krakowie. Nie chciała jechać samochodem z obawy, że w dużym mieście może się pogubić, więc telepała się kilka godzin pociągiem. Z dworca wzięła taksówkę, która zawiozła ją pod wskazany adres. Było jej trochę przykro, gdyż nikt z przyjaciół nie przyjechał, aby dodać jej odwagi. Wiedziała jednak, że tamci mają swoje życie i obowiązki i nie może bez przerwy od nich oczekiwać, żeby wciąż przy niej byli i otaczali ją opieką. Musiała radzić sobie sama. Na szczęście organizatorzy przed wystąpieniem zaprosili ją na obiad, dzięki czemu mogła się trochę odprężyć.

To spotkanie było podobne do poprzedniego, z tą różnicą, że sama musiała przeczytać wybrany fragment z książki, czego naprawdę nie lubiła. Właściwie wszystko przebiegało mniej więcej tak, jak sobie to wyobrażała, z jednym małym wyjątkiem. Ku jej zaskoczeniu, w połowie imprezy na salę wszedł jakiś mężczyzna i wręczył jej piękną, okazałą czerwoną różę. Tyle że tym razem nie było żadnej wizytówki. Mężczyzna ukłonił się i szybko wyszedł, zanim Jagoda zdążyła zareagować.

Po tym incydencie nie mogła już się skupić i trudno jej było odpowiadać na pytania czytelników.

Wciąż zerkała na różę leżącą na stoliku i zastanawiała się, kto przysyła jej te kwiaty. Żałowała, że podczas ostatniej rozmowy z Leszkiem nie zapytała go wprost, czy ta róża na pewno była od niego. Wtedy pojawił się zaraz po tym, gdy dostarczono jej kwiat, więc natychmiast połączyła te dwa fakty. Jednak teraz miała wątpliwości.

A może to rodzice pomyśleli, żeby w ten sposób mnie wspierać? – dedukowała. Nie. Jakoś to do nich nie pasowało. Poza tym, po co mieliby robić z tego sekret? Amelia i Adam też by się nie kryli, przysyłając kwiaty. W takim razie kto to robi? Jakiś tajemniczy cichy wielbiciel? W końcu przyszło jej do głowy, że może to sprawka Wiktora. Poczuła dreszcz, nawet zaczęła się rozglądać po sali w nadziei, że gdzieś go dostrzeże. Nie było go jednak.

Gdy wracała po spotkaniu do domu, wciąż dręczyło ją pytanie, czy te róże są od Wiktora.

Do Szczyrku dotarła w nocy. W pobliżu dworca miała zaparkowany samochód, wsiadła do yariski i pojechała do domu.

W salonie było jasno. Myślała, że rodzice celowo zostawili światło, żeby po ciemku nie powybijała sobie zębów, ale gdy weszła do środka, zobaczyła ojca siedzącego na kanapie przed włączonym telewizorem i oglądającego jakiś nocny film.

– Co ty tu robisz, tato? – zapytała zdziwiona. – Dlaczego jeszcze nie śpisz?

– Czekam na ciebie. Chciałem się dowiedzieć, jak ci poszło.

– Tato, jest późno, trzeba było iść spać – powiedziała. Usiadła obok niego i oparła głowę na jego ramieniu. – Jutro będzie sporo czasu na rozmowę.

– I tak nie mogłem zasnąć – odparł pan Jan i pogłaskał ją po policzku. – Opowiadaj, jak było.

– Dobrze, tylko strasznie męcząca ta podróż. Jeszcze do teraz w głowie mi się telepie od tego pociągu.

– Zrobić ci herbaty? Ja chętnie napiję się melisy.

– To ja też poproszę.

Pan Jan wyłączył telewizor i razem poszli do kuchni. Kiedy ojciec parzył melisę, Jagoda włożyła lekko przywiędłe kwiaty do wazonu na parapecie, ale czerwoną różę postawiła w osobnym wazoniku pośrodku stołu.

– Leszek przyjechał na spotkanie? – zapytał ojciec na widok pięknej róży.

– Nie.

– Wygląda tak samo jak ta, którą ostatnio dostałaś od niego.

– Hm. Na początku też tak pomyślałam. Ten sam scenariusz: w połowie spotkania wszedł goniec, podał mi kwiat, ukłonił się i wyszedł, ale jak zaczęłam się zastanawiać, wyszło mi, że to chyba nie od Leszka.

– Dziwne – uznał pan Jan, stawiając na stole dwa kubki z herbatą. – W takim razie od kogo? Jakiś tajemniczy wielbiciel?

– Nie jestem pewna, ale wydaje mi się, że nie taki tajemniczy. Przypuszczam, że to kwiaty od Wiktora.

Ojciec zmarszczył brwi, szukając w pamięci, kto to jest ten Wiktor, ale najwyraźniej po chwili skojarzył.

– To ten, którego poznałaś w Kozubkowie?

Jagoda się roześmiała.

– Tak, dobrze dedukujesz. Tyle że nie w Kozubko-wie, a u Kozubków.

– W takim razie opowiedz mi o tym tajemniczym Wiktorze – poprosił, wyraźnie się ożywiając.

– To inżynier zaprzyjaźniony z gospodarzami, u których mieszkałam, kiedy było mi ciężko z Lesz-kiem. Przyjęli mnie i troszczyli się o mnie jak o włas-ną córkę. Wiktor ma firmę budowlaną w mieście i przyjeżdża do nich prawie w każdy weekend, żeby odpocząć. Z tego, co wiem, nie ma w pobliżu żad-nej rodziny, a Kozubkowie są mu bardzo bliscy, więc chętnie u nich bywa.

– Jest wolny?

– Tak, kilka lat temu rozwiódł się z żoną, która zabrała ich córeczkę i wyjechała do swojej rodziny. Ma bardzo dobry kontakt z małą, ale nieczęsto się widują, ze względu na dzielącą ich odległość i jego pracę. Wiktor co kilka dni do niej dzwoni, czasem rozmawiają na Skypie.

– Zakochałaś się w nim?

– I to z wzajemnością – potwierdziła. – Wszystko układało się pomyślnie, aż do chwili, gdy się dowie-działam, że jestem w ciąży z Leszkiem. Wtedy jak tchórz bez słowa wyjaśnienia uciekłam od Wiktora. Popełniłam błąd, wracając wówczas do męża. Gdy-bym tego nie zrobiła, wszystko potoczyłoby się ina-czej i możliwe, że dzisiaj byłabym z Wiktorem. Przez własną głupotę straciłam ukochanego mężczyznę, a ostatecznie i tak się rozwiodłam.

– Chcesz wiedzieć, jak ja to widzę? – zapytał ostrożnie.

– Nie krępuj się, mów.

– Przede wszystkim nie wolno ci myśleć, że niepotrzebnie wróciłaś do Leszka, bo efektem tej decyzji jest Kajtek, którego bardzo kochasz i oddałabyś za niego życie. Poza tym wydaje mi się, że nie do końca straciłaś tego Wiktora. Skoro pamięta o tobie i przysyła róże, to znaczy, że jeszcze nie wszystko przepadło. Postąpiłaś z nim bardzo brzydko, nie wyjaśniając, o co chodzi, ale to nie znaczy, że ci nie wybaczy. Tym bardziej że miałaś ku temu poważny powód. Jeśli kochasz go, powinnaś też bardziej mu ufać. Mówisz, że to wykształcony i miły człowiek, a z góry zakładasz, że nie zrozumiałby, w jak trudnej znalazłaś się sytuacji. Tylko głupiec by tego nie pojął.

– Chyba masz rację – powiedziała zasępiona Jagoda i ziewnęła.

– Uważasz, że to mężczyzna dla ciebie?

– Wciąż o nim myślę i wciąż go kocham – przyznała szczerze i znów ziewnęła.

– W takim razie, moim zdaniem, powinnaś o niego zawalczyć. Nie czekaj, aż szczęście samo do ciebie przyjdzie, bo możesz tak czekać do emerytury, a i wtedy nie ma gwarancji, czy cię nie ominie.

– Tato, a jeśli te róże nie są od niego? Może on już wcale o mnie nie pamięta.

– To się dowiedz, od kogo są.

– Ale jak?

– Chciałaś być samodzielna, to bądź. Rusz głową i do roboty.

346

– Łatwo ci mówić. Jakim sposobem mam się dowiedzieć?

– Wiesz co, dziecko? Idź spać, bo jak tak dalej będziesz ziewać, to za chwilę sama siebie połkniesz. Jutro zaczniesz obmyślać sposoby.

– Masz rację. Padam z nóg.

– Jagódko, chciałem ci jeszcze powiedzieć, że jestem z ciebie dumny, i wybacz mi, że cię nie doceniałem – powiedział ojciec i czule poklepał ją po ręce.

– Wierzę, że sobie poradzisz, niezależnie od tego, czy będziesz z jakimś mężczyzną, czy sama.

Popatrzyła na niego z wdzięcznością za te słowa. Przez te wszystkie lata tak bardzo jej brakowało jego zaufania i wiary.

– Dziękuję, tato, nawet nie wiesz, jak ogromnie było mi to potrzebne.

*

Następne dwa spotkania autorskie Jagoda miała wyznaczone na kwiecień. Jedno w Warszawie, a potem drugie w Poznaniu. Na pierwsze znowu pojechała pociągiem, gdyż obawiała się, że będzie miała kłopoty z poruszaniem się autem w mieście ze względu na duży ruch uliczny i korki. Tym razem wykupiła bilet w pierwszej klasie, dzięki czemu dotarła do stolicy mniej zmęczona niż poprzednio. Ponieważ przyjechała dużo wcześniej, wybrała się na spacer po Nowym Świecie, kupiła kilka drobiazgów, a potem zjadła obiad w miłej, niewielkiej restauracyjce.

Na spotkanie, które miało się odbyć w księgarni, będącej jednocześnie kawiarnią i czytelnią, dotarła kilkanaście minut przed wyznaczoną godziną. Była ciekawa, czy i tym razem dostanie czerwoną różę od tajemniczego wielbiciela. Im więcej ludzi wchodziło do sali, tym większe czuła podniecenie związane z oczekiwaniem. Ukradkiem rozglądała się wokół, szukając znajomych twarzy, a ściślej mówiąc, rozglądała się z nadzieją, że ujrzy tę jedyną, upragnioną twarz, ale nikogo nie rozpoznała.

Doczekała się jednak. Wprawdzie, ku jej rozczarowaniu, Wiktor nie pojawił się osobiście, ale w trakcie spotkania znów przyszedł posłaniec z różą. Tym razem Jagoda była już na to przygotowana. Gdy goniec ukłonił się i ruszył do wyjścia, natychmiast przeprosiła zebranych i szybciutko podążyła za nieznajomym. Dopadła go na zewnątrz.

– Proszę pana! – zawołała za nim. – Proszę poczekać, chyba nie chce pan, żebym gnała przez całe miasto!

Mężczyzna zatrzymał się zaskoczony.

– Proszę mi powiedzieć, od kogo ta róża? – spytała zdyszana.

– Przykro mi, ale z tego, co wiem, klient zastrzegł sobie anonimowość.

– Ale bardzo pana proszę – błagała. – Te kwiaty... to nie pierwszy raz. Niech mnie pan zrozumie... muszę wiedzieć.

– Niestety, nie mogę pani pomóc – odparł łagodnym tonem. – Ja tylko dostarczam kwiaty, nie wiem, kto je przysłał.

– To niech mi pan chociaż powie, z jakiej to kwiaciarni.

– Tyle mogę powiedzieć. Łatwo pani trafi. Pójdzie pani prosto, minie dwie przecznice ze światłami i po prawej stronie jest kwiaciarnia z wielkim zielonym neonem – wyjaśnił i spojrzał na zegarek. – Ale za czterdzieści pięć minut zamykają.

– Dziękuję – powiedziała i z wdzięcznością uścisnęła mu rękę, po czym pobiegła z powrotem.

Wchodząc na salę, od razu podeszła do organizatorki spotkania i szepnęła:

– Przepraszam, ale za pół godziny musimy skończyć.

Kobieta ze zrozumieniem kiwnęła głową i uśmiechnęła się porozumiewawczo.

– Dobrze, dopilnuję tego – odparła równie konspiracyjnym szeptem.

Pół godziny później Jagoda biegła w kierunku kwiaciarni, modląc się przy tym, żeby była jeszcze otwarta. Zasapana dopadła drzwi sklepu i z impetem wpadła do środka. Za ladą zobaczyła znudzoną młodą dziewczynę, która ujrzawszy klientkę, natychmiast spojrzała na duży, wiszący na ścianie zegar. Jagoda dałaby głowę, że na twarzy ekspedientki dostrzegła delikatny grymas.

– Dzień dobry! – zawołała od progu, łapiąc oddech.

– Dzień dobry, czym mogę pani służyć? – odezwała się z powagą i profesjonalną uprzejmością kwiaciarka.

– Ta róża została mi przysłana z tej kwiaciarni – powiedziała Jagoda, podtykając tamtej kwiat pod nos.

– Tak – potwierdziła sucho sprzedawczyni. – Czy jest jakiś problem?

– Tak... to znaczy nie. Chciałam powiedzieć, że wszystko w porządku, tylko... Chciałabym wiedzieć, kto ją przysłał. To znaczy, od kogo dostałam tę różę.

Kobieta pokiwała głową na znak, że rozumie.

– Niestety, nie mogę ujawniać danych naszych klientów.

– Ale ja muszę wiedzieć, kto mi przysyła te kwiaty, bo to już nie pierwszy raz – błagała Jagoda. – Na każdym spotkaniu z czytelnikami dostaję anonimowo czerwoną różę. Nie uważa pani, że to dziwne?

– Może i dziwne, ale takie mamy zasady. Klient mógłby mieć pretensje, gdybym podała jego nazwisko.

– Bardzo panią proszę...

– Powinna się pani cieszyć. Ma pani cichego wielbiciela. – Ekspedientka uśmiechnęła się nieszczerze.

Jagoda patrzyła na nią przez chwilę, nie wiedząc, co jeszcze może zrobić i jakich argumentów użyć, żeby ją przekonać. Szukała w głowie odpowiednich słów, które skłoniłyby tamtą do mówienia. Nerwowo rozejrzała się po kwiaciarni, po czym zdecydowała, że musi spróbować jeszcze raz.

– Proszę pani, czy pani nie rozumie? Tu chodzi o tego jedynego człowieka, który... chyba w ten sposób chce mi coś powiedzieć.

– Z pewnością panią lubi – odparła dziewczyna, dumna ze swojej błyskotliwej uwagi.

– Tak, wiem, ale w tym sęk, że muszę poznać nazwisko tego kogoś. Proszę, niech mi pani pomoże – mówiła błagalnym tonem, chcąc za wszelką cenę ją zmiękczyć.

Kobieta przewróciła niecierpliwie oczami i rozkładając ręce teatralnym gestem, powiedziała:

– Niech pani nie nalega, bo to i tak na nic. – Znów zerknęła w stronę zegara. – Przepraszam, ale za chwilę zamykam.

Jagoda widziała, że kwiaciarka ma dość i próbuje pozbyć się jej, a stwierdziwszy, że tamta wciąż nerwowo spogląda na zegar, uznała, że nie da się już nic zdziałać. Najwyraźniej nawet gdyby była jakaś szansa, to nie w tej chwili, gdy ta dziewczyna myśli już tylko o wyjściu z pracy. Poczuła się pokonana.

– Tak, rozumiem – powiedziała zrezygnowana i powoli ruszyła w stronę drzwi. – Do widzenia.

*

Następnego dnia spała do dziewiątej, gdyż wróciła do domu w środku nocy. Nawet nie słyszała, kiedy obudził się Kajtek i pani Maria weszła na palcach do pokoju, żeby zabrać malca na dół. Jagoda wstała, wzięła szybki, orzeźwiający prysznic i otulona w miękki szlafrok zeszła do kuchni na śniadanie. Kajtuś był już z dziadkiem na spacerze, a pani Maria szykowała obiad dla wnuczka. Jagoda ucałowała ją w policzek i nalała sobie kubek kawy z dzbanka stojącego na podgrzewaczu.

– W szafce masz przygotowane kanapki na śniadanie – powiedziała mama.

Jagoda posłusznie wyjęła talerzyk z kanapkami i zaczęła je z apetytem pochłaniać. Zaburczało jej w brzuchu i dopiero teraz przypomniała sobie, że poprzedniego dnia nie jadła kolacji. Nie miała na to czasu. Po wyjściu z kwiaciarni musiała się spieszyć na pociąg, a po powrocie do domu była już tak zmęczona, że natychmiast położyła się do łóżka.

– Widzę, że znów dostałaś różę – odezwała się pani Maria, patrząc na stojący na kuchennym stole wazon z okazałym kwiatem.

– Tak.

– Dowiedziałaś się czegoś?

– Nie. Dotarłam do kwiaciarni, z której wysłano różę, ale zimna i niewzruszona niczym lodowiec kwiaciarka nie chciała mi powiedzieć, kto złożył zamówienie.

– Nie mogłaś jej jakoś przekonać? – zdziwiła się Maria, nie przerywając skrobania marchewki.

Jagoda westchnęła ciężko i wypiła trochę kawy, żeby przełknąć jedzenie.

– Próbowałam, błagałam, ale ta kobieta chyba miała wodę zamiast krwi. Jak grochem o ścianę.

Pani Maria przestała obierać marchew i wytarła dłonie w ręcznik. Podeszła do podgrzewacza, nalała sobie do filiżanki kawy, suto okrasiła ją mleczkiem i usiadła naprzeciwko córki.

– Wiesz co, dziecko? – powiedziała spokojnie. – Mnie się wydaje, że nic tak nie wzrusza kobiety, jak nieszczęśliwa miłość.

– Nie rozumiem. Co chcesz przez to powiedzieć?

– Kochanie, jak opowiesz następnej kwiaciarce o swojej nieszczęśliwie utraconej miłości, którą chcesz odzyskać, to każda zmięknie i nie odmówi ci pomocy – powiedziała, uśmiechając się przy tym tajemniczo. – Wierz mi, oglądam seriale, brazylijskie też, i wiem, co działa na kobiety. Żadna się nie przyzna, ale każda marzy o takiej odnalezionej miłości. No wiesz, o takiej łzawej historii jak w bajce... no, w dzisiejszych czasach, to bardziej takiej jak w telenoweli.

Jagoda z otwartymi ustami przyglądała się matce i nie mogła uwierzyć własnym uszom. Pomyślała, że może coś w tym jest. Powoli przełknęła kęs kanapki.

– Ale jak to? Mam opowiadać zupełnie obcej kobiecie historię swojego życia? – mówiąc to, skrzywiła się z niesmakiem.

– Oj, jakaś ty naiwna – obruszyła się mama. – No widzisz. Taka z ciebie pisarka, a nie potrafisz czegoś wymyślić? Trochę prawdy, trochę fikcji literackiej i bajeczka gotowa. Tylko musi być taka, żeby wyciskała łzy na zawołanie.

– Aha... – bąknęła mało inteligentnie Jagoda, bo nic innego nie przyszło jej do głowy.

W garnku stojącym na gazie coś gwałtownie zakipiało, a wywar zaczął zalewać palnik. Pani Maria jednym susem znalazła się przy kuchence, zdjęła pokrywkę i zmniejszyła płomień. Energicznie zamieszała zupę dużą łyżką, po czym wróciła na swoje miejsce.

– Kiedy masz następne spotkanie?

– Zaraz po świętach, w Poznaniu.

– No to bardzo dobrze, masz sporo czasu, żeby coś wymyślić i dobrze się przygotować – stwierdziła z zadowoleniem Maria. – A jak ci się nie uda, toś gapa.

Jagoda westchnęła głośno.

– A jak się okaże, że jestem gapa? – zapytała.

– To się ciebie wyrzeknę – ze śmiechem skwitowała mama.

– Nie rób mi tego, bo się w sobie zamknę – odparła rozbawiona Jagoda.

– Córeczko, nawet jeśli nie uda ci się dowiedzieć, kto przysyła ci te róże, nie zmieni to faktu, że nadal kochasz tego Wiktora. A skoro go kochasz i uważasz, że jest tego wart, to powinnaś się z nim spotkać i sprawdzić, czy on też jeszcze czuje do ciebie to samo. Jakie ma znaczenie, od kogo są te róże?

– Ale jeśli są od niego, to przynajmniej będę wiedziała, że jeszcze o mnie pamięta i że mu na mnie zależy. Będzie mi łatwiej.

– A jeśli to nie on? Czy wtedy przestaniesz go kochać?

– Oczywiście, że nie – obruszyła się Jagoda, kręcąc energicznie głową.

– No właśnie. Jak się kogoś kocha, to takie drobiazgi nie mają większego znaczenia. – Mówiąc to, pani Maria machnęła ręką. – Twój ojciec trzy razy w życiu przyniósł mi kwiaty: wiązankę gardenii do ślubu, róże na pierwszą rocznicę ślubu i bukiet tulipanów do szpitala, kiedy operowali mi przepuklinę.

– Jak to? A twoje imieniny? A wtedy, jak ja się urodziłam?

– Zawsze daje mi prezent.

– A na Dzień Kobiet? – Jagoda nie dawała za wygraną, szukając w pamięci okazji, kiedy ojciec podarował matce kwiaty, i rzeczywiście nie mogła przypomnieć sobie takiego faktu.

– Czekoladki – śmiała się mama. – Widzisz, nawet ty nie zwróciłaś uwagi na taki drobiazg jak kwiaty. W ogólnym rozrachunku jego miłość i troska mają większe znaczenie niż symboliczne kwiaty.

– Czy to znaczy, że nie lubisz dostawać kwiatów?

– Coś ty, lubię – zaprzeczyła Maria. – Ale to jest dodatek, bardziej cenię sobie inne zalety twojego taty.

– Muszę mu powiedzieć, żeby się poprawił.

Mama roześmiała się i pocałowała Jagodę w czoło.

*

Do Poznania Jagoda odważyła się jechać samochodem. Uznała, że już najwyższy czas, żeby nabrać doświadczenia w samodzielnym poruszaniu się autem na dłuższych trasach. Na wszelki wypadek kupiła GPS-a, żeby się nie pogubić w ruchu ulicznym. Ponadto punktem spotkania było Centrum Kultury Zamek w samym środku Poznania i spodziewała się, że w razie czego każdy poznaniak, a nawet przybysz, wskaże jej drogę.

Jednak gdy przyjechała do miasta wczesnym popołudniem, zdecydowała się zostawić samochód na strzeżonym parkingu w starym korycie Warty, po czym z przyjemnością wybrała się na zwiedzanie Starego Rynku. Niestety było już dawno po dwunastej, więc nie zobaczyła słynnych trykających się poznańskich koziołków. W jednej z wielu znajdujących się na rynku restauracji zjadła obiad i zamówiła kawę.

Delektując się aromatycznym napojem i obserwując ludzi, obmyślała odpowiednią historyjkę, którą opowie w kwiaciarni, w razie gdyby na spotkaniu znów pojawił się jakiś posłaniec z różą od tajemniczego KTOSIA:

„Na studiach poznałam chłopaka. Byliśmy cudownie zakochani i planowaliśmy pobrać się zaraz po skończeniu nauki. Ale pewnego dnia, jadąc samochodem, mieliśmy straszny wypadek. Leżałam długo w szpitalu, a gdy wyszłam, dowiedziałam się, że mój narzeczony został sparaliżowany i rodzice wywieźli go na leczenie do Szwajcarii. W tym czasie mojego ojca mianowano ambasadorem w Kongo. Wyjechaliśmy i mieszkaliśmy na placówce trzy lata. Po powrocie okazało się, że mój chłopak nie wrócił już na studia i przeprowadził się gdzieś wraz z rodziną. Nikt nie znał jego aktualnego adresu. On nie wiedział, że w chwili wypadku byłam już w ciąży, bo nie zdążyłam mu o tym powiedzieć. Urodziłam dziecko. Jeśli to on przysyła mi teraz te róże, to ja muszę za wszelką cenę go odnaleźć, bo chciałabym, żeby nasz syn poznał swojego ojca. Może on nadal jest sparaliżowany i dlatego nie chce się ze mną spotkać, może krępuje się swojego kalectwa, ale dla mnie to nie ma znaczenia, bo nigdy nie przestałam go kochać".

– O matko! Co za melodramat. Sama o mało się nie popłakałam – mruknęła do siebie.

Do Zamku dotarła z dużym zapasem czasu i odszukała organizatorów. Przyjęli ją z wielką uprzejmością. Pani Dorota, młoda pogodna kobieta, podjęła Jagodę kawą i ciastem, po czym oprowadziła po galeriach, salach i pracowniach, gdzie odbywały się różnego rodzaju warsztaty artystyczne i wystawy.

W trakcie spotkania z czytelnikami Jagoda z ulgą dostrzegła przemykającego między krzesełkami młodego chłopaka z różą. Gdy tylko podał jej kwiat, jak poprzednio, przeprosiwszy zebranych, natychmiast ruszyła za nim. Dopadła go na korytarzu i zapytała, od kogo ta przesyłka, jednocześnie wsuwając mu do dłoni dziesięć złotych.

– Przykro mi, ale nie wiem, dostaję zlecenie i nic więcej. Znam tylko nazwisko i adres odbiorcy – powiedział, patrząc na nią bezradnie. – A nie ma tam bileciku?

– No właśnie, nic nie ma.

– Może w kwiaciarni pani powiedzą, kto złożył zamówienie.

– A możesz mi chociaż powiedzieć, z jakiej kwiaciarni było to zlecenie?

– Jasne, tuż za rogiem, kwiaciarnia Azalia – odpowiedział, machnąwszy ręką w nieokreślonym kierunku.

– Gdzie za rogiem?

– Jak pani wyjdzie z Zamku i pójdzie w lewo, w dół, to skręci pani w drugą ulicę w prawo, no tu, w Ratajczaka – wyjaśnił, pokazując palcem. – Na pewno pani trafi.

– Aha. – Uśmiechnęła się do niego i podziękowała za uprzejmość.

Mimo że Jagoda starała się skończyć wcześniej spotkanie i nawet poprosiła, żeby skrócono czytany fragment jej książki, to i tak nie udało jej się wyjść przed osiemnastą, bo sporo osób chciało autograf. Gdy wybiegła z Zamku, biła już osiemnasta. Wszystkie sklepy, które mijała, już pozamykano. Po drodze modliła się, żeby jakimś cudem kwiaciarnia jeszcze była czynna.

Dostrzegła jasno oświetloną neonem fasadę kamienicy i napis „Azalia". Przebiegła na drugą stronę ulicy, ale gdy pchnęła drzwi wejściowe, te ani drgnęły. Pukała w nadziei, że może ktoś jest na zapleczu, lecz nikt jej nie otworzył. W środku było cicho. Zdesperowana zaczęła szarpać klamkę, jednak to nic nie zmieniło. Jakaś kobieta, widząc jej rozpacz, zatrzymała się obok niej.

– Nie ma co się dobijać – powiedziała. – Już zamknięte. Jak chce pani kupić kwiaty, to na pewno dostanie pani w Kupcu albo w Starym Browarze. Tam wszystko jest dłużej otwarte.

– Nie, nie, dziękuję pani, ale mi zależało... – Jagoda nie wiedziała, co powiedzieć. – Nieważne... – stwierdziła z rezygnacją. – Dziękuję pani.

Kobieta ze zdziwieniem pokręciła głową i odeszła, a Jagoda przez chwilę stała, rozglądając się bezradnie, i nie wiedziała, co teraz. Miała ochotę rozpłakać się ze złości. W końcu dotarło do niej, że nawet nie wie, w którą stronę powinna iść, żeby dotrzeć do parkingu, gdzie zostawiła samochód. Zdezorientowana postanowiła udać się w kierunku Zamku i ewentualnie tam zapytać kogoś o drogę.

– Ojej, pani Jagodo, co pani tutaj robi?

Usłyszała kobiecy głos za plecami i wystraszona odwróciła się gwałtownie. Stała za nią pani Dorota, z którą poznały się w centrum kultury na spotkaniu.

– Och, to pani – odparła mało inteligentnie, bo ogarnęło ją zmieszanie. – Ja... – Wskazała na kwiaciarnię.

– Chciała pani kupić kwiaty? – spytała zdziwiona Dorota, spoglądając wymownie na spory bukiet w ręce Jagody.

– Nie, ja... – Nie bardzo wiedziała, co powiedzieć, i czuła, że ze złości znowu chce jej się płakać, a za wszelką cenę próbowała tego uniknąć. Była ogromnie zażenowana.

Pani Dorota przez chwilę przyglądała jej się uważnie. Przypomniała sobie zdenerwowanie Jagody na spotkaniu, gdy goniec wręczył jej różę, i pośpiech, z jakim znikła po zakończeniu imprezy. Czuła, że to nie jest zwyczajna sprawa, a problem nie tkwi w samych kwiatkach.

– Pani Jagodo, wypije pani ze mną jakiegoś drinka albo kawę? W pobliżu jest taka miła knajpka, można tam nawet coś zjeść. Zapraszam.

Jagoda zawahała się przez moment, ale ostatecznie stwierdziła, że dobrze jej zrobi kawa w miłym towarzystwie.

Weszły do lokalu i zajęły w miarę odosobnione miejsce, żeby móc swobodnie porozmawiać.

– Drinka? – zapytała pani Dorota.

– Nie, bardzo dziękuję. Muszę jeszcze wrócić do domu samochodem, więc zostanę przy kawie – uprzejmie odmówiła Jagoda. – Pani Doroto, proponuję, żebyśmy przeszły na ty.

– Bardzo chętnie – uśmiechnęła się tamta. – Pomyślałam, że to duży wysiłek jechać o tej porze w tak długą podróż. Może zostaniesz w Poznaniu do jutra?

– Chyba jednak pojadę, nie zamierzałam zostać tutaj na noc, więc nie zarezerwowałam sobie żadnego pokoju. Nawet nie wiem, gdzie tu są jakieś hotele.

Dorota się roześmiała.

– W Poznaniu hotele są co krok i tylko w czasie targów nie ma w nich miejsc, bo wówczas wszystko jest zarezerwowane przynajmniej pół roku wcześniej. Teraz nie będzie problemu. Zresztą mogłabyś przenocować u mnie.

– Dziękuję, ale nie chcę robić kłopotu.

– Jaki tam kłopot. Mieszkam sama, więc to żaden problem – przekonywała ją Dorota. – Właściwie to mam narzeczonego, z którym mieszkam, ale on pracuje w Hanowerze i przyjeżdża do domu tylko co drugi weekend. Teraz go nie ma, dlatego nikomu nie będziesz przeszkadzać. O koszulę nocną i szczoteczkę do zębów też nie musisz się martwić, bo mimo niewielkiej pensji stać mnie jeszcze na jakieś zapasowe – roześmiała się miło.

Jagoda pomyślała, że Dorota ma bardzo ładny uśmiech. Kiedy się śmiała, w jej policzkach widać było urocze dołeczki, a białe równe zęby aż lśniły między wąskimi różowymi wargami.

– Dziękuję, to bardzo miłe z twojej strony, ale muszę wrócić do domu.

– Pani Jagodo... Przepraszam, zapomniałam, że jesteśmy po imieniu. – Uśmiechnęła się promiennie. – Czy mi się wydaje, czy masz jakiś kłopot? Może mogłabym pomóc?

– Ach to taka trudna sprawa. – Jagoda westchnęła.

– Nie chcę nalegać, czasem jednak dobrze podzielić się z kimś kłopotem, chociażby po to, żeby nam ulżyło.

– To prawda, ale po co komuś zabierać czas i obarczać go swoimi smutkami?

– Nie spieszy mi się; i tak wrócę do pustego mieszkania – powiedziała z uśmiechem Dorota. – Wolę posiedzieć tutaj z tobą i porozmawiać.

– Ach, to wszystko jest takie pokręcone, a właściwie to ja sama jestem pokręcona.

– Wszystko w życiu jest pokręcone, ale jakby było proste, to byłoby nudne – stwierdziła Dorota. – Czy twój kłopot ma coś wspólnego z różą, którą dostałaś na spotkaniu?

– Jak się domyśliłaś?

– Zauważyłam, że wybiegłaś za chłopcem, który przyniósł ci tę różę, i byłaś zdenerwowana, a potem spotkałam cię bliską płaczu pod kwiaciarnią. Proste skojarzenie faktów – wyjaśniła Dorota.

– No tak, masz rację – odrzekła Jagoda.

– To co, chcesz o tym pogadać czy wolisz przemilczeć?

– Na studiach poznałam chłopaka... – zaczęła Jagoda, ale uznała, że to byłoby nie fair wobec tak miłej i życzliwej osoby. – Właściwie to było inaczej. – Nabrała powietrza i opowiedziała Dorocie prawdziwą historię: o swoim małżeństwie, niewierności Leszka, o Wiktorze, z którym nagle się rozstała, a za którym teraz bardzo tęskni, o ciąży i urodzeniu Kajtka i o tym, że na każdym spotkaniu literackim dostaje czerwoną różę i ma nadzieję, że właśnie od Wiktora, ale nie ma jak tego sprawdzić.

Niespodziewanie, kiedy tak wyrzucała z siebie to wszystko, zaczęła odczuwać ulgę. Była zadowolona, że powiedziała prawdę, tym bardziej że pomimo młodego wieku Dorota okazała się osobą bardzo poważną i słuchała jej ze zrozumieniem. W pewnym momencie zauważyła, że powieść, którą napisała Jagoda, w dużej mierze opiera się na jej własnych przeżyciach.

Podczas rozmowy zdecydowały się na wypicie drinka, potem drugiego i trzeciego, a na koniec Jagoda stwierdziła, że chyba musi zadzwonić do rodziców, bo wygląda na to, że teraz o powrocie do Szczyrku nie ma już mowy. Rozmawiała z ojcem. Doradził jej, że skoro i tak musi przenocować w Poznaniu, to powinna następnego dnia rano znów pójść do kwiaciarni i spróbować jeszcze raz dowiedzieć się czegoś konkretnego.

Po zamknięciu lokalu Dorota zaholowała Jagodę do swojego mieszkania. Pożyczyła jej trykotową koszulę nocną w niebieskie miśki oraz ręcznik i szczoteczkę do zębów i kazała iść pod prysznic. W tym czasie przygotowała dla gościa miejsce do spania na rozkładanej kanapie w salonie. Jagoda zasnęła, gdy tylko przyłożyła głowę do poduszki. Na szczęście nowa znajoma zaczynała pracę dopiero o jedenastej, więc nie musiały wstawać skoro świt.

Koło ósmej Dorota przygotowała obfite śniadanie z warzywami, jajkiem na miękko i pyszną kawą z ekspresu. Po szybkim prysznicu i jedzeniu Jagoda poczuła się bardzo rześko. Koło dziesiątej udały się do kwiaciarni, ale okazało się, że jest zamknięta na głucho. Na drzwiach wisiała tabliczka: *W dniu dzisiejszym czynne od 15.00 do 18.00*. Jagoda była załamana. Doszła do wniosku, że chyba ciąży nad nią jakieś fatum. Nie pozostało jej już nic innego, jak tylko wrócić do Szczyrku. Dorota odprowadziła ją do parkingu, na którym stał samochód.

– Przykro mi, że znów się nie udało – powiedziała ze smutkiem.

– Mnie też – rzekła Jagoda. – Już sama nie wiem, co mam o tym myśleć. Może to znak, żebym dała sobie z tym spokój?

– Nie! W żadnym wypadku – zareagowała żywo tamta. – Jak możesz tak mówić? O szczęście trzeba walczyć, bo ono jest tego warte.

Jagoda roześmiała się, widząc, jakie emocje malują się na twarzy tej sympatycznej kobiety. Pomyślała, że chciałaby mieć tyle wiary co ona.

– Chyba masz rację. Muszę się zastanowić, co jeszcze mogę zrobić.

Pożegnały się serdecznie, a Jagoda zaprosiła ją na kilka dni, w czasie wakacji, do Szczyrku.

– Jedź ostrożnie! – zawołała Dorota, gdy Jagoda wsiadała już do auta. – I jak przyjedziesz do domu, ucałuj ode mnie Kajtka.

– Dziękuję za wszystko, Dorotko, miło było cię poznać.

Pomachały sobie na pożegnanie i Jagoda ruszyła w drogę powrotną.

Dotarła do domu dopiero późnym popołudniem i stwierdziła, że wprawdzie takie dalekie podróże samochodem są bardzo wyczerpujące, ale mimo to czuje się dumna, że poradziła sobie i wróciła cała, bez uszczerbku na ciele i karoserii. Była jednak wykończona. Położyła się spać z nadzieją, że rodzice poradzą sobie z Kajtkiem, a ona będzie mogła się zdrzemnąć przed kolacją.

Kochani rodzice, pomyślała jeszcze, przykładając głowę do poduszki, i zasnęła kamiennym snem.

*

Obudził ją dzwonek telefonu. Otworzyła oczy. Przez kilka sekund próbowała zebrać myśli, żeby się zorientować, gdzie jest i co się dzieje. Spojrzała na zegarek. Było po wpół do siódmej wieczorem. Sięgnęła po torebkę i w pośpiechu wygrzebała komórkę.

– Słucham!

– Witaj, Jagódko, tu Dorota z Poznania.

– Cześć, Dorotko, miło cię słyszeć.

– Jak ci się jechało, nie miałaś żadnych kłopotów? – zapytała tamta ze szczerą troską w głosie.

– Było nieźle, ale gdy już dotarłam do domu, byłam kompletnie skonana.

– Tak myślałam, dlatego nie dzwoniłam wcześniej. Uznałam, że dam ci czas na odpoczynek. Słuchaj, mam dla ciebie ważną wiadomość.

– Tak? A jaką? – zainteresowała się Jagoda, ziewając głośno.

– Siedzisz?

– Nawet leżę.

– Tę różę przysłał ci niejaki Wiktor Szymański. To chyba ten, prawda?

– Co takiego?! – zawołała Jagoda, odruchowo siadając na łóżku. Resztki snu uleciały gdzieś bezpowrotnie, a umysł natychmiast zaczął pracować na przyspieszonych obrotach. – Skąd wiesz?!

– Od Róży, nomen omen. – Dorota roześmiała się serdecznie.

– Dorotko, mów jaśniej, bo pęknę z ciekawości – ponagliła ją podekscytowana Jagoda.

– Ta Azalia to najbliższa kwiaciarnia przy Zamku, więc na wszystkie imprezy kupujemy tam kwiaty. Oczywiście znamy właścicielkę kwiaciarni, a także

365

jej pracownicę Różę. Bo ta pracownica ma na imię Róża. Tak na marginesie fajnie, że Róża pracuje w kwiaciarni.

– Dorotko, błagam cię, do rzeczy – jęknęła Jagoda.

– A tak. – Dorota przestała się śmiać i ciągnęła poważnie: – No więc w czasie pracy wyrwałam się do tej kwiaciarni i zastałam Różę. Powiedziała, że rano musiała iść na jakiś pogrzeb i dlatego otworzyła sklep dopiero o piętnastej. Wyjaśniłam jej, co i jak, oczywiście bez zbędnych szczegółów, i poprosiłam, żeby spojrzała do zeszytu zamówień. To fajna dziewczyna. Powiedziała mi, kto zamówił różę dla ciebie.

Jagodzie z podniecenia zrobiło się gorąco, a jednocześnie poczuła na plecach zimny pot. Ta informacja wszystko zmieniała. Jeśli to Wiktor przysyła róże, jest szansa, że jeszcze uda się naprawić to, co się stało.

– No to masz już pewność, że on o tobie nie zapomniał – powiedziała z radością Dorota.

– A dlaczego nie powiedziałaś mi wcześniej, że masz tam znajomości? – zapytała Jagoda z lekkim wyrzutem.

– Bo nie wiedziałam, czy uda mi się coś od nich wyciągnąć. Nie chciałam ci robić nadziei.

– Rozumiem.

– Nie ma na co czekać, leć do niego i to jak najprędzej. Nie pozwól, aby inna ci go zdmuchnęła sprzed nosa.

– Tak. Masz rację – zgodziła się z nią Jagoda. – Dorotko, czy ktoś ci już mówił, że jesteś cudowna?

– Owszem. Mój chłopak bardzo często mi to powtarza. – Dorota figlarnie zachichotała.

– To znaczy, że twój narzeczony zna się na ludziach i wie, jaki diament mu się trafił. Mądry chłop. Dobrze, że jeszcze tacy istnieją.

– No to, Jagódko, bierz sprawy w swoje ręce i działaj. Kończę, bo umówiłam się z przyjaciółkami i już jestem spóźniona.

– Dzięki za wszystko, Dorotko, pomyślę, jak ci się odwdzięczyć.

– Daj spokój, to nic takiego. Koniecznie musisz mi potem opowiedzieć, jak wypadło wasze spotkanie.

– Dobrze, ale żeby się czegoś dowiedzieć, będziesz musiała przyjechać do Szczyrku. Tylko nie mów, że nie masz czasu. Odmowy nie przyjmuję.

– Chętnie przyjadę, tym bardziej że nic sobie nie zaplanowałam na urlop, bo mojego Zbyszka nie będzie w tym czasie w Polsce.

– No widzisz, to jesteśmy już umówione.

– Trzymaj się. Powodzenia! – Dorota pożegnała się i rozłączyła.

Jagoda natychmiast poczuła przypływ niesamowitej energii. Zerwała się z łóżka i pobiegła do rodziców. W kuchni pani Maria karmiła Kajtka musem jabłkowym, a pan Jan w tym czasie zabawiał malca śmiesznymi minami. Rozbawiony chłopczyk połykał jedzenie, tłukąc przy tym piąstkami w blat stołu. Słysząc, jak Jagoda z impetem zbiega po schodach, jakby co najmniej się paliło, państwo Wierszyccy zamarli w bezruchu i oczekiwaniu, a Kajtek zrobił wystraszoną minę.

– A co ty, dziecko, tak wpadasz, jakby cię stado wilków goniło? – zapytał spokojnie ojciec, widząc podniecenie córki.

– To Wiktor! – wykrzyknęła od progu, a Kajtek, ku zaskoczeniu wszystkich, radośnie się roześmiał.

– Gdzie?! – zawołała mama i odruchowo wyjrzała przez okno, jednocześnie chwytając się za serce, jakby miała dostać zawału.

– Te róże przysyła mi Wiktor! – zaśpiewała Jagoda i zaczęła całować wszystkich po kolei, co szczególnie ucieszyło jej synka, który śmiejąc się i popiskując, udowodnił, że nie ma nic przeciwko takiemu okazywaniu uczuć.

– Skąd wiesz? – zdziwił się jak zawsze przytomny ojciec. – Przyśniło ci się?

Jagoda usiadła przy stole, wzięła dziecko od babci i sadzając je sobie na kolanach, zaczęła opowiadać:

– Przed chwilą dzwoniła Dorota z Poznania, ta, u której przenocowałam, i powiedziała, że była w kwiaciarni. No i dowiedziała się, że te kwiaty przysyła mi Wiktor – wyjaśniła jednym tchem.

– Tak łatwo udało jej się wyciągnąć tę informację? – spytała z niedowierzaniem pani Maria.

– Tak, bo Dorota zna tę dziewczynę z kwiaciarni i dlatego nie było z tym problemu. Czyż to nie cudowne?

Rodzice spojrzeli na siebie, porozumiewając się wzrokiem, po czym pan Jan odchrząknął i powiedział:

– No to na co czekasz? Pakuj się i jedź do niego! – zakomenderował.

Jagoda spojrzała na ojca, potem na Kajtka, który zniecierpliwiony, że mama zapomniała o karmieniu go, włożył piąstkę w talerz i poczęstował się całą garścią musu.

– O Kajtka się nie martw, zaopiekujemy się nim – powiedziała szybko pani Maria, jakby czytała w myślach córki. – Zresztą zabieranie dziecka w taką długą podróż byłoby nierozsądne

– Fakt – zgodziła się z nią Jagoda. – On jest jeszcze za mały na taką drogę.

– Właśnie – przytaknęła z zadowoleniem mama.

– W takim razie pojadę za parę dni, bo muszę jeszcze w imieniu redakcji odpisać na kilka listów od czytelników gazety. Potem będę wolna – oświadczyła Jagoda. – Chociaż jestem już zmęczona tymi wyjazdami.

– Na szczęście skończyły się już spotkania autorskie – dodał ojciec. – Rozumiem, że to jest promocja, ale zdrowia za pieniądze nie kupisz. Będziesz się znowu udzielać, jak napiszesz następną powieść.

– Skąd wiesz, że jeszcze coś napiszę? – zdziwiła się Jagoda.

– Bo widzę, że lubisz pisać, a skoro już ktoś uznał, że potrafisz, to powinnaś się tym zająć na poważnie i nie poprzestawać na jednej książce. Chyba nie chcesz być gwiazdką jednego sezonu?

– Masz rację, tato, lubię i chcę pisać. Mam nadzieję, że starczy mi weny, żeby ponownie podjąć wyzwanie.

– Już pokazałaś, że potrafisz być kreatywna i odważna. Nie zaprzepaść tego, co udało ci się osiągnąć.

– Dziękuję, że we mnie wierzysz, tatku. – Uśmiechnęła się do ojca z wdzięcznością.

*

Jagoda zdecydowała, że najlepszym dniem na wyjazd będzie piątek. Nie chciała zjawiać się u Wiktora znienacka, przyszło jej więc do głowy, że lepiej będzie najpierw odwiedzić Kozubków i zrobić rozpoznanie. Chciała też przy okazji opowiedzieć im, co w ostatnim czasie działo się w jej życiu, i osobiście przeprosić za tak nietaktowne zachowanie. Była im to winna. Miała też nadzieję, że Wiktor znów zaczął przyjeżdżać do nich na weekendy i będzie miała okazję z nim porozmawiać.

Zadzwoniła do Magdy i opowiedziała jej o swoich planach. Wiedziała, że przyjaciółka, jeśli tylko czas jej na to pozwoli, też chętnie wybierze się do dworku. Niestety, miała jakieś inne plany, ale zapewniła Jagodę, że jeśli coś się zmieni, to na pewno przyjedzie.

Gdy w piątek rano pakowała torbę podróżną do bagażnika, pani Maria przyniosła cały koszyk słoiczków z konfiturami, grzybkami i kompotami, a nawet gruszkami w occie. Natomiast pan Jan dołożył do tego dwie butelki nalewki z dzikiej róży i butelkę przedniego miodu pitnego.

– A to po co? – spytała zdziwiona Jagoda na widok rodziców niosących dary niczym trzej królowie.

– Nie pytaj, tylko pakuj – zakomenderowała mama.

– Ależ, mamo, przecież oni tam wszystko mają, Amelia robi tyle pysznych rzeczy – próbowała słabo protestować Jagoda.

– Nie dyskutuj, dziecko – przerwała jej matka. – Przecież nie pojedziesz z pustymi rękami, poza tym sama mówiłaś, że byli dla ciebie tacy mili. Zresztą przyda im się to dla gości, kiedy ktoś do nich przyjedzie.

– Mama ma rację – wtrącił ojciec. – Pakuj, tylko tak, żeby się nie potłukło.

Jagoda dała za wygraną. Posłusznie załadowała wszystko, co przynieśli, i okazało się, że cały bagażnik wypełniony jest specjałami, przez co swoją torbę z rzeczami musiała położyć na tylnym siedzeniu. Pożegnawszy się z rodzicami i synkiem, wsiadła do samochodu i ruszyła w trasę.

Koło południa wjechała na leśną drogę wiodącą do dworku Kozubków. Mijając miejsce, w którym kiedyś zakopała się nissanem, mimo woli przypomniała sobie pierwsze spotkanie z Wiktorem. Przejechała przez zagajnik i zobaczyła znajomy dom. Na ten widok poczuła podniecenie i lekki niepokój. Dopiero teraz pomyślała, że nie jest przygotowana na spotkanie z Wiktorem, w razie gdyby się okazało, że on tu jest. Ale rozglądając się, nie zauważyła dżipa.

Jeśli miałby tu przyjechać, to chyba dopiero późnym popołudniem, bo pewnie pracuje do szesnastej, podsumowała swoje rozważania.

Wjechała na podjazd od frontu i prawie natychmiast w drzwiach pojawiła się Amelia. Przez chwilę stała na schodach, obserwując zbliżający się nieznajomy samochód. Dopiero gdy Jagoda wysiadła z auta, poznała ją i z radosnym okrzykiem zbiegła ze schodków, a za nią ruszyły psy, Tenor i Sopran, które zaczęły skakać i wesoło poszczekiwać. Jeśli Jagoda miała wątpliwości co do tego, jak zostanie tu przyjęta, to w tej chwili całkowicie się one rozwiały.

– Witaj, Amelio! – zawołała i padły sobie w objęcia.

Na te odgłosy radości z pracowni wybiegł Adam.

– Matko jedyna, już myślałem, że się coś stało – powiedział, podchodząc do nich i witając się z Jagodą. – Amelko, zrobiłaś taki raban, że o mało nie przyprawiłaś mnie o zawał.

– No przecież stało się – tłumaczyła mu rozradowana żona. – Taki gość, kto by się spodziewał. Tak się cieszę, tak się cieszę – powtarzała uradowana.

– Mam nadzieję, że wpadłaś do nas na dłużej. Ale, ale, Jagoda, sama przejechałaś taki szmat drogi tym samochodem? – zdziwił się Adam.

– Kupiłam autko, trochę się podszkoliłam i teraz jestem mobilna – oświadczyła z dumą. – Przyjechałam do was na kilka dni, ale jeśli macie gości, to zatrzymam się w hotelu, w mieście – dodała niepewnie.

– Goście przyjadą dopiero pod koniec przyszłego tygodnia, bo zaczynamy sezon plenerowy, a teraz mamy dużo miejsca. Może ktoś wpadnie na weekend, ale to jeszcze nic pewnego – wyjaśniła Amelia. – Zresztą jedna osoba więcej to dla nas żaden problem.

Jagoda nie bardzo rozumiała, czy ta jedna osoba to ona, czy może następny gość, na przykład Wiktor (na co liczyła), który być może dopiero dojedzie, ale na razie nie próbowała dociekać, bo Amelia już zaczęła ją zapraszać do środka.

Rozładowali bagaże i pani domu wpadła w absolutny zachwyt na widok słoiczków z przysmakami. Słysząc, że to podarunek od rodziców Jagody, bardzo się wzruszyła.

Nie zdążyli wejść do domu, gdy w oddali pojawił się ciemnozielony samochód. Amelia natychmiast zaczęła machać ręką do nadjeżdżającego gościa, a Jagoda, nie mogąc rozpoznać marki, próbowała dojrzeć, kto siedzi za kierownicą.

Może tylko zmienił auto, pomyślała z nadzieją. Błagam, niech to będzie Wiktor! – prawie modliła się w duchu.

Ku jej rozczarowaniu z samochodu wysiadł mężczyzna, ale nie był to Wiktor. Ubrany na sportowo, wyglądający na mniej więcej trzydzieści osiem, czterdzieści lat, wysoki brunet podszedł do nich i serdecznie przywitał się z gospodarzami, po czym Amelia dokonała prezentacji. Okazało się, że Igor Bielak jest lekarzem pediatrą i ma bardzo miły uśmiech.

W czasie gdy Jagoda wzięła szybki prysznic, Amelia przygotowała przekąskę dla zdrożonych gości. Zasiedli przy stole w przytulnej jadalni obok kuchni.

Adam zaproponował, by Igor jeszcze tego dnia wybrał się na przejażdżkę konną, na co gość przystał z wielką ochotą i zapytał, czy Jagoda też chciałaby pojeździć. Zgodnie z prawdą wyjaśniła, że zawsze bała się koni, ale trochę już jeździła, tyle że od czasu wypadku nie miała po temu okazji. Chętnie znów spróbuje, ale może innym razem, bo teraz czuje się bardzo zmęczona po podróży. Tak naprawdę Jagoda chciała zaczekać na Wiktora, a także liczyła, że jak tylko nadarzy się chwila na rozmowę w cztery oczy z Amelią, wypyta ją o wszystko, co działo się z nim w ostatnim czasie.

Kiedy panowie wyszli do stajni siodłać konie, obie panie zaczęły sprzątać ze stołu i prawie natychmiast Amelia zapytała, co się działo z Jagodą przez te dwa lata.

Jagoda wyjaśniła, jaki był prawdziwy powód jej zniknięcia i dlaczego tak długo nie przyjeżdżała. Ciąża, poród, rozwód, przeprowadzka do rodziców i poszukiwanie pracy, pisanie aż w końcu promocja książki – wszystko to pochłonęło ją tak bardzo, że nie mogła się skupić na niczym innym. To, co się w ostatnim czasie wydarzyło, kosztowało ją wiele wysiłku i wytrwałości, ale pomogło też uporządkować pewne sprawy. W ten sposób osiągnęła etap, w którym może już układać swoje życie od nowa.

Potem spytała, czy Wiktor przyjedzie na weekend, a Amelia natychmiast posmutniała. Usiadła przy kuchennym stole i westchnęła.

– Po twoim fatalnym upadku z konia Wiktor czuł się winny, że to przez niego – zaczęła opowiadać. – Próbowaliśmy mu wytłumaczyć, że to czysty przypadek i nie ma w tym żadnej jego winy, ale potem, gdy znikłaś bez słowa i nie odbierałaś jego telefonów ani nie odpisywałaś na esemesy, kompletnie się załamał. Magda też mu mówiła, że nie masz do niego pretensji i nie winisz go za to, co się stało, ale Wiktor nie rozumiał, jak możesz go nie winić i jednocześnie się nie odzywać. Wpadł do nas jeszcze kilka razy, ale te wizyty sprawiały mu ból i były coraz rzadsze. Potem przestał się z nami kontaktować. Kiedyś Adam pojechał do jego firmy, żeby z nim porozmawiać i zaprosić go do nas, Wiktor jednak odmówił i powiedział, że nie może już do nas przyjeżdżać, bo wszystko tutaj przypomina mu ciebie. Chcieliśmy jeszcze zaprosić go na święta Bożego Narodzenia, ale okazało się, że zamknął firmę, sprzedał wszystko i wyjechał. Nie udało nam się dowiedzieć, dokąd i co teraz robi. Adam nawet pojechał drugi raz do miasta, licząc, że znajdzie kogoś z dawnych pracowników Wiktora. Miał nadzieję, że może ktoś będzie znał jego aktualny adres. – Urwała na chwilę i szybko otarła łzy z oczu. – Ale Wiktor nikomu nie powiedział, co zamierza. Podobno od dłuższego czasu zamykał wszystkie swoje sprawy i zrywał dawne kontakty. Zrobił to tak, że teraz nikt już go nie szuka.

Jagoda poczuła na plecach zimny pot, kolana miała jak z waty. Przysiadła na krześle naprzeciwko Amelii i ukryła twarz w dłoniach.

– To wszystko moja wina. Nie sądziłam, że on tak to przeżywa – powiedziała cicho.

– Wiktor zerwał z całym dotychczasowym życiem i zniknął. Zaszył się gdzieś skutecznie, żeby nikt nie mógł go już znaleźć – zakończyła Amelia.

– Przez cały czas czułam się krzywdzona, a nie pomyślałam, że ja też wyrządzam komuś krzywdę. Teraz widzę, jak bardzo byłam skupiona na sobie.

– Tak. Czasem ktoś sprawia nam ból, a czasem robimy to innym.

– Amelko – jęknęła Jagoda – jestem okropna! Jak mogłam zrobić coś takiego komuś, kto był dla mnie taki dobry? Jestem egoistką.

– Nie jesteś, po prostu znalazłaś się w takim momencie życia, w którym musiałaś ratować siebie i dziecko. Wtedy to było dla ciebie najważniejsze. Poza tym nie wiedziałaś, że Wiktor tak to przyjmie.

– I co ja mam teraz zrobić?

– Nie wiem – odparła bezradnie Amelia, wzruszając ramionami. – Powinnaś się zastanowić nad tym, co do niego czujesz.

– Co czuję? Ja go kocham! Od pierwszej chwili, kiedy go zobaczyłam, pokochałam go, tylko na początku jeszcze o tym nie wiedziałam. Byłam wtedy zaabsorbowana swoim małżeństwem, które się sypało, a które za wszelką cenę chciałam ratować. Wtedy to było wszystko, co miałam, jakbym bez Leszka nie istniała. Musiałam dojrzeć i przekonać się, że z mężem czy bez, jestem tą samą, wartościową osobą.

– Tak, wiem.

Jagoda wyjęła z kieszeni komórkę i w spisie zaczęła szukać numeru do Wiktora.

– Zadzwonię do niego – powiedziała.

– To nie ma sensu. Zmienił numer.

W tym momencie rozległ się sygnał jej telefonu. Jagoda spojrzała na wyświetlacz.

– To Magda – poinformowała Amelię i odebrała rozmowę. – Halo! Jak dobrze, że dzwonisz.

– Też się cieszę – usłyszała głos Magdy. – Jesteś już u Kozubków?

– Tak, przyjechałam niedawno, a ty przyjedziesz?

– Właśnie dzwonię, żeby ci powiedzieć, że nie dojadę do was. Radek dostał zaproszenie od prezesa na grilla w sobotę i nie wypadało odmówić. Musimy iść. Nie gniewasz się?

– Coś ty, jasne, że się nie pogniewam, ale i tak mi przykro. Tęsknię za tobą. Amelka też będzie niepocieszona.

– Przeproś ją ode mnie, ale naprawdę nie mogę. A coś ty taka przygaszona, stało się coś?

– Co to znaczy „przygaszona"?

– No słyszę, że jesteś jakaś markotna. Coś z Wiktorem? – zapytała Magda, która błyskawicznie i trafnie odczytywała wszystkie sygnały. Zwłaszcza gdy dotyczyły one Jagody.

– Jakbyś zgadła.

– Nie zgadłam, kochana, tylko czuję w kościach. Mów, o co chodzi.

Jagoda zrelacjonowała przyjaciółce całą sytuację, a Magda słuchała uważnie.

– No i gdzie ja mam teraz go szukać? – zakończyła.

– A to dopiero historia, no, no. – Magda się zamyśliła, a po chwili wydała radosny okrzyk.

– Co wymyśliłaś?! Mów szybko, co ci przyszło do głowy?! – spytała z nadzieją Jagoda.

– Jestem genialna! – cieszyła się Magda.

– Wiem, że jesteś genialna, ale mów już, co wymyśliłaś.

– Dziwię się, że sama na to nie wpadłaś – odpowiedziała z dumą przyjaciółka. – No więc słuchaj. Ta Dorota z Poznania mówiła, że w kwiaciarni dowiedziała się, kto przysłał kwiaty, bo ma tam znajomości. Co jak co, ale musiał tam być adres. Pomyśl, jakby facet nie chciał podać aktualnego adresu, musiałby przyjechać osobiście do tych wszystkich miejscowości, w których miałaś spotkania, i zapłacić gotówką. Sądzę, że byłoby to dla niego zbyt uciążliwe, żeby ganiać za tobą po całym kraju, tym bardziej że nie zamierzał się ujawniać. To znaczy, że składał zamówienia telefonicznie albo drogą elektroniczną i płacił przelewem, a wtedy już musiał podać dokładny adres, który powinien się zgadzać z tym na rachunku bankowym. Nawet gdyby przez telefon podał fikcyjny, to i tak prawdziwy jest na przelewach. Twoja Dorota wydaje się bystra, to w razie czego poradzi sobie i wyciągnie od kwiaciarki ten właściwy adres.

– Matko jedyna, że też o tym nie pomyślałam! – powiedziała zachwycona Jagoda. – Ale ja jestem ciemna, jak tabaka w rogu. Byłam przekonana, że nic się nie zmieniło i Wiktor nadal mieszka w Gorówku, więc nie dopytywałam się o adres, a już wtedy wiedziałabym, gdzie zamieszkał.

– No widzisz? Znów błąd. Nigdy nie zakładaj z góry, że wszystko jest oczywiste.

– Magda, czemu ty nie jesteś detektywem albo taką kryminalistką?

– Kryminalistką? – zdziwiła się Magda.

– No taką pisarką, co to pisze kryminały, jak Agatha Christie.

– Aaaa, o taką kryminalistkę ci chodzi. Jakbym się mocno postarała, mogłabym jedynie zostać kryminalistką poszukiwaną listem gończym – odpowiedziała rozbawiona.

Jagoda też się roześmiała i poczuła wielką ulgę. Miała wrażenie, że życie wstąpiło w nią na nowo wraz ze zdwojoną energią.

– Magda, jak zwykle ratujesz mi życie.

– Wisisz mi następne tiramisu, hłe, hłe. Dzwoń natychmiast do Doroty i dowiedz się, jaki to adres.

– Jasne, zaraz dzwonię. Dzięki, Magda.

– Poczekaj, jeszcze muszę cię ostrzec.

– Przed czym? – zdziwiła się Jagoda.

– Przygotuj się na to, że Wiktor mógł już sobie ułożyć życie z inną kobietą. Nie wiadomo, czy nie wyjechał właśnie dlatego, że kogoś poznał. Nie zapominaj, że on nie wiedział, co się z tobą dzieje, i po tym, jak go potraktowałaś, miał prawo uznać, że definitywnie go przekreśliłaś. Poza tym minęło sporo czasu.

– A róże?

– Róże mógł przysyłać w ramach uznania dla twojego talentu pisarskiego.

– Masz rację – przyznała smutnym głosem Jagoda.

Przypomniała sobie, jak kiedyś Wiktor powiedział, że kiedy uda jej się napisać powieść, to on będzie pierwszym, który jej pogratuluje. Magda może mieć rację, a ona w ogóle nie brała pod uwagę takiej opcji. Niestety, musi się przygotować i na taki scenariusz, chociaż byłoby to dziwne. Po co miałby wysyłać kwiaty jej, Jagodzie, będąc już z inną?

– Dziękuję, Magda, wezmę to pod rozwagę – westchnęła.

– Mówię to na wszelki wypadek, żebyś była przygotowana na każdą ewentualność. Nie chcę znowu patrzeć, jak beczysz w poduchę.

– Obiecuję, że już nie będę beczeć.

– No to powodzenia.

Odłożyła telefon i na moment się zamyśliła, ale Amelia zapytała, o jaką Dorotę chodzi. Dopiero teraz Jagoda uświadomiła sobie, że nie wyjaśniła, jak się dowiedziała, kto przysyła jej róże. Gdy wszystko opowiedziała, Amelia poradziła, żeby Jagoda natychmiast zadzwoniła do Doroty. Sama też była bardzo ciekawa, gdzie teraz przebywa Wiktor i co się z nim dzieje.

Połączyła się z Dorotą, która prawie natychmiast odebrała telefon.

– Witaj, Dorotko, mówi Jagoda... – zaczęła, gdy tamta się odezwała.

– Witaj, miło cię słyszeć. Co u ciebie? – zapytała radośnie Dorota.

– Dorotko, czy jak byłaś w tej kwiaciarni, to zanotowałaś sobie również adres Wiktora?

– Nie. Myślałam, że wiesz, gdzie on mieszka.

– W tym sęk. Wiedziałam, ale się wyprowadził i ślad po nim zaginął.

– To kiepsko... – Dorota zamilkła na chwilę, po czym znów się odezwała: – Słuchaj, kwiaciarnia jeszcze powinna być otwarta, zaraz polecę do Róży i ubłagam ją, żeby mi podała adres. Mam nadzieję, że nie będzie właścicielki... bo wiesz, z adresem to już gorsza sprawa.

– Dorotko, jak ci się uda, będę twoją dłużniczką do końca życia.

– Zobaczymy, co dam radę zdziałać. To na razie. Zadzwonię. – I nie czekając na odpowiedź, natychmiast się wyłączyła.

Obie niecierpliwie oczekiwały na telefon z wiadomością od Doroty. Żeby się uspokoić, zajęły się przygotowaniami do kolacji. Jagoda robiła sałatkę z gotowanym kurczakiem i warzywami, a gospodyni kroiła ser, szynkę i nakrywała do stołu. Jednocześnie Amelia pytała o Kajtka i Wierszyckich. Mniej więcej po godzinie zadzwoniła Dorota. Nie bacząc na mokre, oklejone kawałkami mięsa ręce, Jagoda rzuciła się, żeby odebrać.

– No, masz szczęście, udało się – powiedziała Dorota bez zbędnych wstępów. – Poczekaj, tylko sięgnę po notes. – Na krótko zapanowała cisza. Jagoda domyśliła się, że tamta grzebie w swojej przepastnej torbie. – Już mam, podyktować?

– Chwila – powiedziała i na migi pokazała Amelii, że potrzebuje czegoś do pisania. – Już mogę pisać – oznajmiła po chwili, gdy Amelia w pośpiechu podsunęła jej papierową serwetkę i nadgryziony ołówek.

– No to pisz... – Dorota podyktowała adres, po czym zapytała: – I co, okazało się, że facet powędrował w nieznane?

– Właśnie tak. A ja nic o tym nie wiedziałam, ale dzięki tobie znajdę go, chociażbym miała jechać za nim na koniec świata. A tak przy okazji, nie wiesz przypadkiem, gdzie to jest? Bo ja nie mam bladego pojęcia.

– Dokładnie to nie wiem, ale kiedyś obiło mi się coś o uszy. Wydaje mi się, że to na Mazurach, gdzieś między Ełkiem a Orzyszem. To jakaś pipidówa. Musisz sprawdzić na mapie.

– Okej, sprawdzę. Dziękuję.

Jagoda pożegnała się z Dorotą i zapytała Amelię, czy ma w domu mapę Polski. Sprawdziły, gdzie leży miejscowość Maki, i okazało się, że Dorota miała rację. Była to zapadła wioska na Mazurach.

– Co on tam robi w takiej dziurze? – zdziwiła się Jagoda.

– Nie mam bladego pojęcia, ale wygląda na to, że wybrał miejsce bardzo oddalone i na uboczu. Tak jakby rzeczywiście chciał się ukryć – powiedziała smutno Amelia. – I przez rok skutecznie mu się to udawało.

Usłyszały w korytarzu lekkie skrzypnięcie drzwi i wesołą rozmowę Igora i Adama.

– Jesteście głodni?! – zapytała ich jak zawsze troskliwa Amelia.

– Jak wilki! – zawołał Adam z korytarza, zdejmując z nóg błyszczące oficerki do jazdy konnej.

– Kolacja już prawie gotowa, zaraz możecie siadać do stołu – powiedziała Amelia.

– Ale jeśli można, dopiero za pół godzinki, kochana Amelko – wtrącił Igor. – Najpierw prysznic i świeże ubranie, a potem jedzenie.

Po kolacji, jak to było w zwyczaju Kozubków, zasiedli na werandzie przy świecach i lampce wybornego wina. Jagoda od czasu do czasu ukradkiem przyglądała się Igorowi. Był wyjątkowo przystojnym i błyskotliwym mężczyzną i z pewnością miał ogromne powodzenie u kobiet. Reprezentował typ uroczego, inteligentnego łobuza, męskiego, o troszkę chłopięcej urodzie, który bardzo pociąga płeć piękną i doskonale zdaje sobie z tego sprawę. Gdyby nie ciemne włosy, można by porównać go do Roberta Redforda.

Wypisz, wymaluj zaklinacz koni, stwierdziła z rozbawieniem.

Kilka razy zauważyła, że i on też jej się przygląda z nieukrywaną ciekawością, co mimo woli wprawiało ją w zakłopotanie. Niespodziewanie zdała sobie sprawę, że pod wpływem jego spojrzenia zaczęła się rumienić. Nie lubiła, gdy mężczyzna patrzył na nią w taki sposób. Przyszło jej na myśl, że jakiś czas temu siedzieli tu razem z Wiktorem i było jej wówczas tak cudownie, kiedy z uwielbieniem patrzył na nią swoimi roziskrzonymi, czarnymi oczami. W spojrzeniu Wiktora nie było niczego, co by ją krępowało, jedynie łagodność i szczerość. Tak bardzo pragnęła go teraz zobaczyć. Szybko odwróciła wzrok od Igora i przeprosiła towarzystwo, wyjaśniając, że musi zadzwonić do rodziców, żeby się dowiedzieć, co słychać u synka.

Poszła do swojego pokoju i wybrała numer do domu. Odebrał tata i natychmiast zameldował, że z Kajtkiem wszystko w porządku. Na pytanie, czy spotkała się już z Wiktorem, wyjaśniła ojcu, w czym rzecz. Na to on odparł, że razem z mamą dają jej wolne i może sobie wrócić do domu, kiedy chce, bo oni zajmą się wnukiem najlepiej, jak potrafią. Po takim błogosławieństwie od rodziców Jagodzie nie pozostało nic innego, jak tylko podjąć ostateczną decyzję.

*

Nie chciała odkładać spotkania z Wiktorem. Zbyt długo już z tym zwlekała. Następnego dnia rano, po nocy spędzonej u Kozubków, zapakowała swoje rzeczy do samochodu i ruszyła w drogę do Maków na Mazury, aby odnaleźć miłość swojego życia.

W tym roku maj był od początku bardzo pogodny i ciepły, chwilami wręcz upalny, dlatego szybko zaczęła żałować, że nie wzięła ze sobą więcej letnich rzeczy. Postanowiła, że po drodze dokupi jakieś seksowne bluzeczki na ramiączkach, pasujące do dżinsów. Sama przed sobą nie chciała się przyznać, że pragnęła wyglądać szczególnie ładnie na pierwszym po latach spotkaniu z Wiktorem.

Jechała ponad pięć godzin, ponieważ w drodze zatrzymała się na stacji benzynowej, a potem w jakimś miasteczku na zakupy i kawę. Przy okazji zjadła lekki obiad. Do Maków dotarła potwornie zmęczona, ale cieszyła się, że GPS bezbłędnie doprowadził ją na miejsce. Dopiero w wiosce okazało się, że trudno odnaleźć adres, którego szuka, nie było bowiem żadnych tablic informacyjnych, a numery domów zdarzały się rzadko. Prawdopodobnie mieszkańcy znają się z listonoszem jak łyse konie, w związku z czym stwierdzili, że takowe wskazówki nikomu do niczego nie są potrzebne. W dodatku żadna z pytanych osób nie wiedziała, kto to jest Wiktor Szymański. Na szczęście udało jej się dowiedzieć, gdzie mieszka sołtys.

Zadzwoniła do furtki, na której wisiała tekturowa tablica z napisem SOŁTYS, i prawie natychmiast na podwórku pojawiły się trzy sporej wielkości czarne kundle, które z impetem zaczęły się rzucać na płot. Po chwili z domu wyszedł średniego wzrostu, grubawy, wąsaty mężczyzna i kierując się w jej stronę, wrzasnął na ujadające psy:

– Cicho, głupie kundle! – Zwierzaki posłusznie ucichły, ale zaczęły nerwowo biegać wzdłuż płotu. – Wynocha! Poszły! – rozkazał.

Psy, skuliwszy ogony, wycofały się na bezpieczną kilkumetrową odległość, po czym przysiadły na zadach, czujnie obserwując Jagodę, gotowe w razie zagrożenia bronić swojego pana i rzucić się na intruza. Mężczyzna podszedł do furtki i grubym, lekko chrapliwym głosem zapytał obcesowo:

– O co chodzi?

– Dzień dobry. – Jagoda uśmiechnęła się szeroko, chcąc przełamać pierwsze lody.

– Dobry – powtórzył za nią jak echo i zamilkł w oczekiwaniu.

– Szukam pana Wiktora Szymańskiego, czy pan wie, gdzie on mieszka?

– Nie kojarzę takiego, a on tu u nas, w Makach, ma być?

– Tak, tutaj mam adres – powiedziała, pokazując jednocześnie kartkę z zapisanym adresem. – Szymański.

– A, ten – ożywił się sołtys. – Od razu trzeba było mówić, że o tego chodzi – powiedział i jeszcze raz spojrzał na kartkę.

– Wie pan, gdzie mogę go znaleźć? – ucieszyła się, gdyż pojawiła się iskierka nadziei.

– No, to on tam mieszka w tej szkółce, ale to trzeba przez ten las przejechać – mówiąc to, machnął dużą ręką, wskazując w odpowiednim kierunku.

– Tam? – Wyciągnęła dłoń w tym samym kierunku, celując palcem w widoczną w oddali sporą kępę drzew.

– Tak. Łatwo trafić, pani. Pojedzie pani w tym kierunku, o tu, tą asfaltową drogą i przed samym lasem skręci w prawo. To taka polna droga, która zaraz potem wchodzi w las. Jak pani przejedzie przez ten las, to będzie już pani na miejscu. Trafić łatwo, tylko droga w tym lesie kiepska. – Pierwszy raz uśmiechnął się do Jagody, pokazując pożółkłe, przerzedzone zęby. Potem spojrzał na stojącą na poboczu yariskę i dodał: – Ale dzisiaj sucho, to przejedzie pani tym autkiem.

– Dziękuję panu bardzo. Do widzenia.

– Nie ma za co – odparł i znów się uśmiechnął.

– I niech pani uważa na dziurach w lesie! – zawołał na odchodnym i wrócił do domu.

Jagoda wsiadła do samochodu i ruszyła we wskazanym kierunku. Jakiś kilometr dalej skręciła w polną, dość szeroką drogę, która po trzystu metrach wpadała w las. Jechała dalej ubitym wąskim traktem, na którym co kawałek pojawiały się koleiny powstałe po niedawnych deszczach. Zastanawiała się, jak zareaguje na jej widok Wiktor. Czy się ucieszy, czy też będzie urażony i przyjmie ją z rezerwą?

Przejechała jeszcze jakieś półtora kilometra i wydostała się z lasu na otwartą przestrzeń. Nieopodal dostrzegła padoki i zagrody dla koni, a na łagodnym wzniesieniu ładny duży dom z bali i stajnie. Od tyłu budynku widać było fragment sporego, w części zadaszonego tarasu, a za nim ogród, za którym rozciągał się imponujący sad. Cała posiadłość była dość duża i prezentowała się bardzo malowniczo na tle widocznych w oddali pól i lasów.

Ależ piękne miejsce, pomyślała Jagoda. Nic dziwnego, że Wiktor dobrze się tu czuje. Jadąc wzdłuż ogrodzenia przeczytała tablicę z informacją: „Hacjenda, szkółka jeździecka, jazdy konne, pokoje".

Wjechała przez otwartą bramę na podwórko i zaparkowała pod płotem, jak jej się zdawało, w miejscu przeznaczonym dla samochodów. Przez szybę dostrzegła wychodzącego zza domu koziołka w biało- -brązowe łaty. Dwa psy, duży wyżeł i malutki, biały, chyba szpic, wylegiwały się na ganku i nie ruszając się z miejsca, leniwie podniosły łby, tylko obserwując samochód. Jednak gdy chciała wysiąść, wyżeł natychmiast zerwał się i ruszył w jej stronę, a maleństwo, nadal trzymając się w bezpiecznej odległości, zaczęło niemiłosiernie ujadać piskliwym głosem. Jagoda szybko cofnęła nogę i zamknęła drzwi samochodu. Po chwili na ganek wyszła młoda kobieta.

– Niech się pani nie boi, one nie ugryzą! – zawołała.

Jagoda ostrożnie wysiadła i powoli, obserwując psy, podeszła do nieznajomej.

Była to ładna, młoda, około dwudziestoośmioletnia kobieta o pięknej, wysportowanej sylwetce i zgrabnych smukłych nogach. Kasztanowe, błyszczące długie włosy opadały jej swobodnie na ramiona, a opalona skóra w słońcu miała złotawy odcień. Ubrana w dużą męską koszulę zawiązaną w pasie na węzeł i szorty, z bosymi stopami, wyglądała zjawiskowo i trochę dziko.

Jagoda wpatrywała się w nią, zupełnie zapominając, co chciała powiedzieć.

– Dzień dobry – odezwała się kobieta. – Czym mogę pani służyć? – zapytała miłym, uprzejmym tonem.

– Dzi... dzień dobry – wydukała niepewnie Jagoda.
– Eee... ja... do... czy tu mieszka pan Wiktor Szymański?

– Tak, ale w tej chwili nie ma go w domu.

– A gdzie jest? – zapytała i szybko dodała: – Jeśli można wiedzieć.

– A z kim mam przyjemność? – Tamta przyglądała się jej podejrzliwie.

– Oj, bardzo panią przepraszam, nie przedstawiłam się. Jestem Jagoda Wierszycka... to znaczy Topolska, dawna znajoma Wiktora.

– Nina – przedstawiła się kobieta, podając jej dłoń. – Wiktor jest w Ełku, załatwia dla nas ofertę w biurze turystycznym. Przyjedzie za kilka godzin, późnym wieczorem.

– Szkoda – zmartwiła się Jagoda, nie wiedząc, co teraz.

– Może ja mogę pani jakoś pomóc?

– Och nie, to sprawa osobista.

– W takim razie proszę wejść na kawę – zaproponowała Nina, uśmiechając się przyjaźnie. – Może pani na niego tu zaczekać albo nawet u nas przenocować, jeśli nie ma pani gdzie się zatrzymać. Zapraszamy.

Forma „my" speszyła Jagodę jeszcze bardziej. Nie spodziewała się, że Wiktor mieszka z taką piękną kobietą. Dopiero teraz uświadomiła sobie, że mimo ostrzeżeń Magdy takiego scenariusza nie chciała do siebie dopuścić.

Z wnętrza stajni wyszedł jakiś postawny mężczyzna ubrany w brudne, podarte na kolanach dżinsy, flanelową koszulę i gumiaki. Miał kilkudniowy zarost i słomę we włosach. Odłożył widły, opierając je o ścianę budynku. Jagoda odwróciła się w jego stronę, a on spojrzał na nią świdrującymi oczami i grubym głosem rzucił krótkie:

– Dobry!

– Dzień dobry – odpowiedziała, po czym zwróciła się do Niny: – Nie, dziękuję, poszukam jakiegoś hotelu w pobliżu.

– Ależ to żaden kłopot, mamy pokoje gościnne. W tej chwili jest miejsce, bo sezon jeszcze się nie rozpoczął.

– Nie, nie! – zawołała szybko Jagoda. Pomyślała, że mogłoby to być dla niej bardzo krępujące. Zresztą dla Wiktora też. Mimo wszystko, dopóki nie wiedziała, co go łączy z piękną Niną, wolała zatrzymać się w bardziej neutralnym miejscu. – Lepiej poszukam czegoś w okolicy.

– Jak pani woli. – Nina wzruszyła ramionami.

– Tak, dziękuję pani – powiedziała Jagoda, wycofując się w kierunku swojego auta. – Do widzenia.

– Co mam powiedzieć Wiktorowi?! Chce pani, żebym mu coś przekazała?! – zawołała za nią Nina.

– Nic! Proszę mu nic nie przekazywać! Proszę tylko powiedzieć, że tu byłam.

Pospiesznie wsiadła do samochodu i szybko wyjechała z podwórka. Chciała jak najprędzej się oddalić, żeby nie widzieć ślicznej Niny, wciąż stojącej na ganku. Przy tej kobiecie czuła się zmęczona, nieatrakcyjna, brzydka i stara. Była zła na siebie, że przed przyjazdem tutaj nie zatrzymała się w jakimś hotelu, żeby wziąć prysznic, umyć włosy, zrobić świeży makijaż i przebrać się w nowe ciuchy.

Wyjeżdżając z leśnej drogi na asfaltówkę, odruchowo skręciła nie w tę stronę, z której przybyła, lecz w przeciwną. Potem uświadomiła sobie, że jedzie w kierunku Ełku. Po jakichś dwudziestu kilometrach dostrzegła tablicę z informacją o hotelu. Zdecydowała, że niezależnie od tego, czy spotka się z Wiktorem, czy nie, i tak musi gdzieś przenocować. Przejechała dzisiaj szmat drogi i czuła się już bardzo zmęczona, więc powrót tego samego dnia byłby nierozsądnym posunięciem. Ostatecznie, cokolwiek postanowi, musi wypocząć przed drogą. Skręciła zgodnie ze wskazówkami na tablicach i po kilkuset metrach dotarła do niewielkiego hoteliku. Zaparkowała i poczuła, że w ustach ma tak sucho, iż nie może nawet przełknąć śliny.

W hotelowej restauracji nie było gości. Zajęła miejsce przy stoliku w pobliżu otwartych drzwi na taras i zamówiła sałatkę z kurczaka, sok z lodem i kawę. Gdy kelnerka przyniosła zimny napój, od razu wypiła duszkiem ponad pół szklanki. Przypomniała sobie mamę, która zawsze, gdy Jagoda piła coś zimnego, biadoliła, że córka z pewnością będzie miała chore gardło albo katar żołądka. Czy można mieć katar żołądka? Dopiero gdy już ugasiła pierwsze pragnienie, wyjęła z torebki komórkę i wybrała numer do rodziców. Tym razem odebrała mama.

– Cześć, mamo! Co tam u was, wszystko w porządku?

– Cześć, Jagódko! – powiedziała mama wyraźnie ucieszona telefonem od córki. – U nas wszystko dobrze. Tato zabrał Kajtka na spacer, ale zaraz powinni wrócić, bo już się ściemnia i czas na kolację. A co u ciebie, gdzie jesteś?

– U mnie też w porządku. Jestem w hotelu niedaleko Ełku.

– W hotelu? – zdziwiła się Maria. – A co ty tam robisz? Masz zamiar tam nocować?

– Jeszcze nie wiem, zastanawiam się, czy warto.

– Jagódko, co się dzieje? – zaniepokoiła się mama. – Widziałaś się już z Wiktorem, czy nie możesz go znaleźć?

– Znalazłam, ale nie widziałam się z nim.

– Mów jaśniej. Najlepiej zacznij od początku.

– Dobra. Znalazłam dom, w którym mieszka Wiktor. To spora posiadłość w lesie, prowadzą tam coś w rodzaju agroturystyki ze szkółką jeździecką. Wiktora nie zastałam. Z domu wyszła młoda, atrakcyjna kobieta i powiedziała, że pojechał do Ełku i wróci wieczorem. Nie wiem, co o tym myśleć. Ona tak dziwnie mówiła...

– Dziwnie? To znaczy jak?

– No, zaproponowała mi nocleg i powiedziała „mamy pokoje" albo „Wiktor załatwia dla nas ofertę", to jakoś tak brzmiało, jakby chciała specjalnie podkreślić, że...

– Że co? – nalegała mama.

– Miałam wrażenie, że ona wyczuła, po co przyjechałam, i rozmawiała ze mną tak, żebym się domyśliła, że Wiktor jest już zajęty... No, że oni są razem.

– Tak myślisz? A może się mylisz? Może tylko tak ci się wydawało? – Mama wyraźnie próbowała ją pocieszyć.

– Mamo, ona jest śliczna, co by taka piękna dziewczyna robiła w tej zapadłej dziurze? Ona z powodzeniem mogłaby być wziętą modelką. Jeśli taka kobieta z własnej nieprzymuszonej woli decyduje się na życie w odosobnieniu, gdzieś w lesie na zadupiu, to powodem może być tylko miłość.

Jagoda usłyszała, jak mama ciężko westchnęła.

– Może masz rację. Co zrobisz w tej sytuacji?

– Właśnie się zastanawiam. Z jednej strony, skoro już przejechałam tyle kilometrów, to chciałabym chociaż się dowiedzieć, co jest grane, a z drugiej nie chcę wyjść na taką, co się narzuca. Jeśli Wiktor ułożył sobie życie, to nie będę się dobrze czuła, nachodząc go w domu i niepokojąc jego partnerkę, a może już nawet żonę. Wyjdę na głupią, bo przecież mogłam wcześniej się z nim jakoś skontaktować, zamiast od razu przyjeżdżać.

– Może dlatego na spotkania autorskie przysyłał tylko kwiaty i ani razu nie pojawił się osobiście.

– No właśnie.

– A mówiłaś tej kobiecie, że zatrzymasz się w hotelu?

– Mówiłam, że poszukam czegoś w pobliżu.

– W takim razie zostań tam, przenocuj, a jeśli jutro Wiktor nie odezwie się do ciebie, to znaczy, że jest już zajęty i nie chce komplikować sobie życia. Wtedy wrócisz do domu.

– To brzmi rozsądnie.

– Ach, o mało nie zapomniałam ci powiedzieć. Dzwoniła Kasia i mówiła, że nie może się do ciebie dodzwonić. Coś jej w telefonie mówiło, że abonament jest poza zasięgiem...

– Abonent jest poza zasięgiem, mamusiu – poprawiła ją Jagoda.

– No przecież mówię.

– Prawdopodobnie dzwoniła, kiedy jechałam przez las.

– Możliwe. W każdym razie pytała, czy pamiętasz, że jutro masz spotkanie w Łodzi.

– A niech to szlag! Na śmierć zapomniałam! – zdenerwowała się Jagoda.

– No właśnie, a dlaczego to spotkanie jest w niedzielę, to już nie ma innych dni w tygodniu? – zapytała z irytacją pani Maria.

– Bo to impreza połączona z festiwalem debiutantów. Będą wręczać jakieś nagrody literackie za powieść, poezję, scenariusze i coś tam jeszcze.

– To może zrezygnuj z tej Łodzi. Jak ty będziesz tam jechać taki kawał drogi, a potem jeszcze wracać po nocy do domu? To chyba zrobisz z pięćset kilometrów – zaniepokoiła się mama.

– Nie wiem, ile kilometrów jest do domu, ale na pewno bardzo dużo. Za to do Łodzi mniej i po drodze. Będę musiała wcześniej stąd wyjechać, żeby zdążyć na siedemnastą. W takim razie jutro nie wrócę do domu, tylko zatrzymam się na noc u Kozubków, bo do nich z Łodzi to jak rzut beretem.

– Może lepiej wcale tam nie jedź, bo będziesz się spieszyć i gnać na złamanie karku. – Pani Maria zdenerwowała się nie na żarty.

– Nie mogę po prostu nie przyjechać na takie spotkanie, to byłoby niepoważne z mojej strony. Oni będą tam na mnie czekać. Gdybym wcześniej odwołała, to co innego. Teraz już za późno, żeby się wycofać. Jeszcze pomyślą, że mam fochy i zachowuję się jak jakaś gwiazda.

– Ale obiecaj mi, że będziesz uważała i wyjedziesz z tego Ełku wcześnie.

– Dobrze, mamo, postaram się wyjechać jak najwcześniej.

*

Położyła się spać, ale pomimo zmęczenia nie mogła usnąć. Wstała i chodziła po pokoju podenerwowana, aż w końcu zeszła do recepcji i poprosiła o coś na sen. Recepcjonistka była chyba doświadczona w tym względzie, bo z miłym i pełnym zrozumienia uśmiechem poratowała ją dwiema tabletkami i szklanką niegazowanej wody mineralnej. Po proszkach Jagoda od razu poczuła się senna i wkrótce wpadła w przytulne ramiona Morfeusza, w których pozostała aż do ósmej rano.

Obudziła się z myślą, że nie może wyjechać, dopóki nie spotka się z Wiktorem, i w związku z tym nie będzie tutaj na niego biernie czekać.

Wyskoczyła z łóżka, wzięła szybki, odświeżający prysznic, zrobiła delikatny makijaż i ubrała się starannie. Tym razem chciała wyglądać świeżo i atrakcyjnie. Włożyła jasnobłękitne, dopasowane spodnie, granatową jedwabną bluzeczkę i sandałki na niewysokim, wygodnym obcasie. Stanęła przed lustrem i uznała, że musi czymś rozjaśnić twarz, żeby zmęczenie po podróży nie rzucało się w oczy. Wyjęła z bocznej kieszeni torby lawendową apaszkę z delikatnego szyfonu i luźno okręciła ją wokół szyi. Z aprobatą przyjrzała się własnemu odbiciu, po czym szybko spakowała resztę rzeczy. O ósmej czterdzieści była już gotowa do wyjścia. Zeszła do sali restauracyjnej i poprosiła tylko o kanapkę i filiżankę mocnej kawy. Zjadła w pośpiechu, a gdy wyjeżdżała z parkingu hotelowego, na zegarku samochodowym była dziewiąta piętnaście. Z zadowoleniem pomyślała, że ma czas, żeby zobaczyć się z Wiktorem i jeszcze zdążyć na spotkanie w Łodzi.

Podjeżdżając do Hacjendy, zobaczyła dwa samochody stojące przy ogrodzeniu, ale żaden z nich nie należał do Wiktora. Zaparkowała tuż za nimi i weszła na podwórko. Mały piesek znów podniósł raban, aż z wnętrza domu wyszedł mężczyzna, którego wczoraj widziała przy stajni. Był ubrany w to samo brudne ubranie.

– Dzień dobry – przywitała się. – Czy zastałam Wiktora Szymańskiego?

– Dzień dobry. Niestety, nie ma go – odpowiedział krótko.

W tym momencie w drzwiach pojawiła się Nina.

– A, to pani. Witam! – zawołała, uśmiechając się do niej, a mężczyzna, przeprosiwszy je, zszedł ze schodów i skierował się do stajni.

– Chciałam się zobaczyć z Wiktorem – wyjaśniła Jagoda.

– Domyślam się, ale nie ma pani szczęścia, bo znów wyjechał.

– Mówiła mu pani, że tu byłam?

– Oczywiście. Tyko że Wiktor wrócił bardzo późno, kiedy już spałam. Podobno był wczoraj u swojej córki w Ełku. Dlatego dopiero dzisiaj rano, przy śniadaniu, powiedziałam mu o pani, a wtedy zerwał się z krzesła, wsiadł w samochód i pojechał. Nawet śniadania nie dokończył.

– I nie powiedział, dokąd się wybiera? – Jagoda próbowała dowiedzieć się czegoś bardziej konkretnego.

– Nic nie mówił. – Kobieta bezradnie rozłożyła ręce. – Nie mam pojęcia, dokąd tak pognał. Może jednak zaczeka pani na niego u nas?

– Nie, nie mogę. Muszę już wracać. Dziękuję za wszystko...

– Może coś mu przekazać? – zapytała uprzejmie Nina.

– Nie trzeba – odparła zrezygnowana Jagoda. – Proszę go tylko pozdrowić. Do widzenia, pani Nino. Miło było panią poznać – pożegnała się i poszła do samochodu.

– Mnie również było miło. Bezpiecznej drogi! – zawołała za nią Nina i pomachała na pożegnanie.

Jagoda przekręciła kluczyk w stacyjce i w tym momencie uznała się za pokonaną przez los. Miała ochotę wyć niczym wilk do księżyca, ale powstrzymała się, uznawszy, że nie powinna w ten sposób objawiać żalu, bo Nina mogłaby to opacznie zrozumieć i wezwać karetkę.

Tym razem, wjeżdżając na asfaltową ulicę, skręciła w dobrym kierunku i ruszyła prosto do Łodzi.

Na spotkanie przyjechała z lekkim opóźnieniem, bo po drodze musiała dwa razy się zatrzymać, żeby odpocząć i coś zjeść. Mniej więcej w połowie drogi zadzwoniła do Kasi z prośbą, żeby powiadomiła organizatorów imprezy, że może się spóźnić. Nie zdążyła się pożegnać, gdy połączenie zostało przerwane. Spojrzała na komórkę i zobaczyła, że padła bateria. Nic dziwnego, skoro wczoraj zapomniała ją naładować.

Niestety tym razem, ku jej ogromnemu rozczarowaniu, na spotkaniu nie pojawił się żaden kurier z czerwoną różą. Jagoda nie miała już wątpliwości, że Wiktor przysyłał róże w uznaniu dla jej sukcesu i talentu, a nie dlatego, że jeszcze coś do niej czuł. Wyraźnie unikał kontaktu. Prawdopodobnie, gdy się dowiedział, że go szuka, uciekł przed niezręczną sytuacją.

Wieczorem zajechała na nocleg do Kozubków. Igora już nie było. Wyjechał godzinę wcześniej, żeby zdążyć do szpitala na nocny dyżur. Amelia i Adam jeszcze nie spali, czekali na nią w salonie przy kominku, sącząc nalewkę Adasiowej produkcji. Ponieważ Jagoda, mimo ogromnego zmęczenia, też nie miała jeszcze ochoty na sen, przyłączyła się tak do towarzystwa, jak i do nalewki. Kończąc relację z poszukiwań Wiktora, ujawniła swoje wątpliwości co do sensu tej wyprawy, chociaż z drugiej strony teraz przynajmniej miała jasną sytuację. Uznała, że wszystko wskazuje na to, że Wiktor już ułożył sobie życie i raz na zawsze zrezygnował z odbudowania ich relacji.

– Dziwne – powiedziała Amelia. – Miałam wrażenie, że dobrze znam Wiktora, i sądziłam, że jest to mężczyzna, który niełatwo się angażuje, a związki traktuje nad wyraz poważnie.

– Co chcesz przez to powiedzieć? – zainteresowała się Jagoda.

– Gdy poznaliśmy Wiktora, był świeżo po rozwodzie, mimo to emocjonalnie jeszcze długo pozostawał pod wpływem żony, a potem przez kilka lat nie miał nikogo. Nie angażował się w żadne związki z kobietami, nie szukał przygód i tak dalej, aż do chwili, gdy zakochał się w tobie. Z tego wnioskuję, że on nie jest lekkoduchem... Lokuje swoje uczucia z rozwagą i niełatwo się odkochuje, jest stały.

– Amelio, nikt nie może do końca poznać drugiego człowieka. Coś o tym wiem. Szczególnie dużo na ten temat dowiedziałam się w trakcie rozwodu – odrzekła Jagoda i upiła łyk nalewki. – A właściwie to jego postępowanie wcale nie wyklucza trafności twoich spostrzeżeń, bo jeśli Wiktor poważnie traktuje związki, to nic dziwnego, że nie chce zniszczyć tego, w którym jest w tej chwili.

– Chyba nie do końca masz rację – wtrącił się Adam. – Moim zdaniem, z męskiego punktu widzenia wygląda to troszkę inaczej. Może Wiktor związał się z inną kobietą, czego nie wiemy na pewno – zauważył, unosząc palec – ale przysyłając ci kwiaty, i to niejeden raz, pokazał, że o tobie pamięta, nadal darzy cię wielkim uczuciem i niewykluczone, że podświadomie liczył, że się do niego odezwiesz.

– No to odezwałam się i co...? – odparła Jagoda, a w jej głosie dało się słyszeć rozgoryczenie. – Jak tylko usłyszał, że przyjechałam, zwinął manatki i zwiał.

– Jagódko, przemawia przez ciebie żal. Jesteś niesprawiedliwa – powiedziała Amelia.

– Nawet jeśli, to on i tak jest już z inną – stwierdziła Jagoda i głośno westchnęła. – A mówią, że to kobiety są specjalistkami od wysyłania sprzecznych sygnałów.

– Mimo wszystko to nie znaczy, że nie masz u niego szans. Wręcz przeciwnie. Jeśli przed tobą uciekał, to znaczy, że nie jest pewien, czy na twój widok nie zmieniłby zdania i po prostu nie zostawiłby tamtej kobiety. – Adam nie dawał za wygraną.

– A co to zmienia? – Jagoda obstawała przy swoim. – To nie znaczy, że mam prawo zjawiać się znienacka, po dwóch latach milczenia, i rujnować ludziom ich świat. Nina nie zasłużyła na to, żeby jakaś inna baba odbiła jej faceta, burząc przy tym jej poukładane życie.

– Nikt na to nie zasługuje – zgodził się z nią Adam, ulegając tym argumentom. – Ale i tak wydaje mi się to bardzo dziwne.

– Jagoda ma rację – poparła ją Amelia. – Nie można z buciorami włazić w cudze życie. To by było podłe.

– No tak, ale jeśli on nie kocha tamtej kobiety,

tylko nadal myśli o Jagodzie, to summa summarum wszyscy troje będą nieszczęśliwi. – Adam nie mógł pogodzić się z faktami.

– Nawet jeśli jest tak, jak mówisz, to teraz decyzja należy już tylko do niego. Ja nie mogę zrobić nic więcej. Nachodząc go, jedynie straciłabym jego szacunek – rozsądnie zauważyła Jagoda.

– Rzeczywiście – odparł Adam ze smutkiem, niechętnie przyznając jej rację.

– Chyba już pójdę się położyć, bo po tej pysznej nalewce zrobiłam się śpiąca – oznajmiła Jagoda, odstawiając pusty kieliszek.

– Rzeczywiście, zrobiło się późno – potwierdziła Amelia. – Jagódko, na przyszły weekend przyjeżdża do nas Igor z grupą swoich znajomych i ich dziećmi, chcą sobie zrobić krótki, aktywny wypoczynek. No wiesz, jazda konna, spacery po lesie, wieczorem ognisko albo grill i piwo z beczki. Może byś przyjechała do nas z Kajtkiem? Będzie miło.

– Dlaczego ja? Przecież mówisz, że Igor przyjeżdża ze swoimi znajomymi.

– Ależ to nie ma znaczenia, bo ty jesteś naszą znajomą – przekonywała Amelia. – A poza tym bardzo chcielibyśmy zobaczyć twojego synka.

– Oj, Amelko, tylko nie baw się w swatkę. – Jagoda ze śmiechem pogroziła jej palcem.

– Ani przez myśl mi nie przeszło, żeby cię swatać – obruszyła się Amelia. – Po prostu zawsze miło nam jest ciebie gościć, a tobie też przyda się relaks w miłym towarzystwie.

– No dobrze, żartowałam. Zobaczę, jak mi się ułoży z obowiązkami w pracy. Zadzwonię do was w tygodniu – powiedziała i pocałowała Amelię w policzek na dobranoc.

*

Zmęczona po wrażeniach z ostatnich dni, a może rozluźniona po nalewce, zasnęła natychmiast, gdy tylko przyłożyła głowę do poduszki. Spała niczym przysłowiowy suseł i nie miała ochoty zrywać się z łóżka skoro świt. Dopiero po tej nocy w dworku Jagoda poczuła się wypoczęta, dzięki czemu droga, którą pokonała kilka dni wcześniej, tym razem wydawała się jej krótsza i mniej męcząca, mimo że na trasie panował spory ruch.

Od Kozubków wyruszyła, nie spiesząc się, dlatego do Szczyrku przyjechała dopiero wczesnym popołudniem. Gdy tylko znalazła się na znajomym terenie, poczuła się podekscytowana i radosna. Ten stan wynikał z faktu, że już za chwilę miała zobaczyć synka. Dotąd nie rozstawała się z Kajtkiem na dłużej niż jeden dzień. Dlatego teraz, przez te kilka dni, bardzo się za nim stęskniła. Nie mogła też doczekać się spotkania z rodzicami, gdyż pragnęła porozmawiać z nimi i podzielić się wrażeniami z wyjazdu, a przy okazji posłuchać ich mądrych rad w sprawie Wiktora.

Droga biegła serpentynami pod górę i Jagoda musiała się skupić na prowadzeniu samochodu. Po kilku minutach z ulgą zobaczyła w oddali dom rodziców.

Ucieszyła się, że za chwilę będzie na miejscu. Zbliżywszy się, zauważyła, że brama wjazdowa jest otwarta. Wjechała na teren posesji i zobaczyła zaparkowanego czarnego dżipa. Przyjrzała się uważnie i odczytała numery na tablicy rejestracyjnej.

Matko jedyna! A niech mnie kule, czyżby to był Wiktor?!!!

Zostawiła swoją yariskę na podjeździe oraz otwartą na oścież bramę i jak szalona pognała do domu. Gdy tylko z impetem wpadła do korytarza, z kuchni na paluszkach wybiegła pani Maria. Energicznie machała rękami niczym wiatrak na holenderskim polu tulipanów, niejasno pokazując córce coś na migi. Zdezorientowana Jagoda zatrzymała się w miejscu i nic nie rozumiejąc, patrzyła na matkę wytrzeszczonymi oczami.

– O co chodzi? – zapytała, bo mimo wielkich wysiłków nie mogła odczytać owych tajemniczych gestów.

Pani Maria przyłożyła palec wskazujący do ust, co Jagoda zrozumiała jako polecenie: „Cicho bądź". Potem na paluszkach podeszła do córki i powiedziała stłumionym szeptem:

– Chodź, zobacz – i cały czas skradając się po cichu jak kot, poprowadziła ją przez salon do drzwi balkonowych, po czym stając za firanką, wycelowała palcem w kierunku tarasu.

Na zewnątrz Jagoda zobaczyła miły, niemal sielankowy obrazek. Na rozłożonych na tarasie leżaczkach siedzieli pan Jan i Wiktor, trzymający na kolanach Kajtusia.

Już na pierwszy rzut oka widać było, że cała trójka świetnie się bawi, a Kajtek wręcz piszczał z radości, próbując w żartach urwać nos Wiktorowi, który po każdej próbie całował chłopca w piąstkę. Malec aż podskakiwał ze śmiechu, tak bardzo podobały mu się te figle.

Pani Maria chwyciła Jagodę za rękę i pociągnęła za sobą do kuchni.

– Siadaj, kochana – rozkazała, wskazując córce krzesełko. – Nie musisz się spieszyć, teraz już ci on nie ucieknie.

– Skąd on się tu wziął? – zapytała podekscytowana Jagoda.

– Jak to skąd? Przyjechał tu za tobą. – Mama się uśmiechnęła.

– Kiedy?

– Wczoraj pod wieczór. Przyjechał i pytał o ciebie.

Zadzwonił telefon Jagody, ale nie odebrała i nawet nie spojrzała na wyświetlacz, żeby sprawdzić, kto dzwoni. Nie chciała, aby ktokolwiek teraz jej przeszkadzał.

– Mamo, mów wszystko po kolei – poprosiła.

– Więc tak, przyjechał i pytał...

Znów zabrzmiał sygnał komórki, ale tym razem przyszedł esemes. Jagoda spojrzała na wiadomość od Magdy:

Od wczoraj nie mogę się do ciebie dodzwonić. Co się dzieje z Twoim telefonem? Wczoraj dzwonił Wiktor i pytał, gdzie mieszkasz. Podałam mu adres Twoich rodziców. Mam nadzieję, że dobrze zrobiłam i mnie nie zabijesz :)

– Coś się stało? – spytała mama.

– Magda nie mogła się do mnie dodzwonić, bo wczoraj padła mi komórka. Mów, mamo. Przyjechał i pytał o mnie, i co dalej? – ponagliła panią Marię.

– Przedstawił się, więc ojciec zorientował się od razu, kto to taki, i zaprosił go do domu, a potem wypytał o wszystko.

– I co?

– Powiedział, że jak przyjechałaś do niego w sobotę, to akurat był w Ełku. Załatwiał jakieś oferty czy coś w tym rodzaju, a potem pojechał odwiedzić swoją córeczkę, bo mała mieszka teraz z mamą w Ełku. Nawiasem mówiąc, właśnie dlatego przeniósł się do tych Maków, żeby być bliżej córki. Wrócił wieczorem i ta Nina już spała. Dopiero rano widzieli się przy śniadaniu i wtedy mu powiedziała, że byłaś...

– Chwileczkę, mamo, mówił, kim jest dla niego ta Nina?

– Jasne, to córka jego znajomych. Wyszła za mąż i zamieszkała z mężem w tych Makach. We dwoje prowadzą Hacjendę.

– To ona ma męża?

– No przecież mówię, że mieszka tam z mężem. Wiktor u nich się zatrzymał i sobie mieszkał. Trochę pomagał w gospodarstwie i zabawiał gości, głównie prowadząc jazdy na tych koniach, co je tam hodują.

Znowu zadźwięczała komórka, przyszedł kolejny esesmes od Magdy:

Swoją drogą, trudno mu odmówić romantyzmu ;)
;) ;) Musisz napisać następną książkę. Bestseller mu-
rowany!

– Ale dlaczego rano wyjechał, zamiast na mnie
zaczekać w domu? – wypytywała Jagoda.

– Bo chciał cię natychmiast odszukać. Zjeździł
wszystkie hotele na trasie od Maków do Orzysza
i w okolicach Orzysza, ale nigdzie nie mógł ciebie
znaleźć. Pomyślał, że zamiast zatrzymać się na nocleg, pojechałaś od razu do domu. Gdy wrócił do Hacjendy, Nina powiedziała mu, że byłaś drugi raz, lecz
nie mogłaś poczekać, bo się spieszyłaś. Po prostu się
minęliście. Od razu zadzwonił do ciebie, tylko że
twój stary numer jest już nieaktualny, bo zmieniłaś
tego abonamenta...

– Operatora, mamo – poprawiła ją odruchowo Jagoda.

– No właśnie, więc zadzwonił do wydawnictwa,
ale tam nie chcieli mu podać twojego adresu ani aktualnego numeru telefonu. Chyba myśleli, że to jakiś
sfiksowany fan. Potem wpadł na pomysł, żeby zadzwonić do Magdy, i dopiero ona mu powiedziała,
że mieszkasz u nas w Szczyrku. Wtedy, tak jak stał,
wsiadł w samochód i pojechał za tobą. Miał nadzieję, że dogoni cię po drodze, ale pojechałaś do Łodzi, a potem do Kozubków, o czym on nie wiedział.
To znaczy, wiedział, że masz być w Łodzi, ale nie
wiedział, że stamtąd zamiast do domu pojedziesz do
dworku. Dlatego zjawił się tutaj. Gdy wyjaśniliśmy
mu, że nocujesz u Amelii, chciał natychmiast do

ciebie jechać, ale na szczęście wyperswadowaliśmy mu ów nierozsądny pomysł. Więc posiedział z nami, a potem zamierzał iść, poszukać jakiegoś pokoju w hotelu, ale ojciec zaproponował, żeby przenocował u nas i tu na ciebie poczekał. Pożyczył mu nawet swoją piżamę i dał nową szczoteczkę do zębów, a rano zaniósł mu maszynkę do golenia – mama roześmiała się rozbawiona – bo goniąc za tobą, nie pomyślał nawet, żeby się spakować i zabrać jakieś rzeczy.

– Spał tutaj? – Jagoda nie mogła uwierzyć własnym uszom. – Przecież tato jest taki nieufny w stosunku do obcych.

– Córeczko, może i jesteśmy starej daty, ale mamy oczy i serce. Skoro szukaliście się po całym kraju, to widać musicie się bardzo kochać. – Mama czule pogłaskała ją po policzku. – Jeśli ty mu ufasz, to my też. Zresztą, on nam się spodobał. Widziałaś, jak się świetnie dogaduje z Kajtkiem? Chyba nadają na tych samych falach – dodała ze śmiechem.

– Wiesz, mamo, zawsze bardzo was kochałam, ale dopiero teraz wiem, jak bardzo was nie doceniłam.

Pani Maria pokiwała głową na znak, że rozumie. Jagoda przysunęła się do matki i mocno objęła ją ramionami. Przytuliła policzek do jej policzka i powiedziała:

– Kiedyś myślałam, że kochacie Leszka bardziej niż mnie.

– Kochaliśmy go ze względu na ciebie. W ten sposób chcieliśmy ci pokazać, że szanujemy twój wybór. Nie, żebyśmy go nie lubili, po prostu chodziło nam o to, żebyś ty była z nim szczęśliwa. Ale sama widzisz, nikt z nas nie wiedział, co Leszkowi siedzi za skórą. W takiej sytuacji każdy może się pomylić.

– Wszyscy się pomyliliśmy, ale mamy to już za sobą.

Przez chwilę milczały wzruszone i przytulone do siebie.

– Ojciec mówił, że z tych Maków do Szczyrku jest sześćset kilometrów, a Wiktor bez zastanowienia przejechał tę całą trasę w jeden dzień, żeby się z tobą zobaczyć – dodała pani Maria, głaszcząc delikatnie włosy swojej jedynaczki. – Musi mu bardzo na tobie zależeć.

– Tak, masz rację... To wiele o nim mówi. Kochany Wiktor.

– No, idź już. Przywitaj się z nim, bo nie może się ciebie doczekać – ponagliła ją pani Maria.

Obie wyszły razem na taras. Jagoda widziała, jak Wiktor na jej widok znieruchomiał, trzymając cały czas dziecko za rączki. Podeszła do ojca i pocałowała go w policzek, potem nachyliła się nad synem i pocałowała go w czubek główki.

– A ja? – zapytał Wiktor, uśmiechając się i nastawiając policzek do pocałunku.

Pocałowała go w usta i poczuła, że jest jej bardzo bliski. Tak bliski, że już bardziej nie można.